新编百姓最爱家常菜2888例

双 福
朱太治
等编著

化学工业出版社
·北京·

2888张超细致步骤图！360个吃不够的美味家常菜！360个不失败的厨艺巧招！20种常用食材、16大刀工、4大火候、21种常用调味料解析，拥有本书，轻松变大厨！

本书精选百姓最爱吃的美味家常菜、滋补汤煲、花样家常主食，每道菜均配精美成品大图，配以步骤图详解，详细介绍每道家常菜的具体做法，并对每个菜的口味、烹饪难度、操作时间进行贴心提示。全书按照蔬菜类、菌菇类、豆类及豆制品、肉类、海鲜类、蛋奶类分类排序，方便读者使用检索。

随书赠送超长120分钟VCD光盘，看大厨演绎美味佳肴！

图书在版编目（CIP）数据

新编百姓最爱家常菜2888例／双福，朱太治等编著. —北京：化学工业出版社，2014.10

ISBN 978-7-122-21793-6

Ⅰ. ①新… Ⅱ. ①双… ②朱… Ⅲ. ①家常菜肴-菜谱 Ⅳ. ①TS972.12

中国版本图书馆CIP数据核字（2014）第207569号

责任编辑：李 娜 王丹娜 马冰初　　装帧设计：水长流文化
责任校对：程晓彤

出版发行：化学工业出版社（北京市东城区青年湖南街13号 邮政编码100011）
印　　装：北京瑞禾彩色印刷有限公司
710mm×1000mm 1/16 印张23 字数450千字 2015年1月北京第1版第1次印刷

购书咨询：010-64518888（传真：010-64519686）　售后服务：010-64518899
网　　址：http: // www.cip.com.cn
凡购买本书，如有缺损质量问题，本社销售中心负责调换。

定　价：39.80元

CONTENTS 目录

上篇 美味家常菜

Part 1 厨艺入门 烹饪常识和实用技巧

Part 2 蔬菜类

Part 3 菌菇类

Part 4 豆类及豆制品

Part 5 畜肉类

Part 6 禽肉类

Part 7 海鲜类

Part 8 蛋奶类

中篇 滋补汤煲

Part 1 蔬菌类

Part 2 畜肉类

Part 3 水产类

Part 4 禽蛋类

下篇 花样家常主食

Part 1 米香醉人

米饭

Part 2 面面俱到

包子

饺子

馄饨

面条

面 饼

Part 3 粥氏家族

咸 粥

Part 1 厨艺入门

烹饪常识和实用技巧

20种家常必备食材的选购和处理

“巧妇难为无米之炊”。作为刚接触烹饪的新手，初次下厨，必然要从食材的选购开始，只有选对了食材，处理得当，才能迈出制作美味佳肴的第一步！

蔬菜类的选购与处理

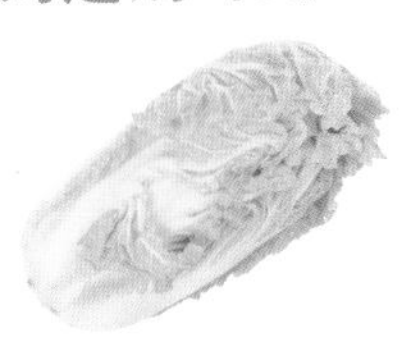

白 菜·

挑选 优质白菜包心结实，无黄叶，无老帮，无灰心，无夹叶菜，无虫蛀，根削平，棵头均匀。

清洗 白菜应除去外围的叶片，再单片冲洗，放入清水中浸泡两个小时，再用清水冲洗，以去除残留农药。

烹饪 切白菜时，宜顺丝切，这样可使白菜易熟。白菜焯烫时间不可过长。煮白菜时，在菜汤里加点醋；不要用热水洗白菜或用搪瓷器皿猛火烧，这样都可使白菜保持鲜嫩碧绿。

储存 储存时，白菜菜根朝里，菜叶朝外，适宜温度为1～2℃，注意通风。

芹 菜·

挑选 新鲜的芹菜是平直的。存放时间较长的芹菜，叶子尖端就会翘起，叶子变软，甚至发黄起锈斑。

烹饪 芹菜焯水后，马上过凉，除了可以使成菜颜色翠绿外，还可以减少炒菜的时间，去除90%的残留农药。

储存 芹菜择去叶子，包住根部，置于冰箱中，可以存放4～5天。

黄 瓜·

挑选 挑选黄瓜时应挑硬黄瓜，因为黄瓜的含水量高达96.2%，它只有失水后才会变软，所以软黄瓜必定不新鲜。

清洗 黄瓜应先放在水盆中泡洗，再在水龙头下冲洗，也可用软毛刷刷洗。

烹饪 黄瓜可生吃，也可用来炒菜，生吃时不宜过多。

储存 将黄瓜放入保鲜袋中，封好袋口后冷藏即可。

胡萝卜·

挑选 优质的胡萝卜表皮光滑，色泽橙黄且鲜艳，形状粗细整齐，不分叉，不开裂，中心柱细小。

清洗 胡萝卜应先放在水盆中泡洗，再在水龙头下冲洗干净。

烹饪 胡萝卜用油炒熟或者和肉类一起煮炖后再食用更有营养。烹调胡萝卜时，不要加醋，以免损失胡萝卜素。

储存 储存胡萝卜时，把头端绿色的叶子除去，再用塑胶袋包好后放进冷藏柜即可。

茄子·

挑选 在茄子绿色萼片与果实相连接的地方，有一圈浅色环带，这条带越宽、越明显，说明茄子越鲜嫩。

烹饪 茄子适用于烧、焖、蒸、炸、拌等烹调方式。油炸茄子会造成维生素P大量流失，挂糊上浆后炸制能减少这种流失。

茄子切成块或片后，由于氧化作用会很快由白色变成褐色。如果将切成块的茄子立即放入水中浸泡，待做菜时再捞起沥干，就可避免茄子变色。

储存 茄子的皮如果完好，可以在常温下保存约3天，如果置于冷藏柜中可保存约1周。

菠菜·

挑选 优质菠菜色泽浓绿，根为红色，不着水，茎叶不老，无抽薹开花，不带黄烂叶。

清洗 洗菠菜时，应仔细清洗根部和菜叶，先放在水盆中泡洗，再在水龙头下冲洗，可洗净残留农药。

烹饪 在焯菠菜时，加入色拉油、盐，可使其颜色翠绿。

储存 菠菜是一种极易腐烂的蔬菜，储存温度要在冰点以上（接近0℃），温度愈低，储存期限愈长。接近0℃储存，约可存放3周。

菌菇类的选购与处理

木耳·

挑选 优质木耳乌黑光润，背面呈灰色；手摸干燥，分量轻；嗅之有清香味；吸水膨胀性好。

清洗 将木耳放入温水中，加两勺淀粉后搅拌，可清洗得更干净。用淘米水泡发，不但肥大、松软，味道也鲜美。

香菇·

挑选 优质鲜香菇菇形圆整，菌盖下卷，菌肉肥厚，菌褶呈白色、整齐，干净干爽。菌盖上有裂开花纹的营养价值更高。

清洗 泡发香菇的水不要丢弃，很多营养物质都溶在水中。如果香菇比较干净，则只要用清水冲净即可，这样可以保存香菇的鲜味。

草菇·

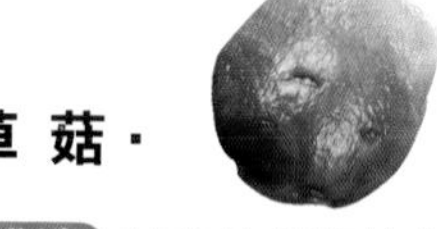

挑选 草菇的菌蕾越大，肉质越实越好。优质的草菇呈灰色，味浓香，表面光滑。

烹饪 草菇浸泡时间不宜过长；焯水时，清水里最好加入少许的盐和色拉油以便入味和增加口感。

储存 草菇不宜长期保鲜存放，一般在16℃的气温下能存放两天左右，不能在5℃左右的冰箱内保鲜，否则会很快失水。

肉类的选购与处理

猪肉·

挑选 健康猪的肉，肌肉有光泽，红色均匀，脂肪呈乳白色；外观微干或湿润，不粘手；纤维清晰，有韧性，指压后凹陷处能立即恢复；具有鲜猪肉固有的气味，无异味。

优质冻猪肉呈均匀红色，解冻后，肌肉有光泽，脂肪呈白色，肉质紧密，有韧性，外表湿润，不粘手。

清洗 用热淘米水清洗，脏物较易清除掉。

烹饪 猪肉宜斜切，可使其不破碎，吃起来又不塞牙。炖肉时，在锅里加上几块橘皮，可去除异味和油腻并能增加汤的鲜味。

猪肝·

挑选 新鲜猪肝表面有光泽，呈褐色或紫色，用手轻压表面弹性足，表面和切面均无水泡，无异味。

清洗 刚买回来的猪肝要放在流动的水下反复冲洗，冲洗间隙不时用手轻轻揉搓猪肝表面，挤出里面的血水。

烹饪 炒猪肝时油量适当多一点，要急火快炒，这样炒出的猪肝口感嫩。

猪肚·

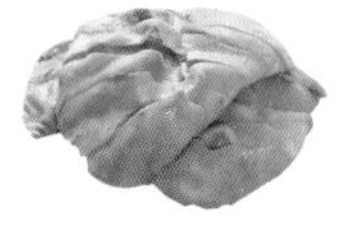

挑选 新鲜猪肚的颜色是乳白色或淡黄褐色，黏膜清晰，有较强的韧性，以肉质肥厚、正常肉色、没有异味及异物者为佳。

清洗 处理猪肚时，应去除表面肥油，翻出后加面粉、盐抓洗，再用开水汆烫，最后冲洗净即可。

烹饪 猪肚适宜炒、蒸、焖、煲，煮猪肚时，千万不能先放盐，要等煮熟后吃时再放盐，否则猪肚就会缩得像牛筋一样硬。

鸡肉·

烹饪 炖鸡不宜放盐过早，以免影响营养向汤内的溶解，且煮熟后的鸡肉趋向硬、老，口感粗糙。

炖鸡时，在锅内加20～30颗黄豆同炖，可使鸡肉熟得快且味道鲜。

鸭肉·

挑选 优质的鸭肉体表光滑，呈乳白色，形体一般为扁圆形，腿部的肌肉摸上去结实，有凸起的胸肉。

烹饪 将鸭肉下入加葱、姜的温水锅中煮约7～8分钟，不但可以去掉其生腥味，更可以使鸭肉清香。

羊肉·

挑选 新鲜羊肉的肉色红而均匀，有光泽；肉质细嫩，有弹性，外表微干，不粘手；气味新鲜，无异味。

烹饪 羊肉中有很多膜，切丝之前应先将其剔除，否则炒熟后肉膜很硬，吃起来难以下咽。

牛肉·

挑选 新鲜牛肉呈均匀红色，有光泽，触摸时不粘手，弹性好。

清洗 牛肉应整块冲洗，去掉表面浮着的脏物后，再浸泡在清水中约半小时，以去除污血及杂质。

烹饪 炖牛肉时放一个山楂、一块橘皮或一点儿茶叶，牛肉易烂。

海鲜类的选购与处理

鱼·

挑选 新鲜鱼的眼睛澄清而透明，很完整，向外稍有凸出，眼球饱满呈黑色，周围无充血及发红现象；鱼鳃颜色鲜红或粉红，鳃盖紧闭，黏液较少且呈透明状，无异味；鱼鳞紧密、完整而有光亮，手触表面光滑不粘手。

清洗 处理鱼时要先去鱼鳞，再破膛，去内脏、鱼鳃的根部和腹内黑膜，然后将其置于清水中洗净。去除鱼鳞时，可用刀背在鱼身上轻刮，注意不要让鱼鳞沾到手上。

烹饪 鱼去鳞剖腹洗净后，放入盆中倒一些料酒，就能除去鱼的腥味，并能使鱼滋味鲜美。

虾·

挑选 选购虾时应尽量挑选鲜活的，特征是体型均匀、呈半透明、虾须硬。如果虾壳已经发红，头身破碎，说明它已经很不新鲜了，最好不要购买。

清洗 烹调虾之前，先用泡桂皮的沸水把虾冲烫一下，味道会更鲜美。虾背上的虾线应挑去不吃。

烹饪 烹制虾时不用放味精，因为它们本身就具有很好的鲜味。

鱿 鱼·

挑选 鲜鱿鱼眼睛明亮，外皮鲜艳、有光泽，挺直有力；以手触摸，感觉光滑、细致，以肉质厚实、有弹性者较佳；优质干鱿鱼身干，坚实，肉肥厚，呈鲜艳的浅粉色。

烹饪 干鱿鱼发好后可以在炭火上烤后直接食用，也可汆汤、炒食。

鱿鱼需煮熟透后再食用，因鲜鱿鱼中有一种多肽成分，若未煮透就食用，会导致肠运动失调。

储存 干鱿鱼应置于阴凉、干燥、通风处保存，注意防潮。

螃 蟹·

挑选 新鲜的螃蟹口中含有泡沫，步足和躯体连接紧密，提起蟹体时，步足不松弛、下垂；鳃洁净、鳃丝清晰，呈白色或稍带黄褐色；新鲜蟹类，大小相当者，应挑选重量较重的，其肉质会较饱满、鲜美。

清洗 螃蟹食用前应清洗外壳；切块烹饪时，应先宰杀，再除去鳃、沙包、内脏等。

烹饪 存放过久的熟蟹不宜食用。

螃蟹的鳃、沙包、内脏中含有大量细菌和毒素，吃时一定要去掉。

储存 不能食用死蟹，因为死蟹体内含有大量细菌和分解产生的有害物质，会引起过敏性食物中毒。

16大刀工技巧

刀工是厨师根据菜肴制作的要求，运用各种刀法，将原料加工成为一定规格形状的操作技艺。由于菜品的原料复杂多样，烹调方法也不尽相同，对原料的形状和规格都有严格的要求，因此需经过刀工处理。我们要做出美味可口的家常菜，必须要掌握基础的刀工和技法。

刀工的作用·

菜肴的烹制要求，是根据原料的选择及加工、火候的掌握和烹调方法使用来实现的，刀工处理是解决原料的加工问题的重要方面。

菜肴的调味，既根据原料的性质和烹制的需要，也根据原料大小厚薄。原料经刀工处理成丁、丝、片、条、块和在原料表面刻上花纹可大大缩短味料进入原料内部时间。

刀工的基本要求·

大小相同，长短一样，厚薄均匀。这样，使菜肴入味均衡。

原料性质不同，纹路不同，即使同一原料，也有老嫩之别，故改刀必先视料。如鸡肉应顺纹切，牛肉则需横纹切。若采取相反方法，牛肉难以嚼烂，鸡肉烹制时易断碎。

刀工处理必须服从菜肴烹制所采用的烹调方法、使用的火候及调味的需要。如炒、爆使用猛火，时间短，入味快，故原料要切得小、薄。炖、焖使用火力较慢，时间较长，原料可切得大和厚些。

掌握刀工操作的基本要领·

站案 应是两脚自然分立，重心稳定；上身向前略倾，胸稍挺，不能弯腰曲背；双肩要平，不可一肩高一肩低；目光注视两手操作的部位，身体自然放松，和菜墩保持一定距离，菜墩的高度应便于操作。

操刀 一般是右手握刀，拇指与食指捏紧刀箍处，其余三指、手掌和手的力量握住刀柄，握刀时手腕灵活而有力量。

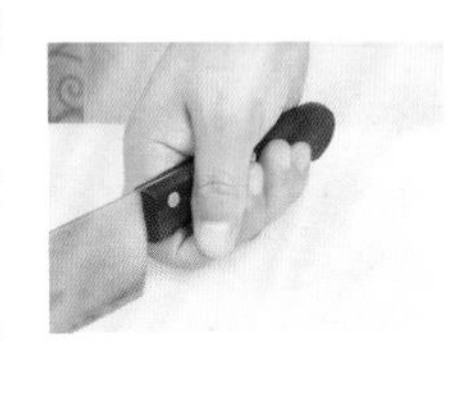

运刀 主要用臂力和腕力，左手持料要稳，右手落刀要准。两手紧密而有节奏地配合，动作准确、连贯、巧妙。

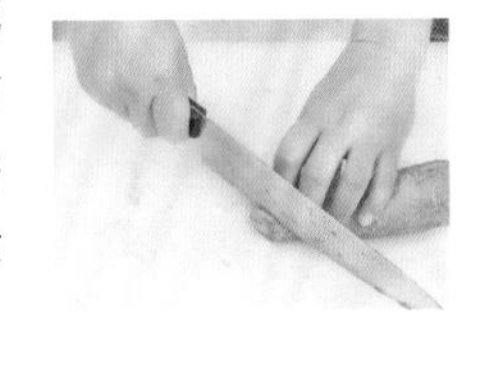

手法 强调干净、快捷、利落的操作手法，刀、菜墩和菜墩周围的原料、物品，都要保持清洁整齐、有条不紊，不能杂乱无章、拖泥带水。

常见运刀技法 ·

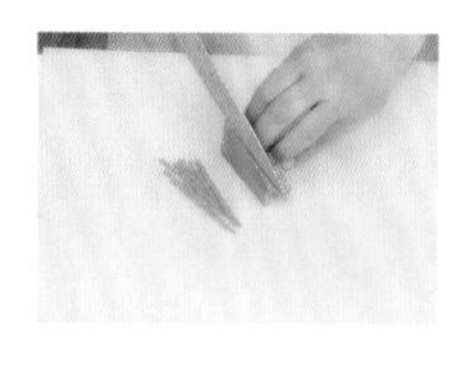

直切 直切又叫直刀切，适用于脆性的植物原料。直切的刀技是运刀笔直，故称直切。如切青红萝卜丝、白菜丝等。

锯切 锯切是推拉切的综合刀技，用于切厚大而有韧性的原料。运刀方法是，切料时用力较小，落刀慢，推拉结合的刀工技法，如拉锯一样，故称“锯切”。如切白肉片、涮羊肉片、面包片等都用锯切刀技。

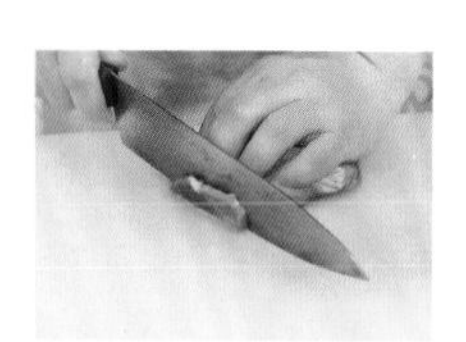

推切 推切刀技适用于切无骨薄小的原料，运刀方法是由内向左前方推动做功，故称“推切”。

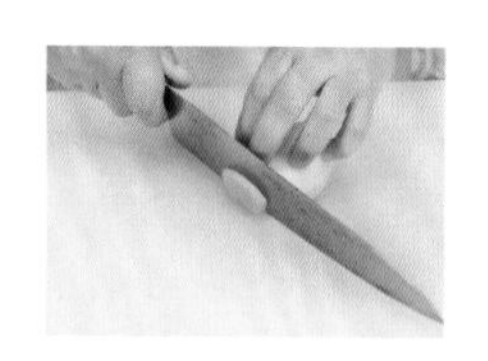

拉切 拉切刀技适用于韧性较强的无骨动物性原料，因韧性强的原料筋腱较多，用直切或推切法均不易切断，所以用拉切刀技处理。这种刀技将刀对准被切的原料上由左前方向右后方拉刀，故称“拉切”。

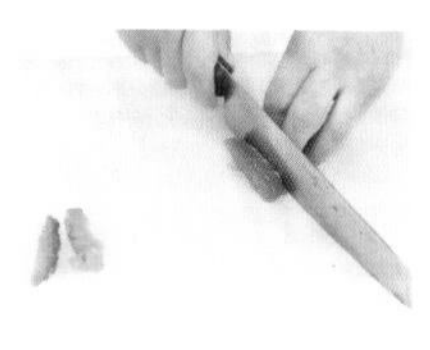

直刀劈 直刀劈是开片刀工技术的施刀方法，右手握刀，对准要劈开的原料，用力劈断，这种刀法称为直刀劈。它使用于体大、带骨的原料。如带骨的猪肉、牛肉、羊肉、鸡肉、鸭肉、鱼肉等。

抖切 抖切是一种特殊的刀工技术，施刀方法是在切各种冻制菜肴时有节奏地抖动刀具，故称“抖刀”。这种刀技能使改刀后的菜肴呈波浪形状。

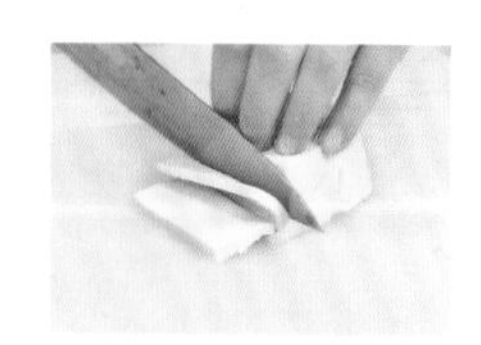

拍刀劈 拍刀劈是右手持刀，架在原料要劈开的部位上，然后用左手掌在刀背猛拍下去，将原料劈开的一种刀法。它适用于圆形或椭圆形、体小而滑的原料，如鸡头、鸭头、熟蛋、蒜瓣等。

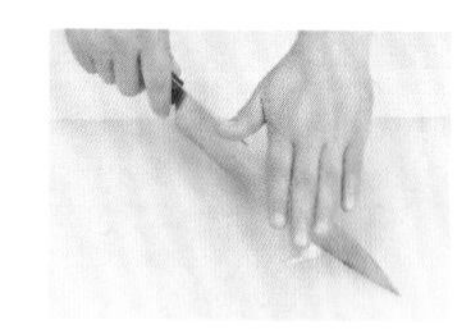

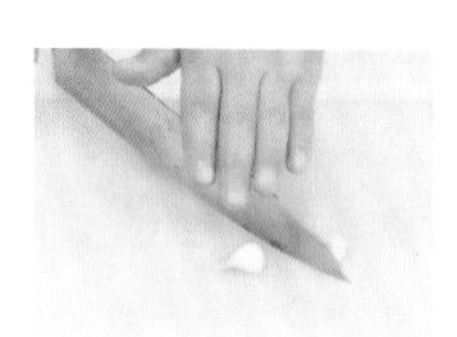

铡切 铡切刀技是仿效铡刀做功的刀法，专用于改切带壳原料的刀技。方法有两种：一是右手握刀柄，左手握刀背前端，先把刀尖对准物体要切的部位按住，勿使刀滑动，再用右手向下按刀柄，将被切物铡断；另一种铡切是将刀跟按在原料要切的部位上，右手握住刀柄、左手按刀背前端，两手同时或交替往下按，铡断被切物，故称“铡切”。

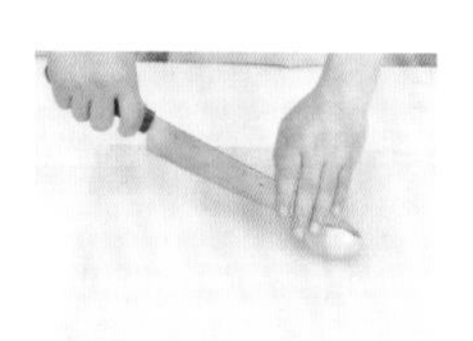

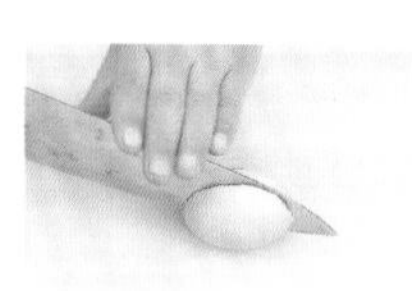

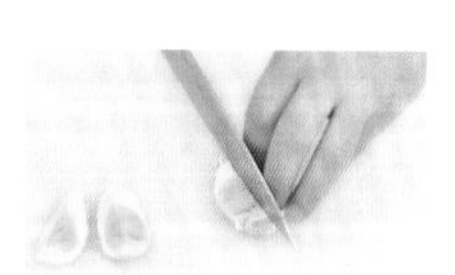

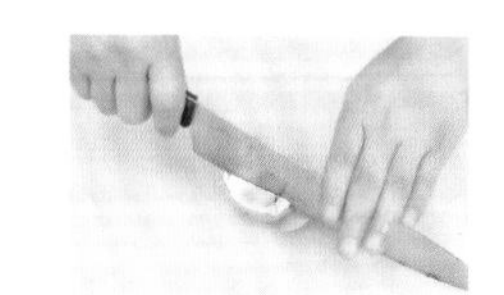

跟刀劈 跟刀劈是刀刃嵌在原料要劈的部位上，刀与原料同时起落的一种刀法。它适用于一次不易劈断，需要连劈两三次才能劈断的原料，如猪肘子、猪头等。

斜刀片 斜刀片也称坡刀法，是片法的一种。操作时，刀身与原料成斜角进行，因此，这种刀技称为“斜刀片”。

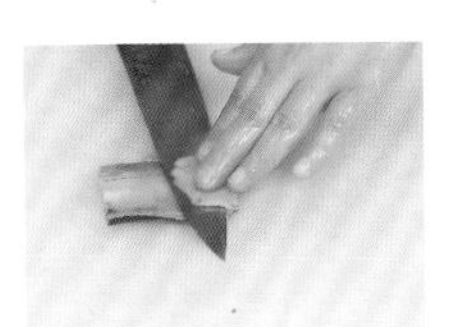

拍刀技 拍刀技属于平刀法之一，施刀方法是刀身放平，轻轻地将被切原料拍松，使其更好地吸收调味，它是配合改切猪、牛肉排、肉丁和爆鸡、鸭丁的刀技方法。

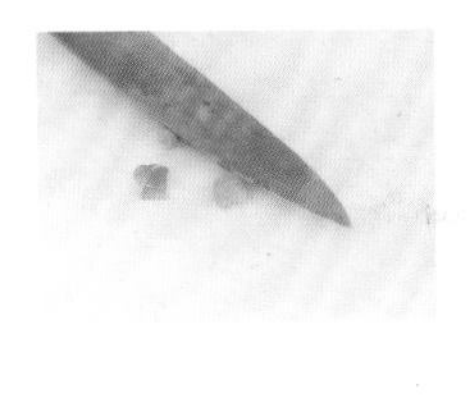

滚料切 在改刀小而脆的圆形或椭圆形的蔬菜原料块时，必须将原料边切边滚动，故称“滚料切”。

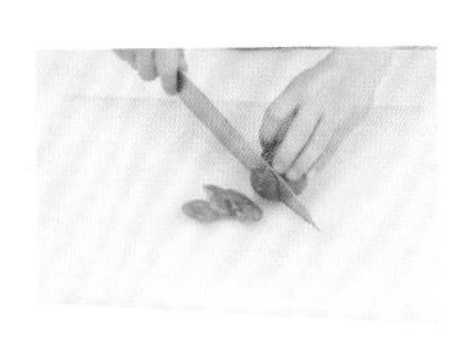

4大火候全图解

根据火焰高低、火光明暗、火色不同和热度大小等大体上分为旺火、中火、小火和微火四种火力。

旺火 火焰高而稳定，蹿出炉口散发出灼热逼人的热气；火光明亮、耀眼；火色黄白。

炒菜时要用大火（即旺火），尤其是在炒青菜、海鲜类时，更应大火快炒，以免蔬菜、海鲜出水。蒸制菜品时也要用大火，大火才能产生充足的蒸汽，让食物快速成熟（但面食不宜用大火）。煮制食物时先用大火将水烧开，再转小火焖煮。油炸体积较小的食物用大火，才能保持外酥内嫩的口感。

旺火

中火 火苗在炉口处摇晃，时而蹿出炉口，时而低于炉口；火光较亮，火色黄红，尚有较大的热力。

油炸体积较大的食物时需用中火，才能把食物内部炸熟。煮浓汤时用中火，才能煮出奶白色的靓汤。

中火

小火 火焰较小，火苗在炉口与燃料层间时起时伏，火光较旺，火暗淡，火色发红，火力偏弱。

焖煮食物时用小火，小火会让食物缓慢地浸入味道，且能减缓水分的快速流失。炖制清汤时用小火，只有小火才能让食材不散烂，且能将味道慢慢溶入汤中。煎制食物时用小火，才会把食物内部煎熟、外部煎酥脆。炸果仁，如核桃仁、花生、腰果等时，用小火、冷油，只有小火才能将果仁内部炸熟而不至于炸焦。

小火

微火 火焰仅在燃料层表面闪烁，火光暗淡，火色暗红，热力较小。

微火

2大常用基本功：挂糊和勾芡

挂糊·

挂糊是在原料外面裹上一层淀粉用来炸制，分为淀粉糊和加入鸡蛋的淀粉糊等。

温馨提示

- 挂糊制作的菜肴外焦里嫩、酥脆可口，也可保持营养。
- 淀粉中加入清水，用纯淀粉调糊，适宜做“炸丸子”等。
- 用蛋清和淀粉挂糊，成品洁白，适宜做“蛋白虾”等。
- 糊不要太稀，以免挂不上。

温馨提示

- 虾在挂糊时，要保证挂糊均匀，全身挂到。
- 淀粉糊里加面包糠等调和，可以做“面包里脊”“面包虾”等。
- 加面包糠挂糊，成品会更加酥脆。面包糠挂糊也要均匀。

勾芡·

勾芡是将水和淀粉调和在一起，淋在菜肴上，目的是改善菜肴的色、形、味。分烹芡、淋芡、勾芡等。

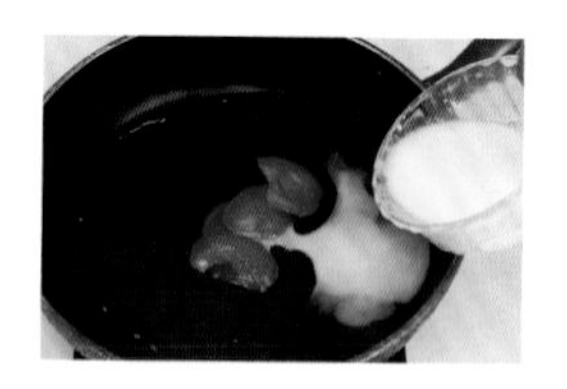

温馨提示

勾芡时需要不断搅动，使之受热均匀。芡汁淋在菜肴上时，要求均匀美观。

21种家庭常用调味品大全

调味品的作用

调味品的特殊成分，能在烹调中除去主料的腥臊异味，突出原料的口味，还能改变菜品的外观形态，增加菜品的色泽光彩，促进食欲。如葱、姜、酒、醋、糖、味精、盐及一些香料，都能有效地起到除异味、增滋味、提香味的作用。

调味品还含有人体必需的营养物质。如酱油、盐等含有人体需要的氯化钠等矿物质，醋、味精等含有不同种类的多种蛋白质、氨基酸及糖类，油脂更是人体所需脂肪的重要来源。某些调味品还有增强人体生理机能的功效。

必备粉末类调味品·

盐 盐是烹制菜肴最基本的调味品，不仅能增加菜肴的滋味，还能促进消化液的分泌、增进食欲。盐晶粒较大、整齐而规则者，质量较优。适宜存放于带盖、密闭性较好的容器中，以减少与空气的接触，避免受潮。

糖 糖是重要的调味品，是用甘蔗、甜菜制成的，能增加菜肴的甜味及鲜味，其中白糖是食糖中质量最好的一种，颜色洁白，甜味醇正，烹调中常用。存放糖应选择干燥、通风较好的地方，注意不要和水分较大的或有异味的原料一起存放。

味精 味精是由蛋白质分解出来的氨基酸，它能被人体直接吸收。烹调中切忌在高温时加味精，一般应在菜肴成熟出锅时加入为宜。温度过高，味精会变成焦谷氨酸钠，不但没有鲜味，还会产生轻微的毒素。拌凉菜时不宜直接加味精，因为温度低，味精很难溶解，可用热水化开，放凉后浇入凉菜中。

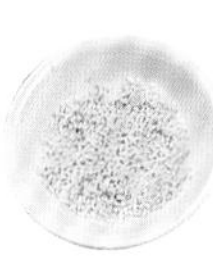

鸡精 鸡精是味精的一种，其主要成分是由谷氨酸钠发展而来，鸡精中含有增鲜剂——鲜味核苷酸，具有更好的增鲜作用。

味精、鸡精应存放在塑料袋内或玻璃瓶内，使用后随即加盖、封口，并放在阴凉干燥处。

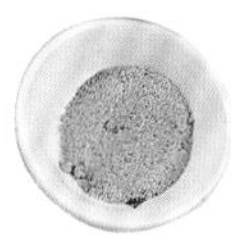

胡椒粉 胡椒粉是用干胡椒碾压而成，有白胡椒粉和黑胡椒粉两种。胡椒味辛辣、芳香，性热，除可去腥增香外，还有除寒气、消积食的效用。

咖喱粉 咖喱粉是以姜黄粉为主，颜色姜黄，味辣而香。咖喱粉的使用较广，是西餐中重要的调味品。用咖喱粉调味的菜肴在色、香、味方面都富有特色。咖喱粉加油熬制即成咖喱油。

淀粉 淀粉是烹调中进行挂糊、上浆、勾芡的主要原料，使用广泛。它可以改善菜肴的品相，保持菜肴的鲜嫩，提高菜肴的滋味。

必备液体类调味品·

酱油 酱油能增加和改善菜肴的口味，还能增添或改变菜肴色泽。保存酱油时，应注意防止生水进入，并注意保持盛装的容器干净。

醋 醋以酸味为主，且有芳香味，能去腥解腻，增加鲜味和香味。醋还能在食物加热过程中减少维生素C的损失，使烹饪原料中钙质溶解而利于人体吸收。醋保存时应注意防止进生水，并置于阴凉干燥处保存。

色拉油 色拉油色泽澄清透亮，气味新鲜清淡，加热时不变色，无泡沫，很少有油烟，并且不含黄曲霉素和胆固醇。色拉油应置于阴凉处贮藏。

香油 香油又叫麻油，是从芝麻中提炼出来的，香气浓郁。常用的为小磨香油，具有浓厚的特殊香味，呈红褐色。香油的耐贮性较其他油强。

蚝油 蚝油是用蚝（牡蛎）熬制而成。蚝油味道咸鲜、蚝香浓郁、黏稠适度、营养价值高，使用时要适当减少用盐量。

料酒 料酒的作用主要是去除鱼、肉类的腥膻味，增加菜肴的香气，有利于咸甜各味充分渗入菜肴中。料酒应存放于阴凉通风处，用后应随时盖好。

必备香料类调味品·

花椒 花椒是花椒树的果实，分大椒和小椒两种，可以调味，也可以榨油。花椒以籽小、壳浅紫色的为好，存放时注意防潮。

八角 八角又名大茴香、大料，是我国的特产，颜色紫褐，呈八角，形状似星，有甜味和强烈的芳香气味。

桂皮 桂皮气味芳香，作用与茴香相似，常用于烹调腥臊味较重的食材，是五香粉的主要原料。

必备酱料类调味品·

豆瓣酱 豆瓣酱主要原料是大豆，常用于烧菜、炒菜。

黄豆酱 黄豆酱的主要原料是黄豆、面粉、盐，经发酵制成，呈棕色，质地细腻，味甜。

甜面酱 甜面酱颜色红黄，有光亮，味香甜，由面粉和盐经发酵制成。

芝麻酱 芝麻酱是把芝麻炒熟后磨制而成的，味香，颜色深褐，可以拌面、拌菜。

番茄酱 番茄酱是由成熟番茄去皮、去籽磨制而成，可分为两种：一种颜色鲜红，有酸味；另一种是由番茄酱进一步加工制成的番茄沙司，为甜酸味，颜色暗红。番茄酱可用于炒菜调味，番茄沙司可以用于蘸食。

Part 2 蔬菜类

家常炖白菜

口味 咸鲜味
操作时间 30分钟
难度 ★★

0失败巧招

炖白菜时，将白菜撕成片，这样可以使白菜更好地吸收汤汁的滋味。

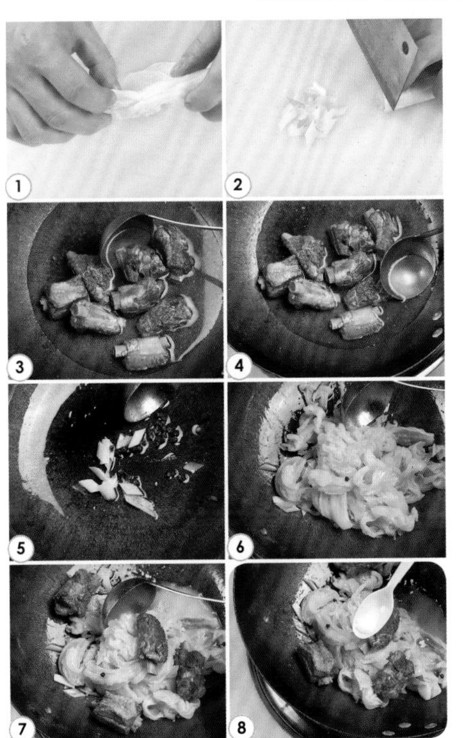

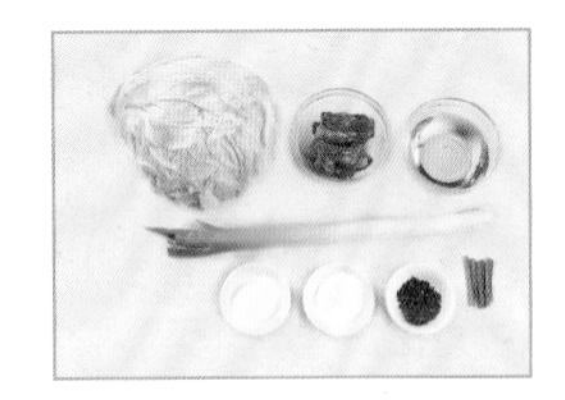

原料

白菜450克，排骨段250克，香菜段、葱、花椒、盐、味精、花生油各适量。

做法

1 将白菜洗净，撕成长方片。
2 排骨段洗净，葱切葱花。
3 锅内加适量清水烧开，放入排骨段煮沸。
4 去除浮沫，至排骨段八成熟，盛出。
5 炒锅注花生油烧热，下花椒、葱花炒出香味。
6 加入白菜片炒至变软。
7 倒入排骨段及汤汁，加盐，用小火炖至熟烂。
8 加味精调味，撒上香菜段，出锅即成。

挑选白菜时注意，腐烂发霉的白菜不要食用。

珊瑚白菜

口味 甜酸味
操作时间 20分钟
难度 ★★

0失败巧招

大白菜不仅食用期长，而且耐藏。大白菜在沸水中焯烫的时间不可过长，最佳的时间为20～30秒，否则烫得太软太烂就不好吃了。

原 料

白菜400克，冬笋100克，香菇、干辣椒各50克，青椒、红椒各1个，葱、姜、盐、糖、醋、色拉油各适量。

做 法

1 将青椒、红椒、干辣椒、冬笋、香菇分别洗净切丝。
2 白菜去老叶，洗净，切片。
3 葱、姜切末。
4 炒锅注色拉油烧热，下葱末、姜末爆锅，放入青椒丝、红椒丝、冬笋丝、香菇丝煸炒。
5 加入糖、醋、盐调味，盛盘待用。
6 干辣椒放入热油中炸成红油，盛出待用。
7 将白菜片用沸水焯透，过凉，控干水分。
8 白菜片放入盐、糖、醋拌匀。
9 红油浇在白菜上。
10 将炒好的各种菜丝放到白菜上即可。

老厨白菜

口味 咸鲜味
操作时间 10分钟
难度 ★

失败巧招

食材的投放要有顺序，应先放入肉片炒至略熟后，再把容易炒熟的白菜下入锅中炒熟，最后放入粉条炒匀。青口大白菜初期食用菜质较粗，但经秋冬季储藏，叶肉变细嫩，菜香味浓。

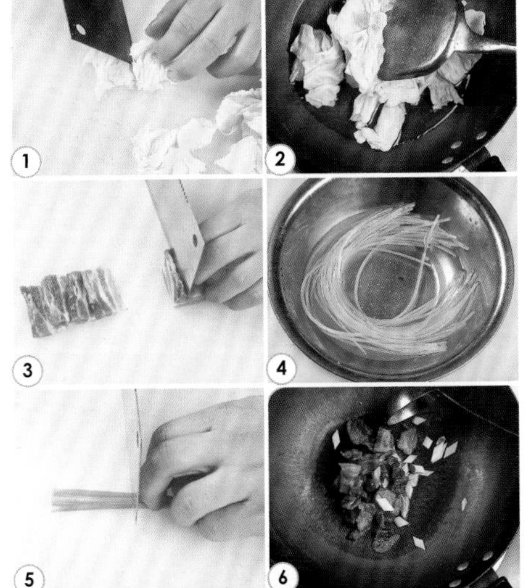

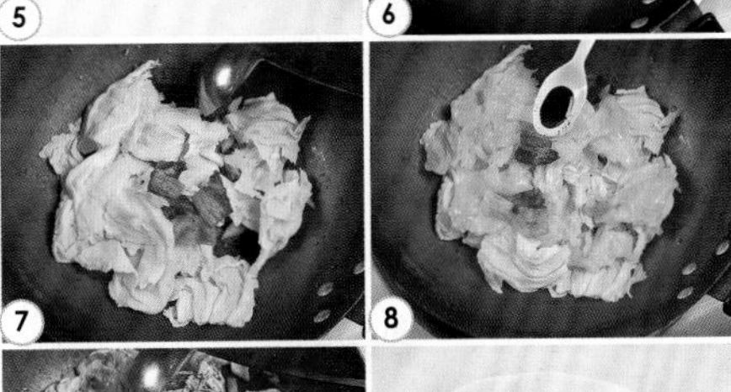

原料

嫩白菜500克，五花肉200克，粉条100克，香菜、葱、姜、酱油、料酒、盐、味精、色拉油各适量。

做法

1 嫩白菜洗净，切片。
2 锅中注水烧开，放入白菜片焯烫，捞出。
3 五花肉切大片。
4 粉条放入温水中，泡至滑软，捞出。
5 香菜切段，葱切葱花，姜切片。
6 炒锅注色拉油烧热，下入葱花、姜片、五花肉片煸香。
7 放入白菜片略炒。
8 加盐、酱油、料酒翻炒至五花肉片七成熟。
9 放入泡软的粉条、味精，炒熟。
10 撒上香菜段，即可出锅。

玻璃白菜

加水淀粉勾芡，不仅可以使汤汁浓厚，更可以保护蔬菜的维生素C，是增强营养和改善口味的好方法。

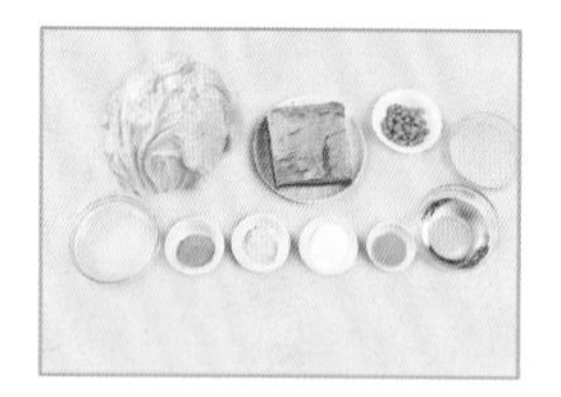

原 料

白菜500克，五花肉100克，火腿末25克，盐、鸡精、胡椒粉、水淀粉、高汤、香油、色拉油各适量。

做 法

1 白菜洗净，切片。
2 锅中注水烧开，放入白菜片焯烫，捞出。
3 五花肉切片，加盐、鸡精腌入味。
4 炒锅注色拉油烧热，放入白菜片略炒后取出装盘。
5 将白菜盘放入蒸锅内。
6 放上五花肉片，加高汤、盐、鸡精，蒸15分钟，滗出蒸出的原汁。
7 将原汁烧沸，加鸡精、胡椒粉、香油，用水淀粉勾芡，淋在白菜片上。
8 撒上火腿末即可。

肉酱菠菜

0失败巧招

也可将剁成末的五花肉加入适量蛋清搅匀，再下入热油锅中炒，可使其口感更滑嫩。

原 料

菠菜200克，五花肉100克，盐、味精、甜面酱、酱油、料酒、花生油各适量。

做 法

1 五花肉洗净，剁成末。
2 将菠菜择洗净。
3 炒锅注花生油烧热，下入五花肉肉末煸香。
4 加入甜面酱、酱油、料酒炒匀。
5 加盐、味精、清水烧沸，制成肉酱，盛出放凉。
6 锅中注水烧开，放入菠菜焯至断生，捞出。
7 将菠菜放凉，码到盘中。
8 加肉酱调味即成。

多宝菠菜

口味 咸鲜味
操作时间 25分钟
难度 ★★

切菠菜时注意采用推切法，刀具垂直向下，切时刀由后向前推，着力点在刀的后端。切土豆采用直切法，即要求刀具垂直向下，一刀一刀切下去。

原 料

菠菜250克，火腿、去皮土豆各50克，松仁、花生米、白芝麻、盐、白糖、鸡精、水淀粉、清汤、色拉油各适量。

做 法

1 菠菜择洗净，切成段。
2 去皮土豆洗净切丁。
3 火腿先切厚片，再切小丁。
4 锅中注色拉油烧热，放入松仁、花生米炸香，捞出。
5 锅内加水烧开，将菠菜段略烫，冲凉后装盘。
6 炒锅注色拉油烧热，下土豆丁略炒，添清汤。
7 放松仁、花生米、火腿丁烧开，加入盐、匀糖、鸡精，用水淀粉勾芡。
8 撒上白芝麻即可。

菠菜肉丸

口味 鲜辣味
操作时间 15分钟
难度 ★

O失败巧招

做肉丸时，按50克肉10克淀粉的比例，加入适量清水调制，可使肉丸软嫩。

原料

菠菜、肉馅各150克，葱末、姜末、盐、味精、胡椒粉、水淀粉、料酒各适量。

做法

1 肉馅加入料酒、盐、味精和少许清水调散。
2 再加入水淀粉、葱末、姜末拌匀，顺时针搅成肉泥。
3 将菠菜择洗净。
4 锅中添入适量水，大火烧沸。
5 用小勺挖肉泥依次放入锅中，氽成丸子。
6 待肉丸上浮将熟时，放入菠菜、盐、胡椒粉烧开。
7 加入适量味精调味。
8 出锅，盛入碗中即可。

特别提示

《本草纲目》中认为，菠菜可以“通血脉，开胸膈，下气调中，止渴润燥”。

金银蛋浸菠菜

口味 椒香味
操作时间 15分钟
难度 ★

菠菜味道鲜嫩，富含维生素、叶绿素、微量元素、纤维素和丰富的水分。炒菠菜时要旺火快炒，可以有效避免营养素的流失。

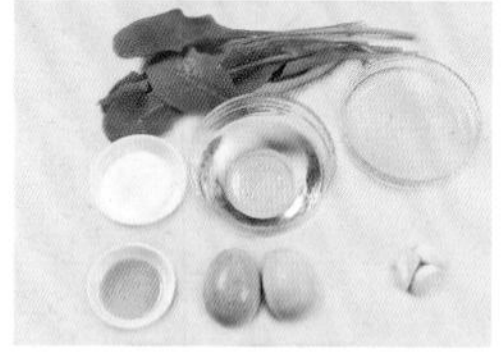

原料

菠菜300克，松花蛋、咸鸭蛋各1个，蒜瓣、盐、高汤、花椒油、花生油各适量。

做法

1 菠菜择洗净，切成段。
2 锅中注水烧沸，放入菠菜段焯熟，捞出沥干。
3 松花蛋、咸鸭蛋去壳切丁。
4 炒锅注花生油烧热，放入菠菜段、盐略炒，盛盘。
5 炒锅注花生油烧热，下入蒜瓣煸至上色。
6 放入松花蛋丁、咸鸭蛋丁略炒。
7 加高汤烧开，淋上花椒油。
8 浇在菠菜段上即可。

黄瓜

双耳拌黄瓜

口味 咸鲜味
操作时间 10分钟
难度 ★

失败巧招

泡发木耳、银耳时适宜用冷水，一般泡1.5~2小时为宜，这样水发后不但口感好，而且量大，营养价值也高。

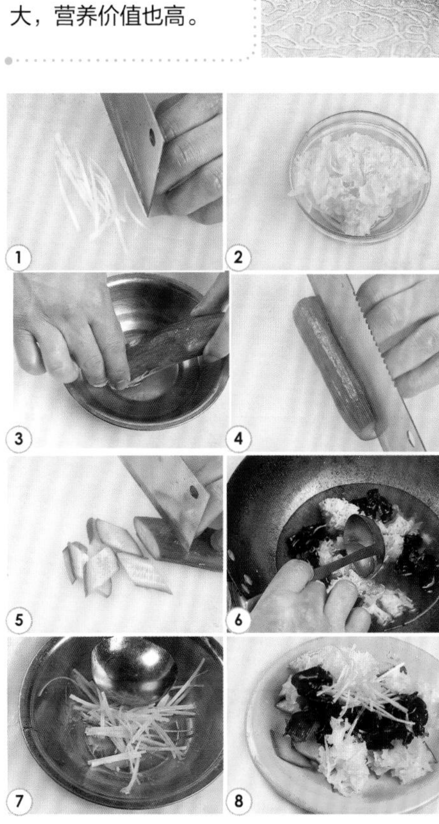

原 料

黄瓜100克，银耳、木耳各25克，葱、姜、盐、味精、香油各适量。

做 法

1 葱、姜切均匀细丝。
2 银耳、木耳分别加冷水浸泡至软，择洗干净。
3 黄瓜去蒂，洗净。
4 黄瓜顺长切开。
5 再将黄瓜切片，装盘。
6 锅中注入水烧沸，放入泡软的木耳、银耳烫熟，捞出沥干，装盘。
7 将姜丝、葱丝、盐、味精、香油拌匀。
8 将调好的汁浇在木耳、银耳和黄瓜片上即可。

蒜泥海米黄瓜

口味 酸辣味
操作时间 10分钟
难度 ★

0失败巧招

用温水泡发海米，更易去掉杂质，注意泡发后用清水洗净。

原 料

黄瓜300克，海米50克，蒜、盐、酱油、醋、味精、香油各适量。

做 法

1 黄瓜去蒂，洗净，用刀拍松。
2 黄瓜切成小段。
3 海米加温水，泡发，洗净，捞出沥干。
4 蒜洗净，捣成泥。
5 盐、酱油、醋、味精、香油调成汁。
6 黄瓜段堆在盘内。
7 海米、蒜泥放在黄瓜块上面。
8 淋入调味汁，拌匀即可。

挑选黄瓜时应挑硬黄瓜。因为软黄瓜一般放置过久，以致失水变软。

鱼香黄瓜丁

口味 鱼香味
操作时间 15分钟
难度 ★

O失败巧招

糖和醋的用量不能过多，也不宜过少，以免影响口味。一般说来，糖与醋的比例为3：2，最多不宜超过2：1。

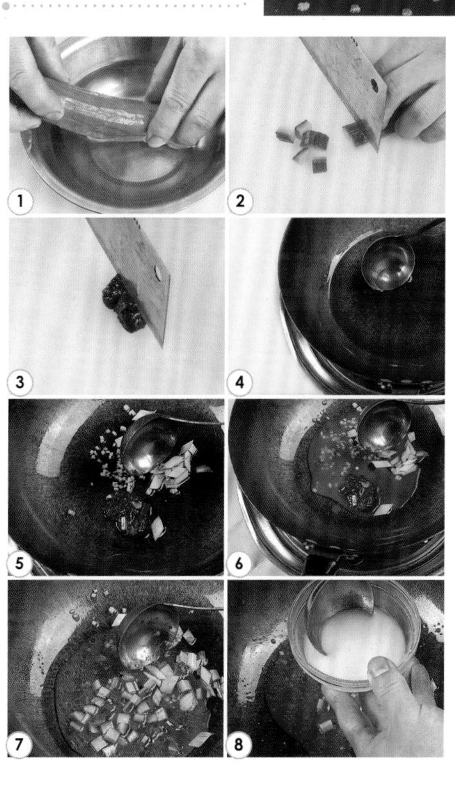

原料

黄瓜500克，辣豆瓣50克，葱花、姜末、盐、糖、水淀粉、醋、酱油、高汤、色拉油各适量。

做法

1 黄瓜去蒂，洗净。
2 黄瓜去瓤，切成小丁。
3 辣豆瓣剁细。
4 炒锅注色拉油烧至八成热。
5 下入辣豆瓣、葱花、姜末炒香。
6 添入高汤。
7 倒入黄瓜丁、糖、盐、酱油、醋炒匀。
8 用水淀粉勾芡即可。

玉兰黄瓜熘肉片

口味 咸鲜味
操作时间 20分钟
难度 ★★

0失败巧招

猪瘦肉片上浆可使口感更滑嫩，上浆时注意先裹淀粉、盐，再蘸蛋清。

特别提示

不新鲜的黄瓜的脐部较软，且瓜面无光泽，残留的花冠多已不复存在。

原 料

黄瓜300克，猪瘦肉100克，玉兰片50克，鸡蛋清、葱、青蒜、姜、盐、淀粉、料酒、高汤、色拉油各适量。

做 法

1 将猪瘦肉切成薄片。
2 黄瓜去蒂，洗净，切成片。
3 玉兰片切成薄片。
4 锅中放入开水，下玉兰片烫一下，捞出沥干。
5 葱切丝，青蒜切段，姜切末。
6 高汤、葱丝、青蒜段、姜末、盐、料酒、淀粉调成芡汁。
7 猪瘦肉片加淀粉、盐、鸡蛋清浆好。
8 锅中注色拉油烧热，下入猪瘦肉片滑熟，捞出。
9 炒锅注色拉油烧至五成热，加入猪瘦肉片、玉兰片、黄瓜片翻炒。
10 添入芡汁炒匀即成。

糖醋卷心菜

口味 糖醋味
操作时间 15分钟
难度 ★★

0失败巧招

卷心菜用手撕成小片，口感会比用刀切还好。

原料

卷心菜250克，花椒、姜、干红辣椒、白糖、盐、味精、醋、酱油、花生油各适量。

做法

1 将卷心菜洗净，撕成小片。
2 锅中注水烧开，放入卷心菜片略烫，捞出沥干水分。
3 姜、干红辣椒切丝。
4 白糖、醋、酱油、盐调成糖醋汁。
5 炒锅注花生油烧热，下入花椒炸香。
6 加姜丝、干红辣椒丝炒香。
7 添入糖醋汁烧开。
8 浇入卷心菜片上。
9 撒入味精，拌匀即成。

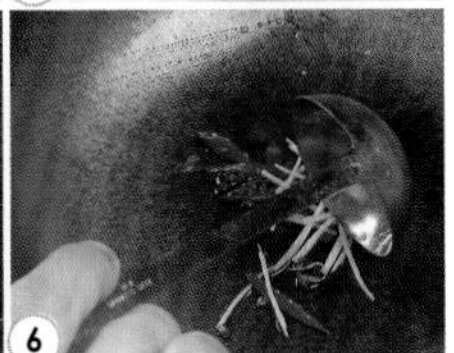

卷心菜如果叶缘枯死，不影响食用，食用时只要将枯死的叶缘部分去除即可。
本菜酸甜脆嫩，香辣爽口。多吃卷心菜，可增进食欲、促进消化、预防便秘。

爽口小炒

口味 香辣味
操作时间 15分钟
难度 ★★

O失败巧招

食用卷心菜前，最好先切开，置于清水中浸泡1～2个小时，再洗净，以去除残附的农药。

原料

卷心菜500克，虾仁、水发木耳各50克，泡椒、葱、蒜、花椒、盐、味精、酱油、色拉油各适量。

做法

1 卷心菜洗净，撕成小片。
2 虾仁洗净，去虾线。
3 泡椒、水发木耳切片。
4 葱切葱花，蒜切片。
5 炒锅注色拉油烧热，下入葱花、花椒炒香。
6 放入卷心菜片炒至断生，加盐调味，盛出。
7 炒锅注色拉油烧热，下入蒜片、泡椒片略炒。
8 放虾仁炒熟。
9 加入木耳片稍炒，加盐、酱油、味精炒匀。
10 出锅倒在卷心菜片上即可。

特别提示

挑选卷心菜时，注意选择叶球坚硬、包心紧实的卷心菜。叶球不坚硬、不紧的通常有虫，不要购买。

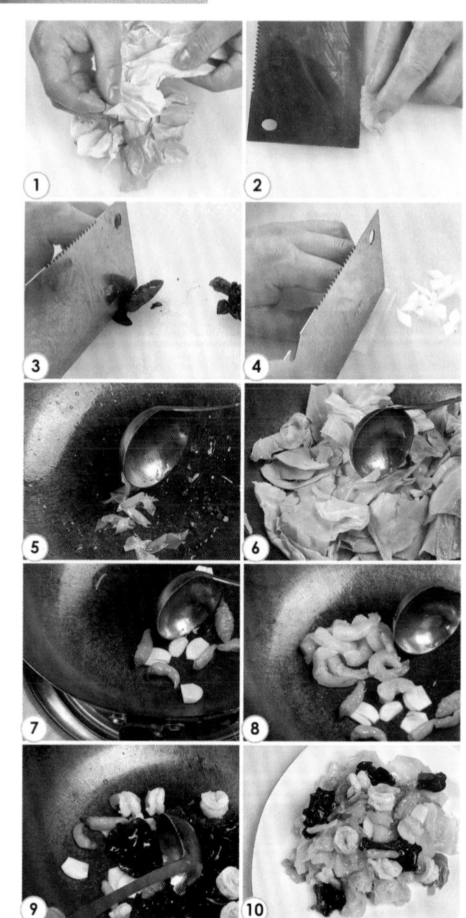

香脆五丝

口味 清香味
操作时间 15分钟
难度 ★

失败巧招

花椒粉炒香时应用慢火，否则易炒煳，加入五丝后，再改成大火爆炒。

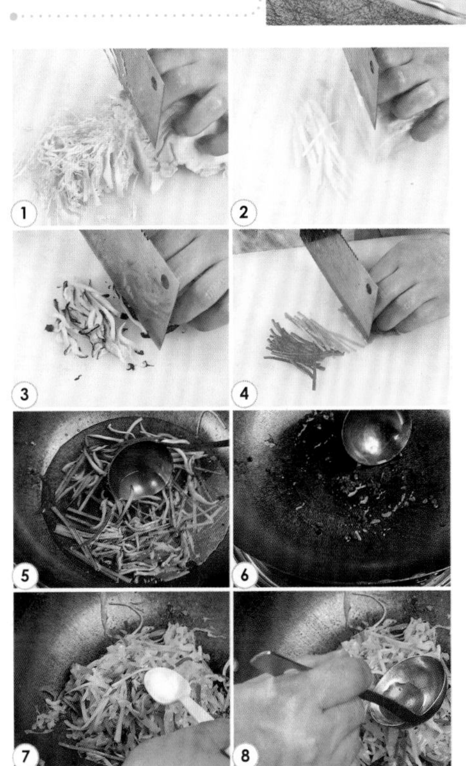

特别提示

各种丝焯烫的时间不宜过长，以免影响口感。

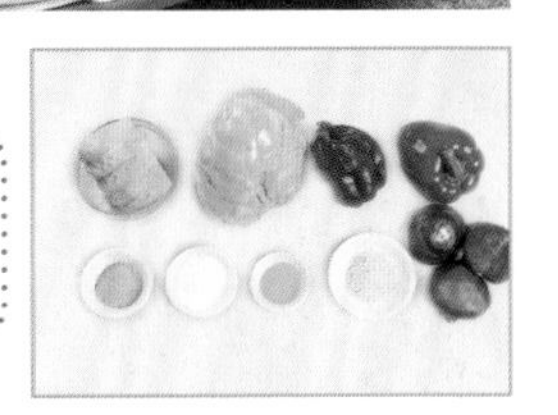

原料

卷心菜200克，冬笋肉、鲜香菇各25克，红甜椒、青甜椒各1个，盐、鸡精、花椒粉、香油各适量。

做法

1 卷心菜洗净，切细丝。
2 冬笋肉洗净，切细丝。
3 鲜香菇洗净，捞出沥干，切细丝。
4 红甜椒、青甜椒洗净，均切细丝。
5 锅中加水烧开，将各种丝焯至断生，沥干。
6 炒锅烧热，下入花椒粉炒香。
7 放入五丝，撒盐、鸡精快炒。
8 淋入香油拌匀即成。

西芹花生米

口味 清香味
操作时间 15分钟
难度 ★

西芹、胡萝卜焯烫时所用的时间不同。西芹焯烫的时间要短，以保持其鲜嫩清脆的口感。

原 料

西芹200克，花生米100克，胡萝卜150克，盐、味精、香油各适量。

做 法

1 西芹择洗净，去筋，切成斜块。
2 花生米洗净，放入开水锅中煮熟。
3 胡萝卜洗净，切菱形片。
4 锅中注水烧开，放入西芹块焯一下，捞出沥干水分。
5 锅中注水烧开，放入胡萝卜片焯一下，捞出沥干水分。
6 将西芹块、花生米、胡萝卜片加盐、味精、香油拌匀即成。

特别提示

西芹可平肝、降血压，花生能止血、降血压、降胆固醇，搭配富含维生素的胡萝卜，尤其适合高血压、高脂血症等患者食用。

西芹炒腰果

口味 鲜香味
操作时间 20分钟
难度 ★★

O失败巧招

西芹、胡萝卜在焯烫时，可加入盐、色拉油，这样能使焯烫出的西芹和胡萝卜色泽更好，营养价值更高。

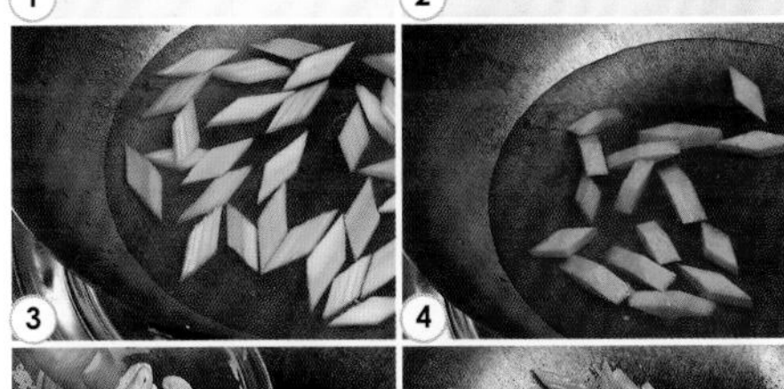

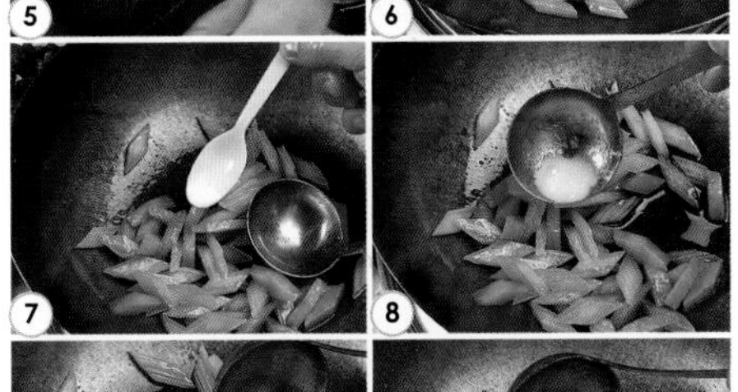
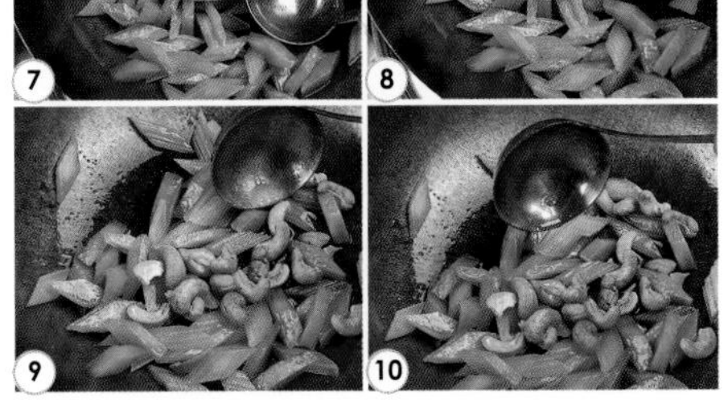

原料

西芹300克，胡萝卜150克，腰果100克，盐、鸡精、白糖、水淀粉、香油、色拉油各适量。

做法

1 西芹择洗净，切菱形块。
2 胡萝卜洗净切小片。
3 锅中注水烧开，放入西芹块焯一下，捞出沥干水分。
4 锅中注水烧开，放入胡萝卜片焯一下，捞出沥干水分。
5 炒锅注色拉油烧至四成热，下入腰果炸透炸香，捞出沥油。
6 锅内留油烧热，放入西芹块、胡萝卜片，旺火快炒。
7 撒入盐、鸡精、白糖炒匀。
8 用水淀粉勾芡。
9 放入腰果略炒。
10 淋上香油，出锅即可。

西芹鲜百合

口味 清香味
操作时间 20分钟
难度 ★★

将西芹块先放入沸水中焯烫，焯水后要马上过凉，除了可以使成菜颜色翠绿，还可使菜品的口感更清脆。

原料

鲜百合、西芹各100克，圣女果75克，盐、鸡精、鲜汤、水淀粉、色拉油各适量。

做法

1 将鲜百合拆散成瓣。
2 西芹择洗净，去筋，切菱形小块。
3 圣女果洗净，去蒂，切厚片。
4 锅中注水烧开，放入鲜百合瓣、西芹块、圣女果片焯烫去生，捞出沥干。
5 炒锅注色拉油烧至五成热，放入百合瓣、西芹块、圣女果片略炒。
6 添入少许鲜汤烧开。
7 撒入盐、鸡精炒匀。
8 用水淀粉勾芡。
9 翻炒均匀即成。

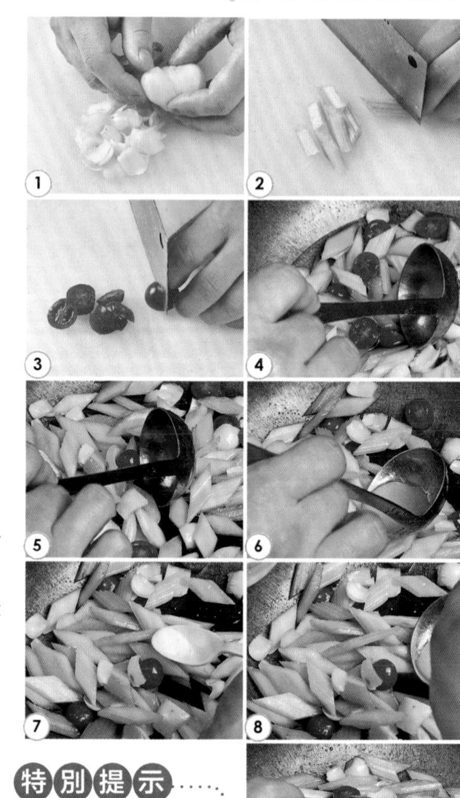

西芹新鲜不新鲜，主要看叶身是否平直，新鲜的西芹芹颈是平直的。

西芹虾球

口味 咸鲜味
操作时间 25分钟
难度 ★★★

0失败巧招

炒锅注油烧至四成热，下入虾肉炒熟。火候不可太大，油温不可太高。

原 料

虾仁150克，西芹100克，盐、料酒、胡椒粉、香油、花生油各适量。

做 法

1 将虾仁洗净，去虾线。
2 虾仁加入少许盐、料酒稍腌。
3 西芹洗净，切成菱形块。
4 锅中注水烧开，放入西芹块焯一下，捞出沥干。
5 炒锅注花生油烧至四成热，下入虾仁炒熟。
6 放入西芹块略炒。
7 加盐、胡椒粉炒匀。
8 淋入香油炒匀，装盘即成。

珊瑚藕片

口味 酸辣味
操作时间 15分钟
难度 ★★

0失败巧招

煮藕时忌用铁器，以免引起食物发黑。

原 料

藕350克，干红辣椒、白糖、米醋、花生油各适量。

做 法

1 藕洗净，去皮，切成薄片。
2 锅中注水烧开，放入藕片焯烫去生，捞出。
3 将藕片过凉，沥干水分。
4 藕片加白糖、米醋拌匀。
5 干红辣椒切丝。
6 炒锅注花生油烧热，下入干红辣椒丝炸香成辣油。
7 将辣油浇入藕片拌匀。
8 装盘，取几根干红辣椒丝，点缀在藕片上即成。

莲藕，又名莲菜，微甜而脆，十分爽口，既可生食也可做菜，且药用价值相当高，是老幼妇孺、体弱多病者上好的食品和滋补佳珍。

姜丝炒鲜藕

口味 清香味
操作时间 10分钟
难度 ★

0失败巧招

姜味浓、味辣，可用清水略冲洗后再用。

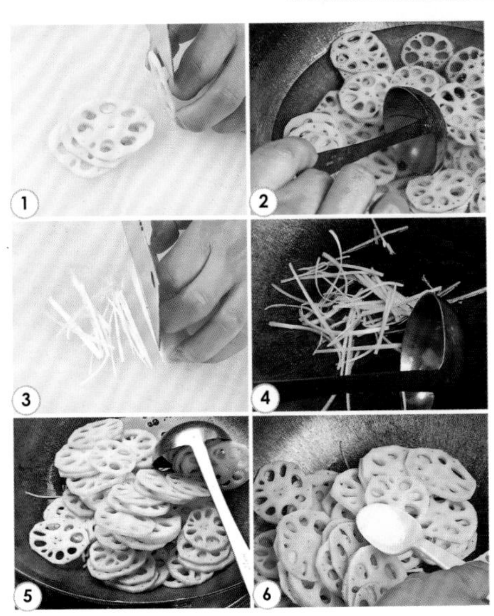

原料

藕500克，姜100克，葱50克，盐、味精、料酒、花生油各适量。

做法

1 藕洗净，去皮，切片。
2 锅中注水烧开，放入藕片焯烫去生，捞出沥干水分。
3 姜、葱切丝。
4 炒锅注花生油烧热，下姜丝、葱丝炒香。
5 放入藕片煸炒。
6 加入料酒、盐、味精炒匀即成。

特别提示

选购莲藕时，应挑选外皮呈黄褐色、肉肥厚而颜色白的莲藕，这种莲藕肉多，口感清脆。莲藕的营养价值很高，富含铁、钙等微量元素，蛋白质、维生素以及淀粉含量也很丰富。

番茄糖藕

口味 酸甜味
操作时间 10分钟
难度 ★

0失败巧招

将番茄的底部插一个叉子，放在火上烤10秒钟左右，番茄的外皮就会开裂。稍稍冷却几秒钟后，用手撕去外皮，撕掉的外皮很完整。

原 料

番茄1个，莲藕1节，白糖适量。

做 法

1 番茄洗净去皮。
2 去皮番茄切片。
3 莲藕洗净去皮。
4 去皮后的莲藕切成片。
5 将莲藕片放入开水中煮熟，捞出沥干。
6 将番茄片放入盘中，再加入莲藕片。
7 均匀撒上白糖即可。

莲藕烧肉皮

口味 咸鲜味
操作时间 30分钟
难度 ★★

0失败巧招

枸杞子应提前洗净泡开。烹制本菜时，一定要加入料酒，以去腥增鲜。

原 料

藕250克，猪肉皮200克，枸杞子50克，蒜片、姜、盐、味精、料酒、酱油、色拉油各适量。

做 法

1. 猪肉皮洗净，切小块。
2. 锅中注水烧开，放入猪肉皮块焯烫，捞出沥干水分。
3. 藕洗净，去皮，切片。
4. 姜洗净，切片。
5. 炒锅注色拉油烧至五成热，下入蒜片、姜片爆锅。
6. 加入猪肉皮块，小火煸炒至收缩。
7. 放入清水、藕片、枸杞子。
8. 加盐、料酒。
9. 加入酱油，微火炖烧至熟烂、汤汁浓厚。
10. 撒入味精调味，出锅即成。

莴笋烩香菇

口味 咸鲜味
操作时间 15分钟
难度 ★★

0失败巧招

莴笋味鲜美、有香气，烹制时可以少加鸡精。

原 料

莴笋250克，香菇100克，胡萝卜1根，大葱、盐、鸡精、胡椒粉、水淀粉、酱油、色拉油各适量。

做 法

1 莴笋去皮。
2 莴笋切菱形薄片，焯烫沥干。
3 香菇洗净，切片。
4 胡萝卜洗净，切片，焯烫沥干。
5 大葱洗净，切粒。
6 炒锅注色拉油烧热，下大葱粒爆香。
7 放入莴笋片、香菇片、胡萝卜片煸炒几下。
8 撒盐、鸡精、胡椒粉略炒。
9 加入酱油炒匀。
10 用水淀粉勾芡，出锅即成。

特别提示

优质莴笋，根部不带毛根，上部叶片不超过五六片，全棵不带泥土。

干烧笋尖

口味 香辣味
操作时间 25分钟
难度 ★★

O失败巧招

食用前先用开水焯一下，可以有效去除笋中的草酸。

特别提示

挑选冬笋时要看笋的根部，根部的“痣”红的笋鲜嫩。冬笋可清热化痰、利尿通便，搭配香菇、胡萝卜烹制成菜肴，是肥胖和习惯性便秘患者的调理佳肴。

原 料

冬笋尖150克，胡萝卜100克，香菇、青豆各50克，豆瓣酱、葱、姜、盐、白糖、料酒、清汤、花生油各适量。

做 法

1 冬笋尖去皮，洗净，切丁。
2 香菇、胡萝卜洗净，切丁。
3 豆瓣酱剁细，葱、姜切末。
4 将冬笋丁、香菇丁、胡萝卜丁、青豆下开水锅中煮透，捞出。
5 炒锅注花生油烧热，下葱姜末爆锅。
6 加剁细的豆瓣酱炒出红油。
7 加料酒、清汤、盐、白糖烧开。
8 投入全部原料。
9 烧开后用小火煨 10 分钟。
10 改中火收汁，装盘即成。

冬笋炒黄瓜

口味 清香味
操作时间 10分钟
难度 ★

0失败巧招

烹制时要热油快炒，以保持原料的色泽和味道。

原 料

黄瓜150克，冬笋200克，胡萝卜100克，香菇2朵，盐、味精、酱油、香油、色拉油各适量。

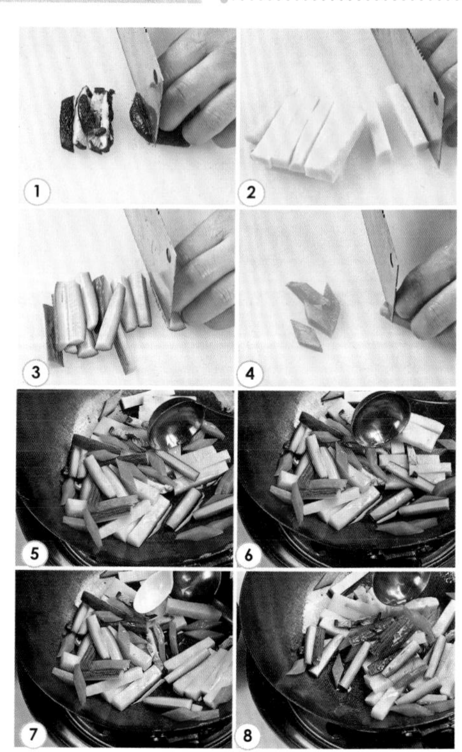

做 法

1 香菇洗净，切条。
2 冬笋去皮，洗净，切条。
3 黄瓜洗净，切段。
4 胡萝卜洗净，切菱形片。
5 炒锅注色拉油烧至七成热，下冬笋条等略炒。
6 继续翻炒至断生。
7 加入盐、味精、酱油翻炒入味。
8 滴入香油，出锅装盘即成。

特别提示

优质冬笋笋体形态完整良好，笋壳紧密细致，无虫害、空心、损伤等现象。

油辣冬笋尖

口味 香辣味
操作时间 25分钟
难度 ★

失败巧招

冬笋在烹饪中肉质脆嫩，味极鲜，一般不需要再另加味精，鸡精也可以选择不加。

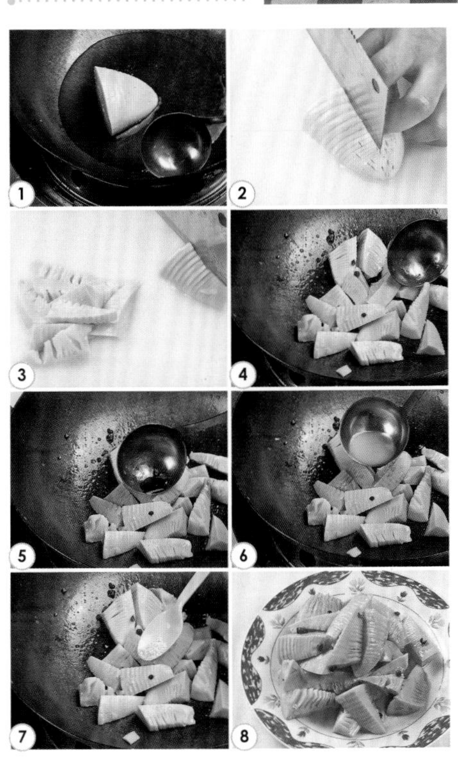

原料

净冬笋300克，高汤100毫升，花椒、盐、鸡精、酱油、辣椒油、香油各适量。

做法

1 将净冬笋放入锅中，加清水煮熟，捞出放凉。
2 净冬笋从中间切开，用刀背拍松。
3 再按净冬笋形状，切成一头尖、一头宽的条。
4 炒锅注香油烧至七成热，下冬笋条、花椒煸炒。
5 加酱油、盐炒几下。
6 添入适量高汤。
7 加鸡精，焖2分钟，成浓汤汁。
8 盛出，淋上辣椒油拌匀即成。

冰爽蜜汁苦瓜

口味 蜜汁味
操作时间 10分钟
难度 ★

可以将制成的冰爽蜜汁苦瓜置于冰箱中冰镇，这样冰爽的口感更强。

原 料

苦瓜250克，枸杞子25克，雪碧、矿泉水、橙汁、蜂蜜、冰糖各适量。

做 法

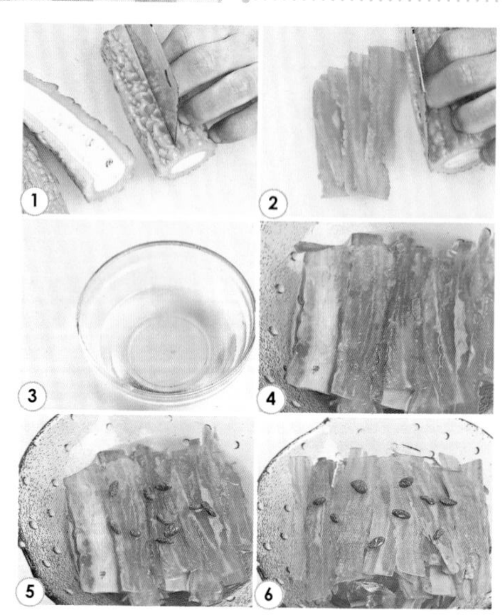

1 将苦瓜洗净，顺长切成两半。
2 苦瓜挖去瓜瓤，切片。
3 冰糖加雪碧、矿泉水融化。
4 泡入苦瓜片。
5 加入枸杞子浸泡。
6 装盘，食用时佐以蜂蜜、橙汁即可。

挑选苦瓜时，注意避免选择发黄的苦瓜。这种苦瓜已经过熟，肉质柔软、不够脆，失去苦瓜应有的自然口感。

苦瓜丝拌熏干

口味 清香味
操作时间 10分钟
难度 ★

失败巧招

味精、白糖、盐不易溶于凉汁中，可以将它们先用温开水化开，再加入其他调味品调成味汁，这样滋味更足。

原料

苦瓜、熏豆腐干各200克，盐、白糖、味精、酱油、醋、香油各适量。

做法

1 将苦瓜洗净，顺长切成两半。
2 苦瓜挖去瓜瓤，切丝。
3 苦瓜丝下入开水锅中焯烫，捞出沥干，装盘。
4 熏豆腐干切成细丝，装盘。
5 将酱油、醋、香油、盐、白糖、味精调成味汁。
6 将苦瓜丝、熏豆腐干丝倒入盘内，加味汁拌匀即成。

食用苦瓜时，最好去掉苦瓜的外皮，这样可以有效去除瓜皮表面残留的农药；若不去皮，也可用软毛刷仔细刷洗。

苦瓜酿肉柱

口味 香辣味
操作时间 35分钟
难度 ★★★

0失败巧招

使用原汁勾芡是大厨们常用的方式，可以有效为菜品增鲜提味。

原料

苦瓜、猪肉各200克，海米、香菇各25克，鸡蛋清、葱、姜、蒜、盐、鸡精、干淀粉、水淀粉、清汤、酱油、料酒、辣椒油、花生油各适量。

做法

1 将苦瓜洗净切段，去瓜瓤，用开水焯烫，捞出沥干。
2 猪肉剁成泥，葱、姜切末，蒜洗净。
3 香菇、海米洗净切成粒。
4 猪肉泥、姜末、葱末、香菇粒、海米粒放入小碗中。
5 加鸡蛋清、水淀粉、料酒、盐、鸡精拌匀成馅。
6 将馅放入苦瓜段内，两头用干淀粉封口成筒状。
7 炒锅注花生油烧至六成热，下蒜炸熟，捞出沥油。
8 锅内加辣椒油、酱油及清汤，放入苦瓜筒烧开，稍焖入味。
9 装盘，摆上炸熟的蒜，上笼蒸10分钟取出。
10 将原汁倒入锅内烧开，用水淀粉勾芡，浇在肉柱上即成。

鱼香苦瓜丝

口味 鱼香味
操作时间 20分钟
难度 ★★

0失败巧招

制作本菜时，各调料之间的比例要掌握好。一般为姜1，蒜2，豆瓣酱3，葱4，盐1，糖3，醋2，味精0.1为宜，这样才能调出正宗的鱼香味。

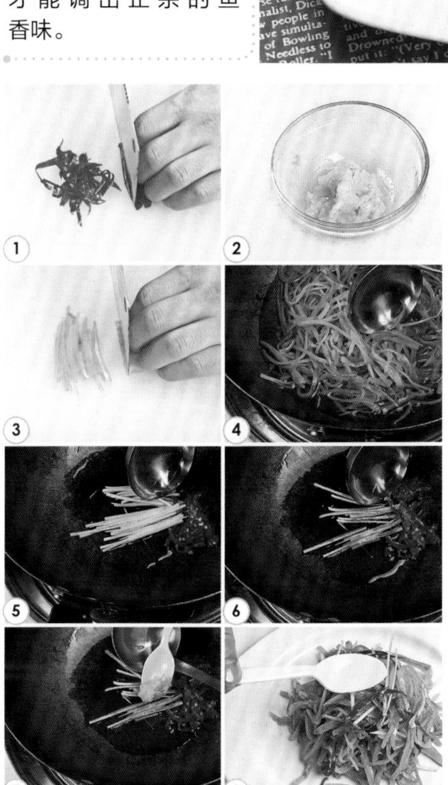

原 料

苦瓜300克，干红辣椒25克，豆瓣酱、葱、姜、蒜、盐、白糖、味精、酱油、醋、香油、花生油各适量。

做 法

1 干红辣椒切成细丝，葱、姜切丝。
2 蒜洗净，捣成泥。
3 苦瓜洗净，顺长切成两半，去瓜瓤，切丝。
4 锅中注水烧开，放入苦瓜丝焯烫，捞出，过凉沥干。
5 炒锅注花生油烧热，炒香葱丝、姜丝、干红辣椒丝。
6 下豆瓣酱炒出红油。
7 加入酱油、白糖、盐、醋、味精、蒜泥炒匀。
8 炒好的调料浇在苦瓜丝上，淋上香油即成。

嫩烧丝瓜排

口味 清香味
操作时间 15分钟
难度 ★

烹制时应注意尽量保持清淡，油要少用，可勾稀芡，用味精或胡椒粉提味。

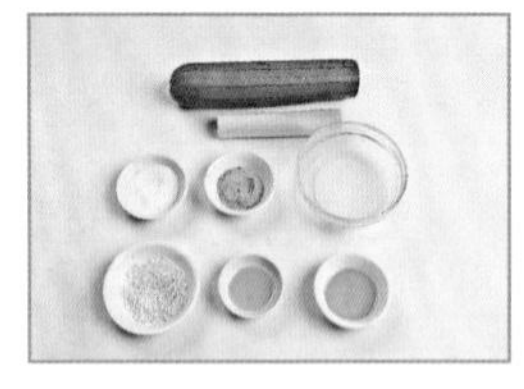

原 料

丝瓜200克，葱、盐、鸡精、胡椒粉、水淀粉、色拉油、香油各适量。

做 法

1 将丝瓜洗净，去皮，从中间剖开，去瓤，切成条。
2 葱切葱花。
3 炒锅注色拉油烧热，放入葱花爆香。
4 下丝瓜条翻炒。
5 撒入盐、鸡精调味。
6 用水淀粉勾稀芡。
7 淋少许香油略炒。
8 撒胡椒粉炒匀即成。

辣烧丝瓜羊肉

口味 香辣味
操作时间 20分钟
难度 ★

失败巧招

丝瓜汁水丰富，宜现切现做，以免营养成分随汁水流走。

原 料

丝瓜250克，羊肉150克，红尖椒1个，辣豆瓣酱、葱、姜、蒜、盐、白糖、味精、水淀粉、酱油、料酒、花生油各适量。

做 法

1 羊肉洗净切片。
2 丝瓜洗净，去皮，从中间剖开，去瓤，切粗条。
3 红尖椒去籽切块。
4 辣豆瓣酱剁碎，葱、姜、蒜切末。
5 炒锅注花生油烧热，放入羊肉片炒散。
6 加入辣豆瓣酱、葱末、姜末、蒜末炒香。
7 放入丝瓜条，中火煸炒。
8 加料酒、酱油、盐、白糖、少许清水煨熟透。
9 放入红尖椒块、味精炒匀，收浓汤汁。
10 用水淀粉勾薄芡，出锅即成。

特别提示

不新鲜的丝瓜发软，表皮易产生黑色条纹。

香菇烩丝瓜

口味 鲜香味
操作时间 30分钟
难度 ★

0失败巧招

丝瓜不宜生吃，适宜烹食。去皮时，可用小刀垂直于丝瓜表皮，轻轻刮掉表面薄薄的一层皮即可。

原 料

丝瓜300克，香菇50克，姜、盐、味精、水淀粉、料酒、香油、色拉油各适量。

做 法

1 香菇洗净略泡，去蒂切片，泡香菇水留用；姜切成末。
2 丝瓜洗净，去皮，从中间剖开，去瓤，切片。
3 炒锅注色拉油烧热，下姜末爆香。
4 烹入料酒。
5 放入泡香菇的水、香菇片、丝瓜片。
6 烧透后加盐、味精调味。
7 用水淀粉勾芡。
8 淋上香油，出锅即成。

蜜汁南瓜

口味 蜜汁味
操作时间 15分钟
难度 ★

0失败巧招

蒸南瓜时注意控制时间，不要蒸得过烂。

原料

南瓜350克，蜂蜜适量。

做法

1 南瓜去皮洗净。
2 南瓜去瓤。
3 南瓜肉切小块。
4 上笼蒸熟。
5 放凉装盘。
6 淋入蜂蜜即成。

要选择个大肉厚、不伤不烂、全熟、瓜身连着瓜梗的优质南瓜。

百合南瓜

口味 咸香味
操作时间 15分钟
难度 ★★

百合最好使用鲜百合，这样在过油时就不易使油溅出来。

原 料

南瓜250克，红小豆（泡好）150克，百合50克，葱、姜、盐、味精、白糖、水淀粉、料酒、香油、花生油各适量。

做 法

1 南瓜去皮，去瓤，切丁。
2 百合洗净，掰片，葱、姜切末。
3 炒锅注花生油烧至六成热，下入南瓜丁、百合片过油，捞出沥油。
4 炒锅注花生油烧热，下入葱末、姜末爆锅。
5 烹入料酒，倒入南瓜丁、百合片、红小豆。
6 添入适量水煮熟。
7 加盐、味精、白糖调味。
8 用水淀粉勾芡，淋入香油即成。

腐乳南瓜

口味 乳香味
操作时间 15分钟
难度 ★★

0 失败巧招

南瓜是糖尿病人的绝好食材。可把南瓜烘干，制成南瓜粉，供糖尿病人长期少量食用。

原 料

南瓜500克，腐乳2块，腐乳汁、蒜、盐、味精、香油、花生油各适量。

做 法

1 南瓜洗净，去皮，去瓤，切成条。
2 腐乳块压成泥，加入腐乳汁拌匀。
3 蒜洗净，捣成泥。
4 炒锅注花生油烧热，下蒜泥炒香。
5 倒入腐乳泥炒数下。
6 放入南瓜条炒匀。
7 加入盐、味精、适量开水。
8 小火焖至汤汁干，淋入香油即成。

米汤南瓜

口味 清香味
操作时间 20分钟
难度 ★

南瓜置于热油锅中翻炒至色泽金黄，即可添入米汤，这样制成的米汤南瓜香味浓郁。

原 料

南瓜500克，葱、姜、盐、味精、香油、水淀粉、米汤、色拉油各适量。

做 法

1 南瓜洗净，去皮，去瓤，切长方块。
2 葱切段，姜切片。
3 炒锅注色拉油烧热，下葱段、姜片炒香。
4 投入南瓜块翻炒。
5 添入米汤，没过南瓜块。
6 大火煮沸。
7 转小火焖至南瓜块软烂。
8 撒入盐、味精略烧。
9 用水淀粉勾芡，收汁。
10 淋香油即可。

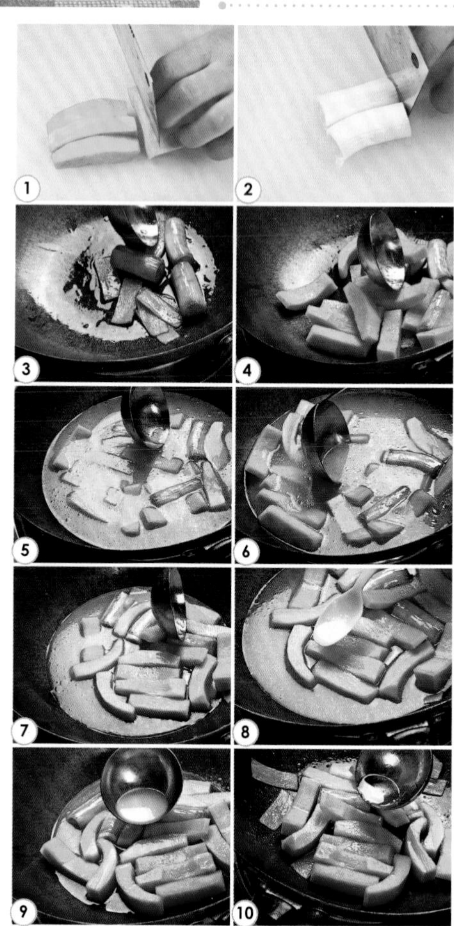

甜酸山药条

口味 酸甜味
操作时间 15分钟
难度 ★

0失败巧招

山药去皮焯烫后，放入盐水中可以避免其变色。

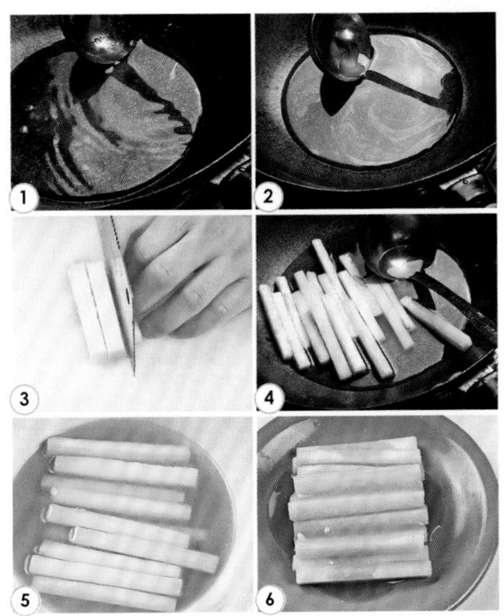

原 料

山药300克，白糖、浓缩橙汁各适量。

做 法

1 锅内添入适量清水，加入白糖熬化后放凉。
2 放入浓缩橙汁调成甜酸果汁。
3 山药去皮洗净，切成条。
4 山药条下入沸水锅中焯烫，捞出沥干。
5 将山药条放入甜酸果汁中浸泡 6 个小时左右。
6 食用时装盘，淋入少许酸甜果汁即可。

特别提示

新鲜山药的块茎中含有的多糖蛋白成分，搭配橙汁，可预防心血管脂肪沉积，有助于胃肠的消化吸收。

番茄炒山药

口味 清香味
操作时间 10分钟
难度 ★

刮山药皮时容易引起过敏，可以戴橡胶手套去皮。

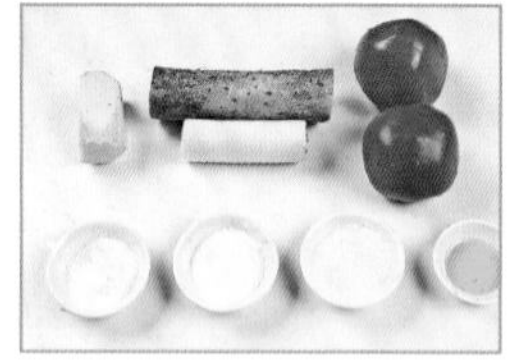

原 料

番茄200克，山药100克，葱、姜、盐、白糖、味精、色拉油各适量。

做 法

1 将番茄洗净，去蒂，切片。
2 山药去皮，洗净，切片。
3 葱切花，姜切末。
4 炒锅注色拉油烧热，下葱花、姜末爆香。
5 放入番茄片、山药片翻炒。
6 加盐、白糖、味精调味，炒熟即可。

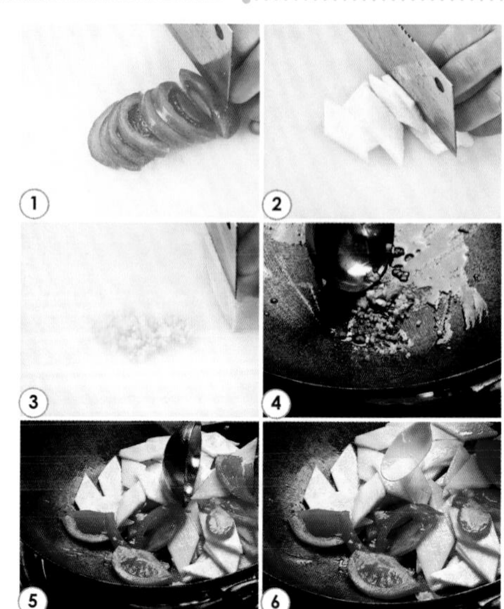

蛋黄焗山药

口味 咸香味
操作时间 25分钟
难度 ★★★

0失败巧招

要先将咸鸭蛋黄泥炒出香味，再加入山药条，注意翻炒要快，以挂匀蛋黄泥。

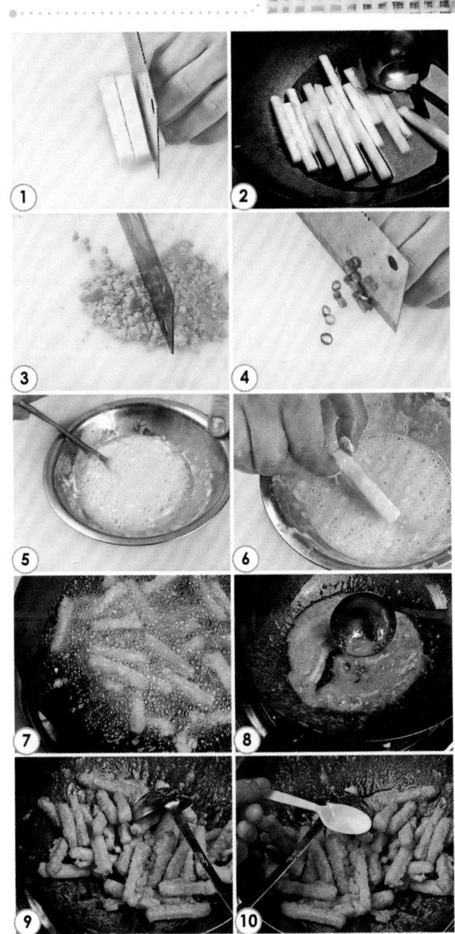

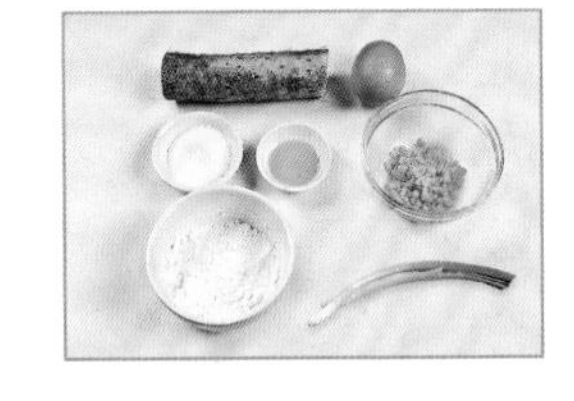

原料

山药300克，咸鸭蛋黄碎50克，鸡蛋1个，香葱、盐、淀粉、花生油各适量。

做法

1 将山药去皮，洗净，切长条。
2 山药条放入沸水锅中焯烫，捞出，过凉沥干。
3 咸鸭蛋黄碎剁细，用刀压成泥。
4 香葱切末。
5 碗内打入鸡蛋，加入淀粉，顺时针调匀。
6 放入山药条挂糊。
7 炒锅注花生油烧至五成热，放入山药条炸至金黄色，捞出。
8 锅内留油少许，下入咸鸭蛋黄泥炒至起沫。
9 放入山药条略炒。
10 撒入盐、香葱末炒匀即可。

辣烧土豆条

口味 香辣味
操作时间 20分钟
难度 ★★

炒土豆时可以适当加醋，既可避免烧焦，又可分解土豆中的毒素，并使色、味相宜。

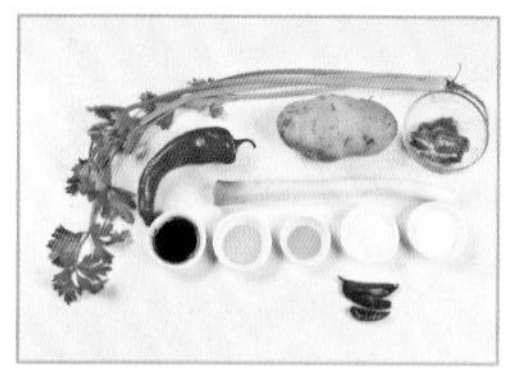

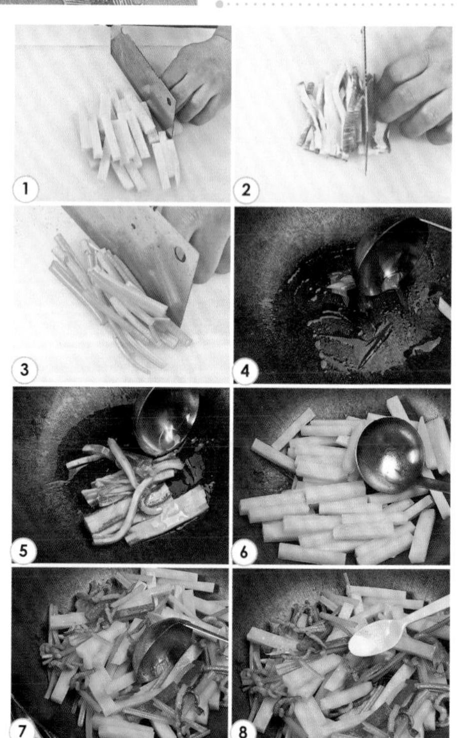

原 料

土豆350克，红尖椒、五花肉各100克，芹菜、干辣椒、葱、盐、味精、酱油、香油、花生油各适量。

做 法

1 土豆去皮，洗净，切粗条，放入清水中略洗。
2 五花肉切丝，红尖椒切粗条。
3 芹菜切段，干辣椒切段，葱切葱花。
4 炒锅注花生油烧热，加葱花、干辣椒段略炒。
5 下入五花肉丝略炒。
6 下土豆条、酱油，小火煸炒至土豆条软。
7 放入红尖椒条、芹菜段炒熟。
8 撒入味精，淋香油即可。

优质的土豆肉质细密，味道纯正。

土豆烧排骨

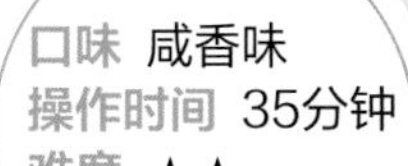

口味 咸香味
操作时间 35分钟
难度 ★★

失败巧招

肋排腌渍前，入开水中焯烫一下，可去掉杂质，并保持营养成分不流失。

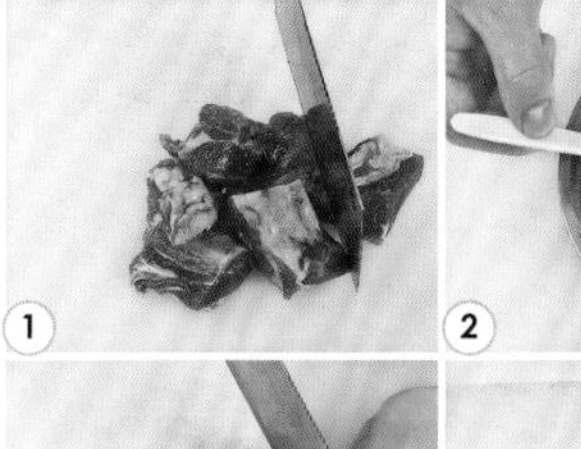

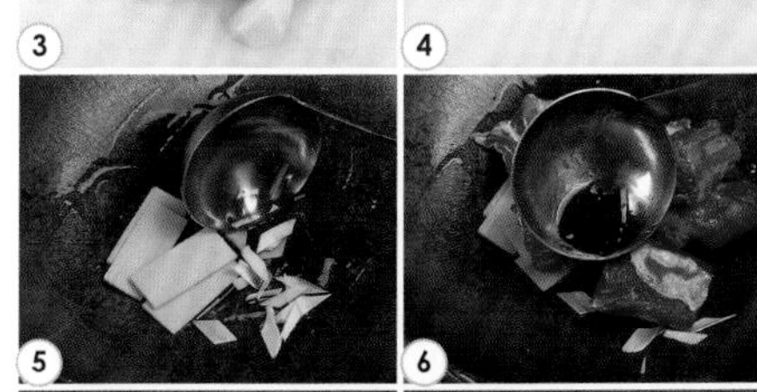

特别提示

未完全成熟的新土豆，在处理过程中通常会部分脱掉了皮或薄皮是翘起来的。

原 料

土豆250克，猪肋排200克，葱、姜、盐、味精、胡椒粉、嫩肉粉、酱油、清汤、色拉油各适量。

做 法

1 将猪肋排洗净，剁成段，用刀拍松。
2 猪肋排段加入酱油、盐、嫩肉粉腌渍。
3 土豆去皮，洗净，切滚刀块。
4 葱切粒，姜切片。
5 炒锅注色拉油烧热，下葱粒、姜片炒香。
6 放入猪肋排段略炒，加入酱油、盐、清汤，用大火烧开。
7 转用小火焖烧至猪肋排段七成熟，放入土豆块，用小火继续慢烧。
8 烧至猪肋排段、土豆块熟烂，加入味精、胡椒粉调味即可。

醋熘三丝

口味 咸酸味
操作时间 15分钟
难度 ★

切好的土豆丝放入水中，应注意不要泡得太久，以免水溶性维生素等营养流失。

原 料

土豆、青椒各1个，胡萝卜1根，葱、姜、盐、鸡精、醋、色拉油各适量。

做 法

1 土豆去皮，洗净，切细丝，放入清水中略泡，洗去淀粉。
2 青椒去蒂、籽，洗净，切细丝。
3 胡萝卜去皮，洗净，切细丝。
4 葱、姜切丝。
5 炒锅注色拉油烧热，下葱丝、姜丝爆锅。
6 加入土豆丝、青椒丝、胡萝卜丝翻炒。
7 撒入鸡精、盐炒匀。
8 淋入醋，炒匀即可。

优质土豆的皮面光滑而不过厚，芽眼较浅且便于削皮。

炝拌土豆丝

口味 椒香味
操作时间 15分钟
难度 ★

0失败巧招

土豆去皮以后，如果一时不用，可以放入冷水中，再向水中滴几滴醋，这样可以使土豆保持洁白。

特别提示

土豆种类的划分有很多方式，根据用途可将土豆分为四类：烘烤土豆、水煮土豆、通用土豆和新土豆。

原料

土豆300克，青椒、红椒各50克，盐、味精、花椒油各适量。

做法

1. 土豆去皮，洗净，切细丝，放入清水中略泡，洗去淀粉。
2. 锅中注水烧开，放入土豆丝焯水，捞出，过凉沥干。
3. 青椒和红椒去蒂、籽，洗净，切成细丝。
4. 锅中注水烧开，放入青椒丝、红椒丝焯水，捞出，过凉沥干。
5. 土豆丝、青椒丝、红椒丝放入小盆中。
6. 加盐、花椒油、味精拌匀，装盘即成。

洋葱蚝油牛肉

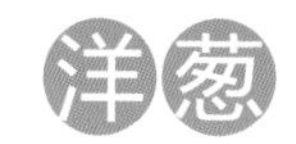

口味 咸鲜味
操作时间 20分钟
难度 ★★

洋葱不宜加热过久，以有些微辣味为佳。

原 料

洋葱250克，牛肉200克，蒜、盐、白糖、味精、水淀粉、酱油、料酒、蚝油、花生油各适量。

做 法

1 牛肉洗净，切片，加入酱油、料酒、水淀粉上浆。
2 洋葱去老皮，洗净，切成片。
3 蒜洗净，切片。
4 炒锅注花生油烧至五成热，下牛肉片炒至变色。
5 放入洋葱片、蒜片、蚝油略炒。
6 淋入少许清水。
7 加盐、白糖、味精翻炒。
8 待洋葱片断生，用水淀粉勾芡即成。

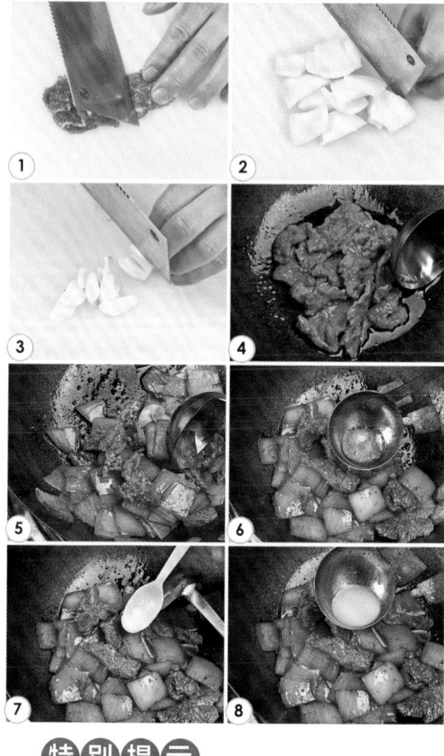

特别提示

洋葱以葱头肥厚、色泽鲜明、体表干燥、外表光滑、无损伤和病虫害、颈部小、未发芽、抱合紧密的为佳。

洋葱拌番茄

口味 酸甜味
操作时间 40分钟
难度 ★

洋葱所含香辣味对眼睛有刺激作用，切洋葱时，可提前将洋葱对半切开，置于凉水中浸泡，能有效减轻刺激。

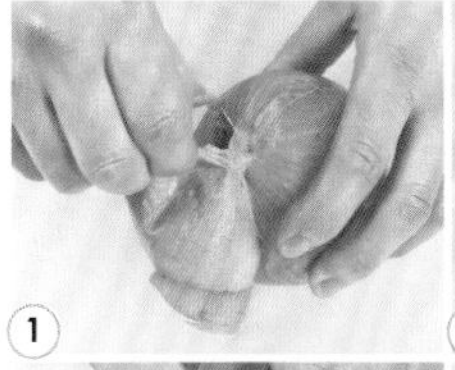

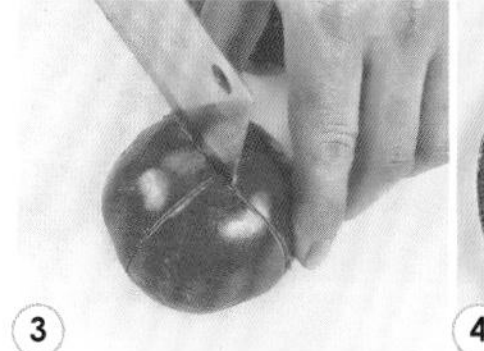

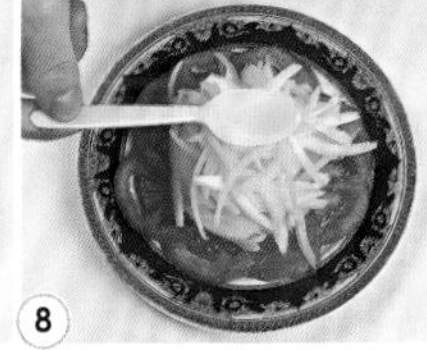

原料

洋葱、番茄各200克，盐、白糖、醋、香油各适量。

做法

1 将洋葱去老皮，切掉根部。
2 洋葱洗净，切成丝。
3 番茄用刀划十字，放入沸水锅烫一下，捞出。
4 番茄剥去皮，切成厚橘瓣形片，码在盘中。
5 洋葱丝放在番茄片上。
6 加盐、白糖、醋。
7 拌匀，放入冰箱冷藏 30 分钟。
8 取出，加香油拌匀即可。

虎皮酿椒

口味 香辣味
操作时间 25分钟
难度 ★★

炸制尖椒时，要注意控制火候。应先用慢火炸熟，再用急火炸酥，使之呈现外酥里嫩的好口感。

特别提示

一般说来，圆筒形和钝圆锥形的尖椒辣味小，而弯曲长条形、细长的尖椒辣味大。

原料

青尖椒200克，猪肉150克，水发木耳、海米各25克，鸡蛋1个，葱、姜、酱油、盐、糖、淀粉、椒盐、花生油各适量。

做法

1. 水发木耳剁碎，葱、姜切末。
2. 海米加水泡开，捞出，切末。
3. 青尖椒洗净，去蒂，掏空内瓤。
4. 鸡蛋磕入碗中，加淀粉、盐，顺时针搅匀，调成糊。
5. 猪肉剁成馅，加葱末、姜末、酱油、糖。
6. 加入木耳碎、海米末，顺时针搅匀。
7. 猪肉馅填入青尖椒中。
8. 将青尖椒挂匀鸡蛋糊。
9. 炒锅注花生油烧至六成热，放入青尖椒炸熟。
10. 捞出沥油，食用时佐以椒盐即可。

椒拌虾皮

口味 鲜辣味
操作时间 20分钟
难度 ★★

O失败巧招

切辣椒前，先将刀在凉水中蘸一下再切，这样就不容易辣眼睛了。

原料

青尖椒、红尖椒各100克，虾皮50克，大葱、香菜、香油、酱油、白醋、花生油各适量。

做法

1 将青尖椒、红尖椒洗净，切小丁。
2 大葱洗净，切丁。
3 香菜去叶，洗净，切末。
4 虾皮洗去盐分及杂质。
5 炒锅注花生油烧至五成热，下入虾皮。
6 待虾皮炸脆捞出。
7 青尖椒丁、红尖椒丁、虾皮、大葱丁放入盆中。
8 加香菜末、香油、酱油、白醋拌匀即可。

特别提示

挑选辣椒时注意，以无裂口、无虫咬、无斑点、不烂、不软、不冻的为优质辣椒。

油焗胡萝卜

口味 香辣味
操作时间 15分钟
难度 ★

煸炒胡萝卜片时，适宜多放油。可将胡萝卜片在锅中摊匀，用小火慢煎，直至变软。

原 料

胡萝卜350克，豆瓣酱、色拉油各适量。

做 法

1 胡萝卜洗净，剖开，切斜片。
2 豆瓣酱加水调匀。
3 炒锅注色拉油烧热，放入胡萝卜片。
4 煸炒至胡萝卜片水分散失变软。
5 将调好的豆瓣酱倒入锅内。
6 快速旺火翻炒几下，出锅即可。

优质胡萝卜质脆、味甜、中心柱小、粗壮但不整齐、大小不均、不开裂、无病虫害、表皮粗糙、皮目(凹陷的小点痕迹)较大。

芙蓉三丝

口味 奶香咸鲜味
操作时间 25分钟
难度 ★★★

0失败巧招

香菇在吃前过度清洗或用水浸泡，会流失大量营养物质。

特别提示

优质胡萝卜表皮光滑，色泽橙黄而鲜艳，体形粗细整齐，大小均匀一致。

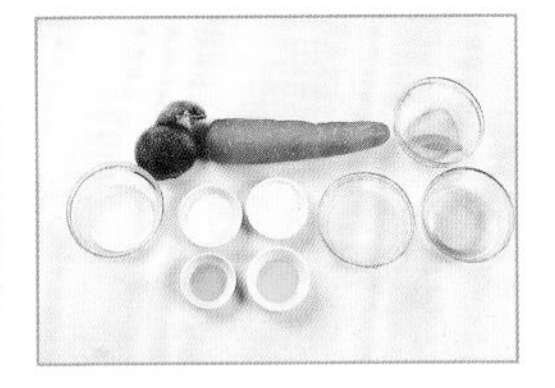

原料

胡萝卜、香菇、冬笋各100克，鸡蛋清、盐、味精、水淀粉、牛奶、香油、色拉油各适量。

做法

1 胡萝卜洗净，去皮，切丝。
2 香菇泡发，去蒂，切丝。
3 冬笋切丝。
4 胡萝卜丝、香菇丝、冬笋丝分别在沸水中焯熟，整齐地排在盘中。
5 鸡蛋清放碗内，搅打成蛋泡糊。
6 炒锅注色拉油烧五成热，下入蛋泡糊，温油中滑成蛋芙蓉。
7 取出蛋芙蓉沥油，放在三丝中间。
8 锅内加入适量水、牛奶、盐、味精烧开。
9 用水淀粉勾芡，淋香油。
10 浇在三丝上即成。

蒸茄拌肉酱

口味 酱香味
操作时间 20分钟
难度 ★★

黄豆酱也可用甜面酱代替。如果喜欢吃辣，也可使用豆瓣辣酱，使用前注意把豆瓣辣酱剁细。

原料

茄子300克，猪瘦肉100克，黄豆酱75克，葱、姜、蒜、味精、料酒、花生油各适量。

做法

1 茄子洗净，去皮，切成4条。
2 茄子入笼中蒸熟，取出茄子，沥干。
3 猪瘦肉切末，葱切葱花，姜切末，蒜切末。
4 炒锅注花生油烧热，下入姜末、蒜末爆香。
5 加猪瘦肉末炒散。
6 放入黄豆酱、葱花、料酒炒出香味。
7 加入清水、味精，炒成肉酱。
8 将炒好的肉酱放在茄子上，食用时拌匀即可。

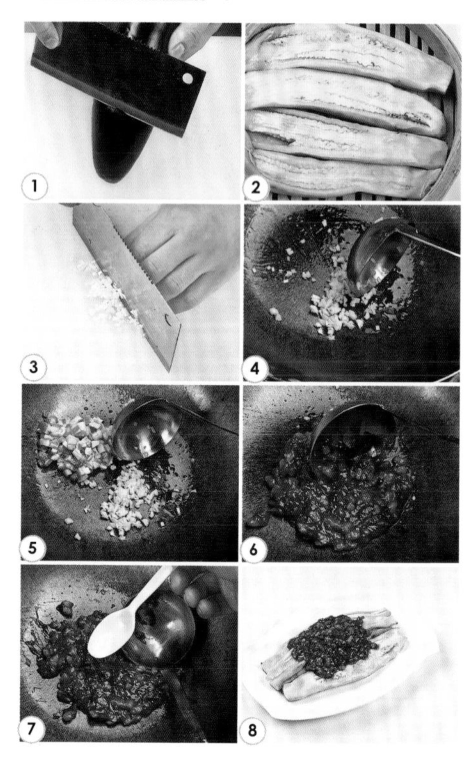

鱼香茄子

口味 香辣味
操作时间 25分钟
难度 ★★

失败巧招

炸茄子易造成维生素P流失，而挂糊上浆后炸制能有效减少这种损失。将鸡蛋液加淀粉、盐调成浆，茄块先裹匀浆再下入热油锅中进行炸制，炸时注意采用慢火。

原 料

茄子400克，豆瓣酱25克，葱、姜、蒜、盐、白糖、味精、水淀粉、酱油、醋、料酒、清汤、花生油各适量。

做 法

1 茄子洗净，去皮，切成滚刀块。
2 葱切葱花，姜切末，蒜切末。
3 茄子块下入热花生油锅中，慢火炸透，捞出沥油。
4 锅中留油烧热，下入豆瓣酱、葱花、姜末、蒜末，炒至出红油。
5 放入清汤、茄子块。
6 加酱油、料酒、醋、盐、白糖，小火烧熟。
7 撒入少许味精调味。
8 用水淀粉勾芡即成。

金沙茄条

口味 鲜香味
操作时间 30分钟
难度 ★★

失败巧招

茄子切成块或片后，由于氧化作用会很快由白变褐。如果将切成块的茄子立即放入水中浸泡起来，待做菜时再捞起滤干，就可避免茄子变色。

特别提示

吃茄子分季节，秋后的老茄子含有较多茄碱，对人体有害，不宜多吃。

原 料

茄子300克，熟咸鸭蛋黄碎50克，盐、干淀粉、色拉油各适量。

做 法

1 将茄子洗净，去皮，切条，加盐腌渍15分钟。
2 茄子条撒干淀粉，拌匀。
3 熟咸鸭蛋黄碎剁细，拍成泥。
4 炒锅注色拉油烧热，放入茄子条。
5 慢火炸至色泽淡黄、微脆，捞出沥油。
6 锅中留油烧热，放入熟咸鸭蛋黄碎泥翻炒。
7 将熟咸鸭蛋黄碎泥炒香，呈汁状。
8 倒入茄子条。
9 炒匀，使熟咸鸭蛋黄碎泥均匀地裹在茄子条上，出锅装盘即可。

酱扒茄子

失败巧招

蒸茄子时，先将切好的茄块撒点盐拌匀腌15分钟，挤出渗出的黑水，这样蒸出的茄子更入味。

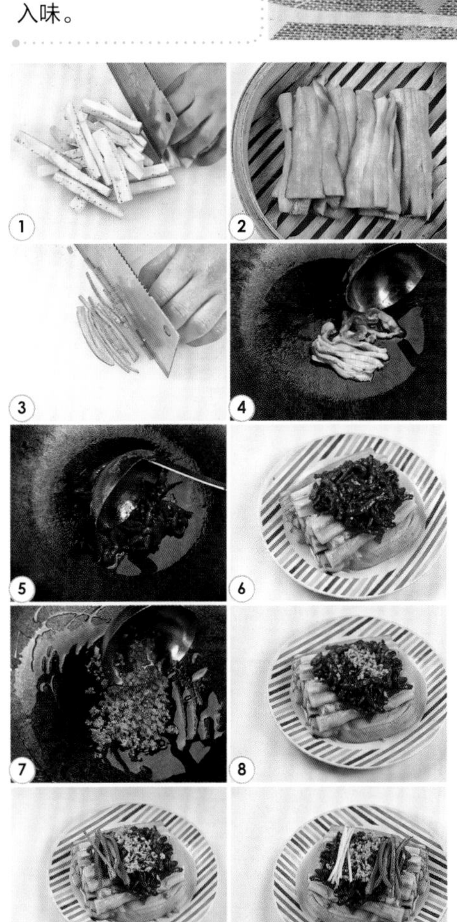

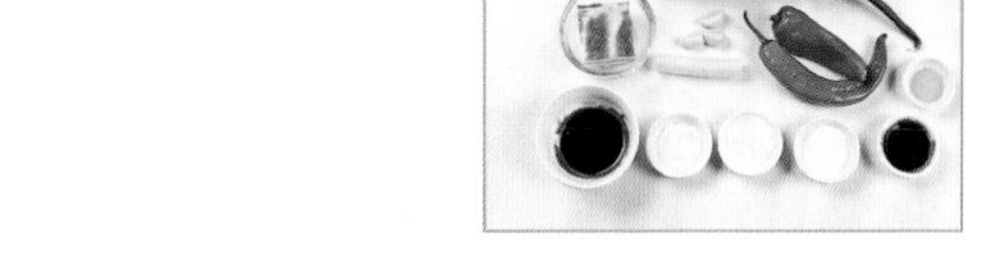

原 料

茄子300克，猪瘦肉150克，青尖椒、红尖椒、葱、蒜、甜面酱、盐、糖、味精、酱油、色拉油各适量。

做 法

1 茄子洗净，切条，加盐略腌。
2 茄子条沥干，蒸熟，装盘。
3 猪瘦肉切丝，青尖椒、红尖椒、葱切丝，蒜切末。
4 炒锅注色拉油烧热，下猪瘦肉丝炒熟。
5 加入甜面酱、盐、味精、糖、酱油炒匀调味。
6 把酱放在蒸好的茄子条上。
7 另起锅注色拉油烧热，下蒜末炒成金黄色。
8 浇在猪瘦肉丝上。
9 撒入青尖椒丝、红尖椒丝。
10 用葱丝装饰即成。

油焖三鲜

口味 鲜香味
操作时间 25分钟
难度 ★★★

本菜要选用嫩茄子，因其肉质软，易吸收汤汁，令味道更加鲜美。而老茄子外皮发皱，肉质较硬。

原料

茄子、土豆各200克，青椒150克，葱、姜、蒜、盐、糖、味精、酱油、花生油各适量。

做法

1 土豆、茄子去皮，洗净，切滚刀块。
2 青椒洗净，去蒂，去籽，切块。
3 葱切葱花，姜切片，蒜切末。
4 锅中注入清水烧沸。
5 放入土豆块，煮至五成熟，捞出沥干。
6 炒锅注花生油烧热，下葱花、姜片、蒜末炒香。
7 放入茄子块、土豆块煸炒。
8 加入盐、酱油、糖略炒。
9 倒入少量清水，煨熟透。
10 加入青椒块、味精，翻炒均匀即成。

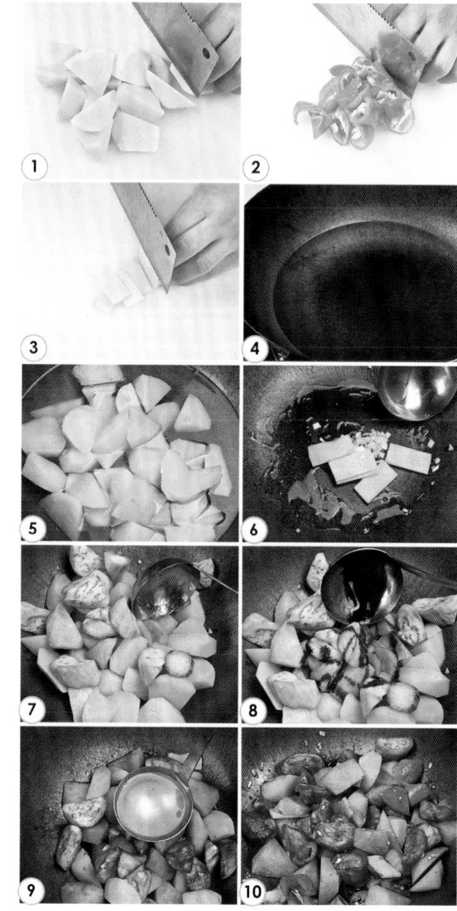

辣炒茼蒿肉丝

口味 香辣味
操作时间 30分钟
难度 ★★

猪肉丝在腌渍时加入适量淀粉，口感会更嫩滑。

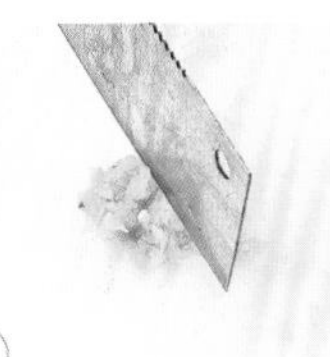

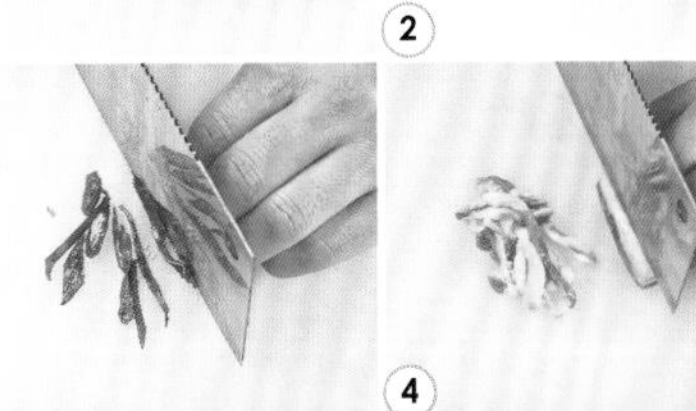

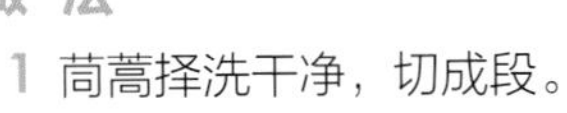

原料

茼蒿300克，猪肉150克，干红辣椒25克，蒜、盐、味精、酱油、料酒、水淀粉、色拉油各适量。

做法

1 茼蒿择洗干净，切成段。
2 蒜洗净，切末。
3 干红辣椒去籽，洗净，切成丝。
4 猪肉切成丝，加酱油、料酒腌渍15分钟。
5 锅中注色拉油烧热，倒入猪肉丝略炒。
6 下蒜末爆香。
7 放入茼蒿段、盐、味精，炒至茼蒿段变软。
8 用水淀粉勾芡，盛出，撒入干红辣椒丝即可。

好的茼蒿的茎呈圆形，颜色以翠绿色为佳，用手掐茎部顶端，顶部嫩。

茼蒿芝麻豆干

口味 麻酱味
操作时间 10分钟
难度 ★

*O*失败巧招

应先择好茼蒿，去掉黄烂叶梗，洗好后控干水分。茼蒿应整棵下锅焯烫。

原 料

茼蒿、豆腐干各200克，蒜、盐、味精、芝麻酱、酱油、醋、香油各适量。

做 法

1 茼蒿择洗干净，放入沸水锅内焯熟，捞出。
2 茼蒿过凉，切成段，放入盆内。
3 蒜洗净，剁成泥。
4 豆腐干放入沸水中，烫一下，切成丝。
5 将豆腐干丝放入盛有茼蒿段的盆中。
6 加芝麻酱、味精、盐、酱油、醋、香油、蒜泥，拌匀即可。

特别提示

像茼蒿这类青菜，放入锅中整棵焯烫，菜中的水分可基本保留，吃起来也脆嫩鲜美。

茼蒿嫩豆腐

口味 鲜香味
操作时间 15分钟
难度 ★★

0失败巧招

制作本菜品时火候要小，味道才更鲜美。

原 料

嫩豆腐200克，茼蒿150克，鸡蛋1个，葱、香菜、盐、味精、胡椒粉、酱油、鸡汤、香油、花生油各适量。

做 法

1 茼蒿择洗干净，切成碎粒。
2 嫩豆腐剁成泥，葱、香菜切末。
3 鸡蛋打入盆内，放入茼蒿粒、嫩豆腐泥。
4 撒盐、味精、胡椒粉拌匀。
5 炒锅注花生油烧热，下葱末爆香。
6 放入拌好的鸡蛋糊，轻轻翻炒。
7 加鸡汤烧透。
8 撒上香菜末，淋香油，出锅。
9 把葱末、酱油、香油调成味汁，上桌佐餐即可。

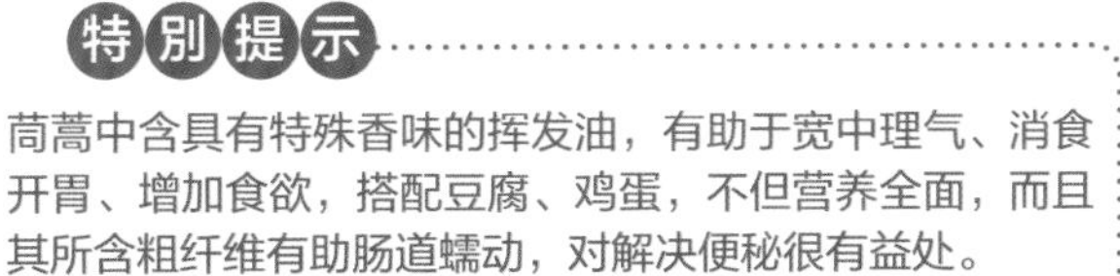

特别提示

茼蒿中含具有特殊香味的挥发油，有助于宽中理气、消食开胃、增加食欲，搭配豆腐、鸡蛋，不但营养全面，而且其所含粗纤维有助肠道蠕动，对解决便秘很有益处。

韭香银芽里脊丝

口味 鲜香味
操作时间 20分钟
难度 ★★

失败巧招

烹制本菜时，韭菜段应最后加入，放入后速炒至软即可出锅，久炒则易烂。

原 料

绿豆芽300克，韭菜、猪里脊肉各100克，鸡蛋清、葱、姜、盐、淀粉、料酒、色拉油各适量。

做 法

1. 韭菜择洗干净，切成小段。
2. 绿豆芽洗净，掐去两头。
3. 葱切葱花，姜切末。
4. 猪里脊肉切成细丝，加鸡蛋清、淀粉、料酒上浆。
5. 炒锅注色拉油烧温热，下入猪里脊肉丝炒至变色。
6. 加入葱花、姜末爆香。
7. 放入绿豆芽、盐、料酒，翻炒至变色。
8. 加入韭菜段炒匀，出锅装盘即可。

食用韭菜也分季节，初春时节的韭菜品质最佳，晚秋的次之，夏季的最差。

韭菜炒鸭血

口味 鲜辣味
操作时间 15分钟
难度 ★★

将鸭血放入沸水锅中焯烫，可有效除菌。

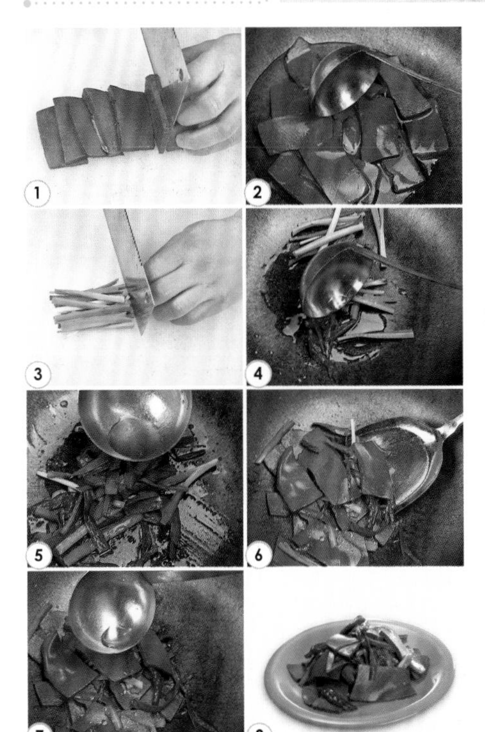

原料

鸭血200克，韭菜150克，干辣椒、盐、胡椒粉、料酒、香油、花生油各适量。

做法

1 鸭血切长方片，干辣椒切丝。
2 锅中注水烧开，放入鸭血片焯透，捞出沥干。
3 韭菜择洗干净，切段。
4 炒锅注花生油烧热，下入干辣椒丝、韭菜段略炒。
5 烹入料酒。
6 加鸭血片、盐、胡椒粉，炒翻均匀。
7 淋入香油。
8 出锅，盛入盘中即可。

韭菜中的细叶韭，叶片狭小而长，色泽深绿，纤维较多，富有香味。

炒合菜

口味 咸鲜味
操作时间 20分钟
难度 ★★★

韭菜在种植过程中易被施加较多的农药，在食用之前宜用清水浸泡30分钟，以清除农药残留。

原 料

嫩韭菜、鸡蛋、猪肉各100克，绿豆芽、菠菜、木耳、粉丝各75克，盐、醋、花椒水、花生油各适量。

做 法

1 木耳加冷水泡发，捞出，撕成片。
2 粉丝加冷水浸泡30分钟，捞出沥干，切段。
3 嫩韭菜、菠菜择洗净，切成小段。
4 绿豆芽洗净，掐去两头；猪肉洗净切丝。
5 鸡蛋打入碗内，加盐搅匀。
6 锅中注花生油烧热，倒入鸡蛋液炒熟，盛出。
7 炒锅注花生油烧热，下猪肉丝炒散。
8 放入绿豆芽、粉丝、木耳片翻炒。
9 加入菠菜段、韭菜段、盐、醋、花椒水，翻炒至断生。
10 加入炒好的鸡蛋，炒匀即成。

百合

杂烩鲜百合

口味 鲜香味
操作时间 25分钟
难度 ★★★

0失败巧招

西芹和胡萝卜洗净后，入开水焯烫时间要短，以保持清脆的口感。

特别提示

优质鲜百合闻起来有淡淡的味道，尝起来有点苦。

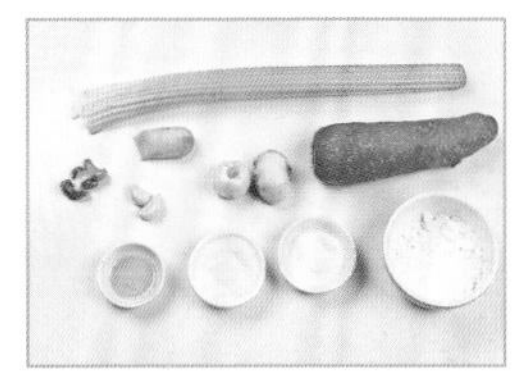

原料

鲜百合150克，西芹100克，腰果50克，胡萝卜1根，姜、蒜、盐、味精、水淀粉、花生油各适量。

做法

1 鲜百合掰成瓣，洗净。
2 蒜洗净，切末，姜切丝。
3 西芹择洗净，胡萝卜洗净，均切菱形片。
4 锅中注水，加花生油、盐烧沸。
5 放入鲜百合瓣、西芹片、胡萝卜片略烫，捞出沥干。
6 炒锅注花生油烧热，下入腰果炸至色泽金黄，捞出沥油。
7 炒锅留油烧热，下蒜末、姜丝爆香。
8 放入焯好的百合瓣、西芹片、胡萝卜片翻炒片刻。
9 加盐、味精，用水淀粉勾芡。
10 放入腰果，翻炒均匀即可。

百合炒芦笋

口味 清香味
操作时间 20分钟
难度 ★★

烹炒时，宜用急火快炒，翻动几个来回，以刚刚熟透溢出少量汤汁为度，迅速加盐和鸡精，咸度适宜即可。炒的过程中不可盖锅盖，更无需加水“焖”熟。

原料

芦笋200克，鲜百合100克，鲜白果25克，辣椒、蒜、盐、鸡精、胡椒粉、色拉油各适量。

做法

1 将鲜百合掰成瓣，洗净。
2 芦笋洗净，切段，下入开水锅内焯一下，捞出控水。
3 辣椒洗净切片。
4 蒜去皮，切末。
5 炒锅注色拉油烧热，下入蒜末爆香。
6 放入辣椒片、鲜百合瓣煸炒。
7 加入芦笋段、鲜白果略炒。
8 撒入盐、鸡精、胡椒粉，炒匀即可。

西蓝花

香菇西蓝花

口味 鲜香味
操作时间 15分钟
难度 ★

0失败巧招

西蓝花焯烫的时间不宜过长，以免破坏其防癌、抗癌的营养成分。

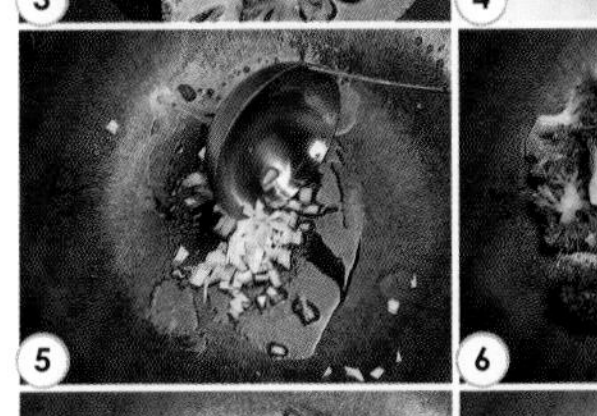
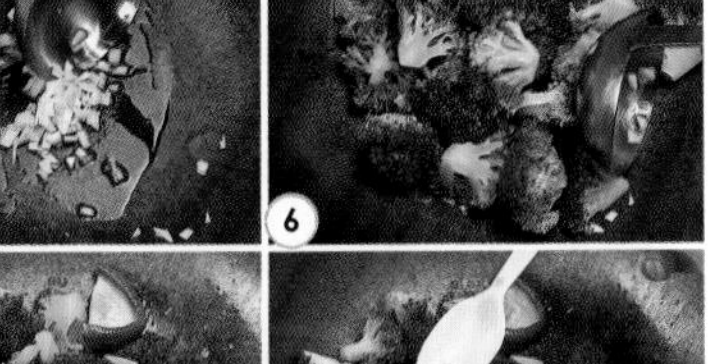

原料

西蓝花350克，香菇75克，葱、盐、味精、胡椒粉、花生油各适量。

做法

1 将西蓝花洗净，切块。
2 葱洗净，切葱花。
3 锅中注水烧沸，下入西蓝花块焯烫，捞出沥干。
4 香菇用温开水泡发，洗净，沥干。
5 炒锅注花生油烧热，下葱花爆香。
6 放入西蓝花块略炒。
7 加入香菇翻炒。
8 加盐、胡椒粉、味精、清水炒透入味即可。

特别提示

优质的西蓝花为半球形，花丛紧密，花球周边未散开，中央的柄为青翠绿色。

干锅菜花

口味 香辣味
操作时间 30分钟
难度 ★★★

0失败巧招

菜花焯水的时候不可时间太长。换水的次数要多一点，被凉水激过的菜花会保持脆的口感。菜花要捞出来沥干，保证水分少。

腊肉选肥一点的，借助腊肉煸炒出来的油炒制这道菜，菜会很香。

原 料

菜花250克，腊肉100克，豆瓣酱、豆豉各30克，干红辣椒25克，青蒜、蒜、盐、料酒、酱油、色拉油各适量。

做 法

1 菜花洗净，掰小块。
2 锅中注水，加色拉油、盐烧开，倒入菜花块焯烫2分钟，捞出。
3 菜花块放入冷水过凉（换水两次），捞出沥干。
4 干红辣椒洗净，切圈；蒜洗净切片；青蒜洗净，切碎。
5 腊肉加水煮30分钟，切小片。
6 炒锅注色拉油烧热，放入腊肉片，小火慢慢地煸出油，呈焦黄色。
7 放入豆瓣酱，小火慢慢煸出红油。
8 放入豆豉，慢慢煸出香味，倒入蒜片爆香。
9 放入干红辣椒圈、菜花块，开大火，倒入料酒、酱油，快速翻炒。
10 收浓汤汁，加少许盐，撒上青蒜碎末即可。

草菇

草菇菜心

口味 咸鲜味
操作时间 20分钟
难度 ★★

0失败巧招

草菇焯水的时候，清水里最好加入少许的盐和色拉油，以便入味和丰富口感。

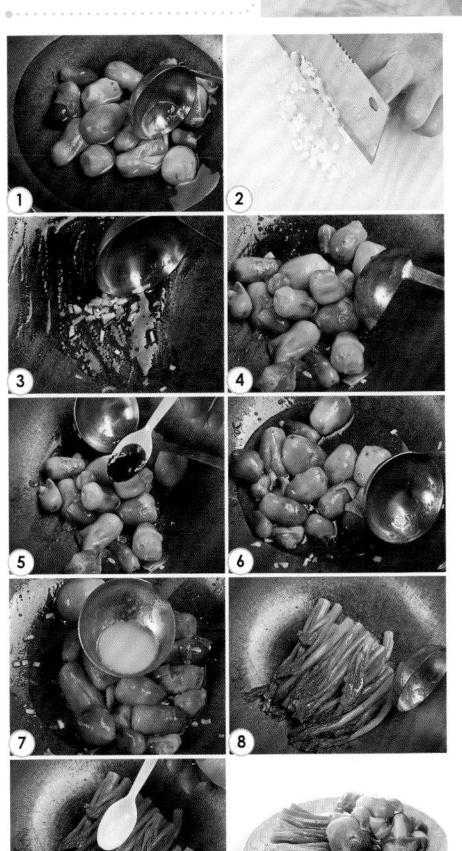

特别提示

草菇分甲、乙、丙、丁四级。等级越高，菇体越大，肉质越实。合格的产品呈灰色、味浓香、表面光滑。

原 料

草菇300克，嫩菜心150克，葱、盐、味精、胡椒粉、水淀粉、酱油、蚝油、料酒、花生油各适量。

做 法

1 草菇洗净，下入加盐、花生油的开水锅中焯烫，捞出沥干。
2 嫩菜心洗净，葱切末。
3 炒锅注花生油烧热，下葱末爆香。
4 加草菇略炒。
5 放入酱油、料酒、盐、味精、胡椒粉、蚝油。
6 加少量水烧开。
7 用水淀粉勾芡，盛于盘中间。
8 另起锅注花生油烧热，下嫩菜心煸炒。
9 撒入盐、味精炒匀。
10 出锅装盘，将草菇放在菜心上即可。

蒜香鲜草菇

口味 蒜香味
操作时间 25分钟
难度 ★★

0失败巧招

将鲜草菇洗净后，要竖刀切开而非横刀切开；操作过程中，草菇先是煨熟透，然后再烧开稍焖。

原 料

鲜草菇300克，蒜25克，葱、姜、盐、白糖、味精、清汤、水淀粉、料酒、酱油、香油、花生油各适量。

做 法

1 鲜草菇洗净，竖刀切开。
2 锅中注水，加花生油、盐烧开，放入草菇焯烫，捞出沥干。
3 葱切葱花，姜、蒜均切片。
4 炒锅注花生油烧热，下葱花、姜片炒香。
5 烹入料酒、酱油，加水烧沸。
6 下鲜草菇煨熟透，捞出。
7 另起锅注花生油烧热，下蒜片炒香。
8 加入草菇、清汤、白糖、盐、味精。
9 烧开稍焖，用水淀粉勾芡。
10 淋入香油，出锅即成。

草菇炖豆腐

口味 清香味
操作时间 20分钟
难度 ★★

0失败巧招

用香油代替色拉油炒此菜，香味更浓。

原料

南豆腐300克，草菇、芦笋、油菜心各50克，葱、盐、味精、淀粉、酱油、料酒、香油各适量。

做法

1 芦笋洗净切段。
2 油菜心洗净，葱切末。
3 淀粉加水调成水淀粉。
4 南豆腐切厚块，放入开水锅焯烫，捞出沥干。
5 锅内注香油烧热，添入料酒和适量水。
6 放入草菇、芦笋段、油菜心、南豆腐块。
7 加盐、酱油、味精烧沸。
8 用水淀粉勾芡，撒上葱末即可。

特别提示

草菇不宜长期保鲜存放，一般在16℃的温度下能存放2天左右；不能在5℃左右的冰箱内保鲜，否则会很快失水。

蚝油双菇

口味 咸鲜味
操作时间 30分钟
难度 ★

熟色拉油也可用香油代替，使菜肴的味道别样香浓。

原 料

香菇、草菇各200克，葱、姜、盐、水淀粉、料酒、蚝油、色拉油各适量。

做 法

1 将香菇、草菇洗净切片，用开水焯一下，捞出沥干。
2 葱、姜切片。
3 炒锅注色拉油烧热，下葱片、姜片爆锅。
4 倒入草菇片、香菇片煸炒。
5 加入料酒、蚝油、盐、适量清水翻炒。
6 用水淀粉勾芡，淋上熟色拉油即可。

长得特别大的鲜香菇不要吃，因为它们多是用激素催肥的，大量食用可对人体造成不良影响。

松仁香菇

口味 鲜香味
操作时间 25分钟
难度 ★★

失败巧招

泡发香菇的水不要丢弃，很多营养物质都溶在水中，可以添入锅中用作高汤。

原料

香菇200克，松仁100克，葱、姜、白糖、味精、水淀粉、酱油、高汤、蚝油、花生油各适量。

做法

1 香菇用温水泡开，捞出控干。
2 葱、姜切片。
3 锅中注花生油烧至七成热，下入香菇，过油捞出。
4 锅中留油，下入松仁炸好，捞出。
5 锅留油烧热，下入葱片、姜片炒香。
6 加入高汤、蚝油、白糖、酱油、香菇。
7 小火慢烧10分钟，撒入味精调味。
8 用水淀粉勾芡，加入松仁即成。

特别提示

挑选鲜香菇时宜选菌盖厚的，因其香味更浓郁。

香菇鹌鹑蛋

口味 甜味
操作时间 25分钟
难度 ★

蒸鹌鹑蛋之前可以将其放于冷水中略泡，这样蒸出来的鹌鹑蛋更容易剥皮。

原 料

鹌鹑蛋200克，香菇100克，菠菜50克，胡萝卜1根，盐、白糖、水淀粉、酱油、香油、花生油各适量。

做 法

1 鹌鹑蛋蒸熟，去壳，加入酱油略腌。
2 菠菜择洗净，下入加盐的开水锅中焯烫，捞出沥干。
3 胡萝卜切成薄片。
4 炒锅注花生油烧热，放入香菇、胡萝卜片、菠菜略炒。
5 加水、盐、白糖煮开。
6 放入鹌鹑蛋。
7 用水淀粉勾芡。
8 淋香油即可。

优质鲜香菇菇形圆整，菌盖下卷，菌肉肥厚，菌褶整齐，干净干爽。

香菇鱼块

口味 咸鲜味
操作时间 30分钟
难度 ★★★

0失败巧招

慢火熬煮，可使鱼块有效入味。

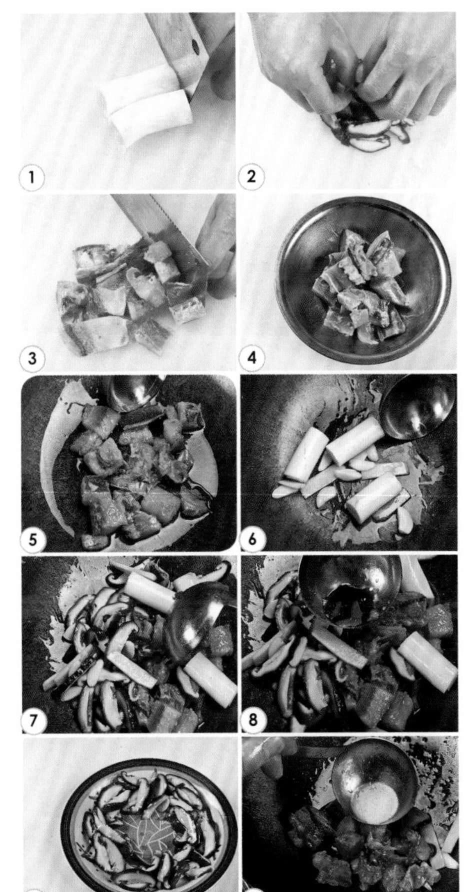

特别提示

发好的香菇要放在冰箱里冷藏才不会损。

原 料

鱼肉200克，香菇75克，鸡蛋1个，葱、姜、蒜、盐、胡椒粉、水淀粉、酱油、料酒、清汤、香油、色拉油各适量。

做 法

1 葱切段，姜切片，蒜切片。
2 香菇洗净，撕成条，加清汤、姜片、葱段，上笼蒸2小时。
3 鱼肉切成块，加料酒、盐、胡椒粉腌渍。
4 将鸡蛋磕入碗中，加水淀粉调成糊，放入鱼块拌匀。
5 炒锅注色拉油烧至六成热，放入鱼块炸熟，捞出。
6 锅留底油烧热，下入姜片、葱段、蒜片爆香。
7 添入清汤，放入鱼块、香菇条。
8 加酱油、盐、料酒，慢火烧透入味。
9 挑出香菇条，摆在盘边周围。
10 勾芡，淋香油，收浓汤汁，倒入香菇条中即成。

菠萝炒木耳

口味 清香味
操作时间 15分钟
难度 ★

0失败巧招

菠萝用盐水浸泡，可有效去除菠萝的酸涩味。

原 料

菠萝肉250克，黑木耳25克，枸杞子、盐、味精、水淀粉、色拉油各适量。

做 法

1 黑木耳用冷水泡发，洗净，撕成小片。
2 菠萝肉洗净，用盐水浸泡，切片。
3 枸杞子洗净略泡。
4 炒锅注色拉油烧热，下黑木耳片煸炒。
5 放入菠萝片同炒。
6 加入枸杞子、适量清水略烧。
7 撒入盐、味精调味。
8 用水淀粉勾芡，炒匀即可。

优质木耳无霉变，颜色正常，无大量的破碎，无泥沙、杂草。

大葱肉末木耳

口味 香辣味
操作时间 20分钟
难度 ★★

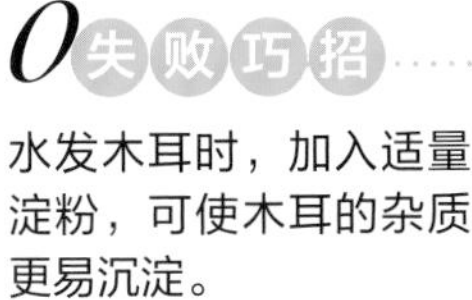

失败巧招

水发木耳时，加入适量淀粉，可使木耳的杂质更易沉淀。

原料

水发木耳150克，猪肉末、大葱各100克，青尖椒、红尖椒各1个，姜、盐、味精、水淀粉、酱油、蚝油、花生油各适量。

做法

1 水发木耳洗净，撕成片，下开水锅焯一下，捞出。
2 青尖椒、红尖椒洗净，去籽，切末。
3 大葱、姜分别洗净，切片。
4 炒锅注花生油烧热，下入大葱片、姜片、猪肉末炒香。
5 加木耳片、酱油、盐、蚝油烧片刻。
6 撒入味精调味。
7 用水淀粉勾芡。
8 加入青尖椒末、红尖椒末略炒即成。

特别提示

优质的木耳泡发后朵大适度、朵面乌黑有光泽、朵型整齐、朵片有弹性。

木耳豆腐

口味 咸鲜味
操作时间 15分钟
难度 ★

木耳用冷水泡发，泡发效果更好。

原料

豆腐300克，木耳50克，火腿100克，香葱、姜、盐、味精、水淀粉、鲜汤、色拉油各适量。

做法

1 木耳用冷水泡发，洗净，切丁片。
2 豆腐、火腿切丁，香葱、姜切末。
3 炒锅注色拉油烧热，下香葱末、姜末爆香。
4 放入木耳丁煸炒片刻。
5 加入鲜汤、盐烧开。
6 撒入味精调味。
7 用水淀粉勾芡。
8 加火腿丁、豆腐丁翻炒几下即成。

挑选木耳时，可以用手掂。抓一把放在手里掂一掂分量，没有掺假的黑木耳分量很轻。

芥油金针菇

口味 芥末味
操作时间 15分钟
难度 ★

失败巧招

下入金针菇、香菜段、火腿丝焯水，要等到锅里的水完全烧开后才能进行。

原 料

金针菇300克，火腿100克，香菜、盐、味精、芥末油、香油各适量。

做 法

1 将金针菇去掉老根，洗净。
2 香菜洗净，切段。
3 火腿切丝。
4 锅中注水烧开，分别下入金针菇、香菜段、火腿丝焯一下，沥干。
5 金针菇、香菜段、火腿丝放入盆中。
6 加盐、味精、芥末油、香油拌匀即可。

特别提示

金针菇不管是白是黄，只要是颜色特别均匀、鲜亮，没有清香而有异味的，就可能是经过熏、漂、染或用添加剂处理过的。

肉末烧蘑菇

口味 鲜香味
操作时间 15分钟
难度 ★

0失败巧招

猪肉末中加入蛋清和水淀粉，可以使肉泥的口感滑嫩。

原 料

鲜蘑菇250克，猪肉200克，鸡蛋清1个，葱、姜、盐、味精、水淀粉、料酒、色拉油各适量。

做 法

1 将鲜蘑菇择洗净，撕成条，下入沸水锅中焯过，捞出，沥干水分。
2 猪肉、葱、姜剁成末。
3 猪肉末、葱末、姜末放入盆中。
4 加料酒、盐、味精、鸡蛋清、水淀粉、少许清水，搅匀成肉泥。
5 炒锅注色拉油烧热，下肉泥煸炒。
6 加入蘑菇条，翻炒均匀即可。

特别提示

由平菇的外形知道口感：菌伞呈乳白色、菌柄较长的平菇口感香脆；菌伞呈线灰色或黑褐色、菌柄较短的平菇味道鲜美。

香肠腊味荷兰豆

口味 鲜香味
操作时间 20分钟
难度 ★★

0失败巧招

因为在第一步中荷兰豆已放入加盐的沸水焯过了，所以在第六步中加盐的分量要控制好。

原料

荷兰豆200克，香肠150克，葱、姜、盐、白糖、味精、水淀粉、料酒、花生油各适量。

做法

1 荷兰豆择洗净，下入加盐的沸水焯熟。
2 香肠切斜片。
3 葱、姜切末。
4 炒锅注花生油烧热，下葱末、姜末爆香。
5 放入荷兰豆煸炒。
6 加料酒、白糖、盐、味精略炒。
7 倒入香肠片翻炒均匀。
8 用水淀粉勾芡，淋上熟花生油即成。

金钩荷兰豆

口味 咸鲜味
操作时间 10分钟
难度 ★

虾米切粒越细碎越好，用料酒浸泡是为了去腥、增加鲜香的味道。

原 料

荷兰豆400克，海米50克，蒜、盐、糖、料酒、色拉油各适量。

做 法

1 荷兰豆择洗净，切成段。
2 海米泡发。
3 海米切成粒，加料酒浸泡。
4 蒜去皮，切末。
5 炒锅注色拉油烧至六成热，下蒜末爆香。
6 放入海米粒翻炒。
7 倒入荷兰豆段。
8 加盐、料酒、糖，炒至荷兰豆段变成翠绿色，盛出即可。

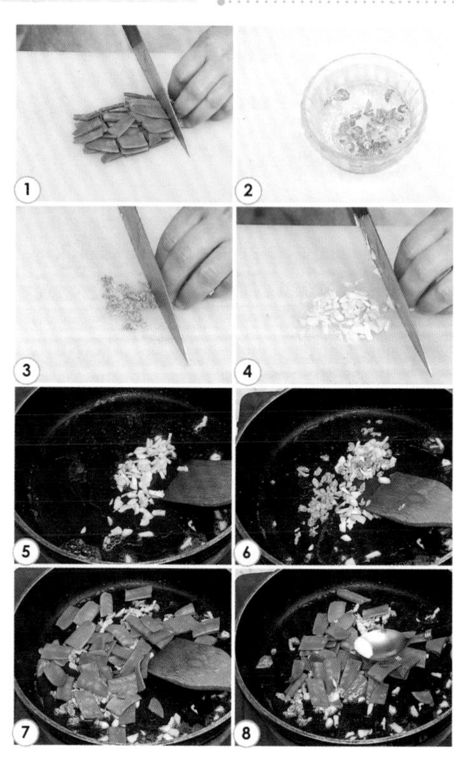

本菜颜色碧绿，脆嫩爽口。荷兰豆搭配海米，营养价值高，风味鲜美，并具有延缓衰老、美容保健等功效。

干煸四季豆

口味 鲜辣味
操作时间 20分钟
难度 ★★

0失败巧招

四季豆过油捞出后再次下锅煸炒需用中火，切记要等到完全熟透再起锅。

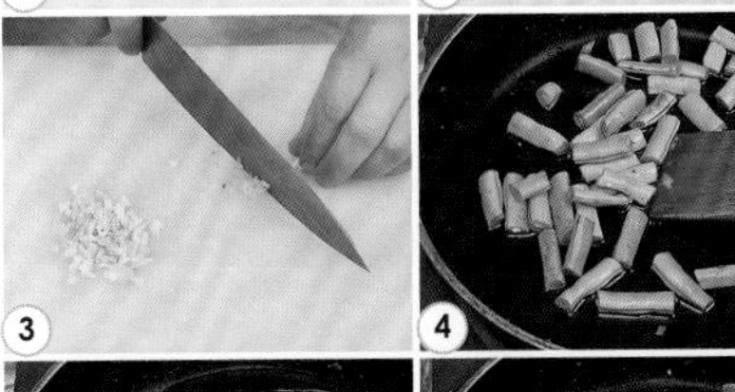

原 料

四季豆200克，猪肉50克，辣椒、葱、姜、蒜、盐、糖、酱油、香油、高汤、花生油各适量。

做 法

1 将四季豆择洗干净，切成长段。
2 猪肉切成末，辣椒切段。
3 葱、姜、蒜均切成末。
4 炒锅注花生油烧热，放入四季豆段过油，捞出沥油。
5 锅内留油烧热，下入猪肉末煸炒。
6 放入姜末、蒜末、辣椒段、四季豆段，中火干煸片刻。
7 添高汤，待收干汤汁，加盐、糖、酱油。
8 淋香油，下葱末，装盘即可。

特别提示

选购四季豆时，应挑选豆荚饱满、肥硕多汁、折断无老筋、色泽嫩绿、表皮光洁无虫痕者。

虾酱肉末四季豆

口味 咸鲜味
操作时间 20分钟
难度 ★★

0失败巧招

第七步和第八步加入四季豆末、虾酱鸡蛋和适量鲜汤后要用慢火煨透，才能放入盐调味。

特别提示

四季豆必须煮透才能食用，因为四季豆粒中含有一种毒蛋白，会使人食物中毒，而这种毒蛋白在高温下才能被破坏。

原 料

四季豆200克，猪五花肉100克，虾酱75克，鸡蛋2个，香菜、香葱、姜、盐、鲜汤、酱油、料酒、色拉油各适量。

做 法

1 四季豆择洗净，下入开水锅中焯烫，捞出，切末。
2 猪五花肉、香菜、香葱、姜分别切末。
3 鸡蛋打入碗内，加入少许虾酱拌匀。
4 炒锅注色拉油烧热，倒入虾酱鸡蛋液，小火炒熟，盛出。
5 炒锅注色拉油烧热，下入香葱末、姜末爆香。
6 加入猪五花肉末、酱油、料酒，煸炒至熟。
7 放入四季豆末、虾酱鸡蛋。
8 倒入鲜汤，用慢火煨透。
9 撒盐调味。
10 加入香菜末，翻炒均匀即成。

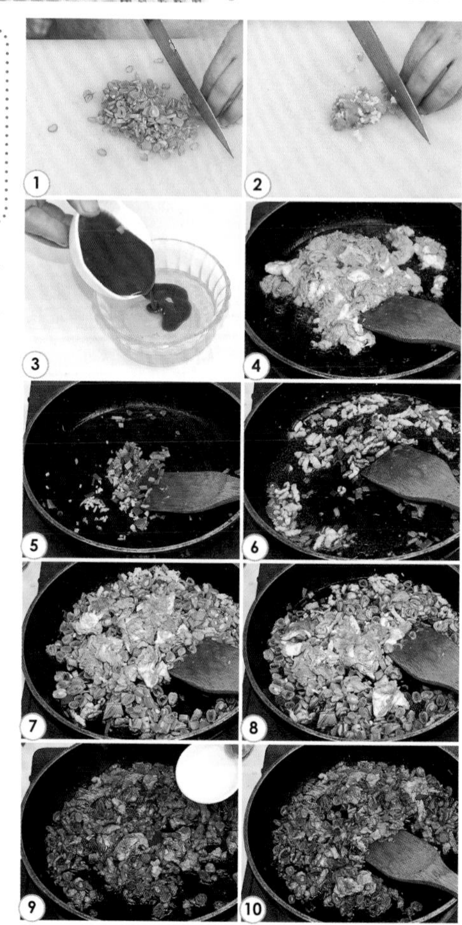

羊肉炖四季豆

口味 鲜香味
操作时间 30分钟
难度 ★

烹煮时间宜长不宜短，要保证四季豆熟透，否则会发生中毒。

原 料

四季豆250克，羊肉150克，葱、姜、蒜、盐、味精、八角、料酒、鲜汤、香油、花生油各适量。

做 法

1 羊肉洗净，切成薄片。
2 葱、姜切末；蒜去皮，切末。
3 四季豆择洗净，下入开水锅中焯烫，捞出，切长段。
4 炒锅注花生油烧热，下葱末、姜末、蒜末、八角炒香。
5 放入羊肉片略炒。
6 投入四季豆段煸炒。
7 烹入料酒、盐及鲜汤，烧开后略煮。
8 待四季豆段煮至软烂，撒入味精调味。
9 淋入适量香油，翻匀，出锅即可。

把四季豆切成3寸长的段，在开水里焯一下；沥干水分，冻在冰箱里就能保存很长一段时间了。

花肉四季豆炖粉条

口味 咸鲜味
操作时间 15分钟
难度 ★

0失败巧招

在四季豆将熟时放粉条即可。若放入太早则使粉条熟过，也不可太晚以免半生。

原 料

四季豆200克，粉条100克，猪五花肉50克，鲜汤500毫升，葱、姜、盐、味精、酱油、色拉油各适量。

做 法

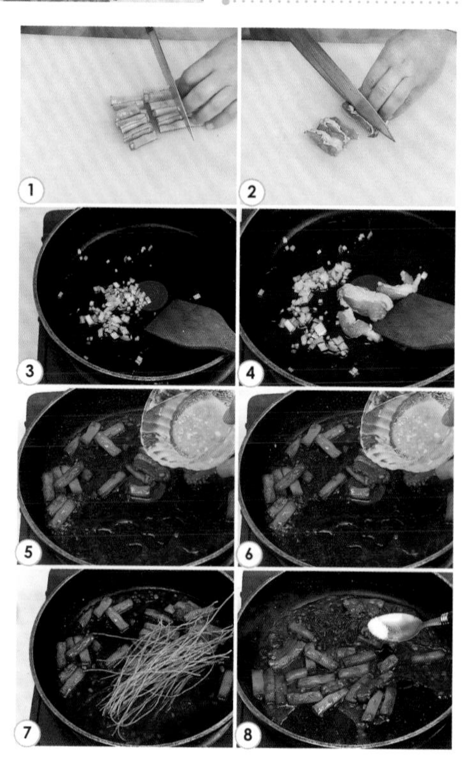

1 四季豆择洗净，切段。
2 猪五花肉切成厚片，葱、姜切末。
3 炒锅注色拉油烧热，下葱末、姜末爆香。
4 加入猪五花肉片略炒。
5 放入酱油、四季豆段略炒。
6 添入鲜汤，加盐。
7 烧至四季豆段将熟，放粉条炖透。
8 撒入味精调味即可。

特别提示

要选择豆荚饱满匀称，表皮平滑无虫痕的优质四季豆。

豆腐

五彩豆腐

口味 清香味
操作时间 15分钟
难度 ★

0失败巧招

炒时应注意火候不宜过大，避免煳锅。
若使用生青豆，应提前下入开水锅中焯熟，以免食物中毒。

原 料

豆腐250克，鸡蛋3个，番茄、香菇、熟青豆各50克，大葱、盐、花生油各适量。

做 法

1. 豆腐洗净，放入沸水中烫透捞出，切成丁。
2. 番茄、香菇均洗净，切成小丁。
3. 大葱切末。
4. 将番茄丁、香菇丁、豆腐丁、熟青豆、大葱末搅拌均匀。
5. 鸡蛋打散，搅匀。
6. 炒锅注花生油烧至六成热，放入鸡蛋液、各种丁，炒熟，加盐调味即可。

豆腐本身的颜色是略带黄色，如果色泽过于死白，有可能添加了漂白剂，不宜选购。

火腿虾粒香豆腐

口味 鲜香味
操作时间 25分钟
难度 ★★

0失败巧招

豆腐洗净后，可以放入开水锅中焯烫一下，不但能有效去掉豆腥味，更可杀菌消毒。

特别提示

好的豆腐为淡黄或白色，边角完整，不凹凸，口感细嫩，软硬适宜，醇香无杂质，无异味。

原 料

熟虾仁75克，豆腐100克，茭瓜1个，火腿50克，盐、白糖、水淀粉、胡椒粉、色拉油各适量。

做 法

1 熟虾仁洗净，沥干，切粒。
2 豆腐洗净，撒少许盐涂匀。
3 茭瓜去皮、瓤，洗净，切粒。
4 火腿切粒。
5 炒锅注色拉油烧热，下入熟虾仁粒炒匀，盛出。
6 锅中留油烧热，放入虾仁粒、火腿粒、茭瓜粒略炒。
7 撒入盐、白糖、胡椒粉炒匀。
8 添少许水煮开。
9 用水淀粉勾芡。
10 将豆腐装盘，淋入炒好的火腿虾仁粒即成。

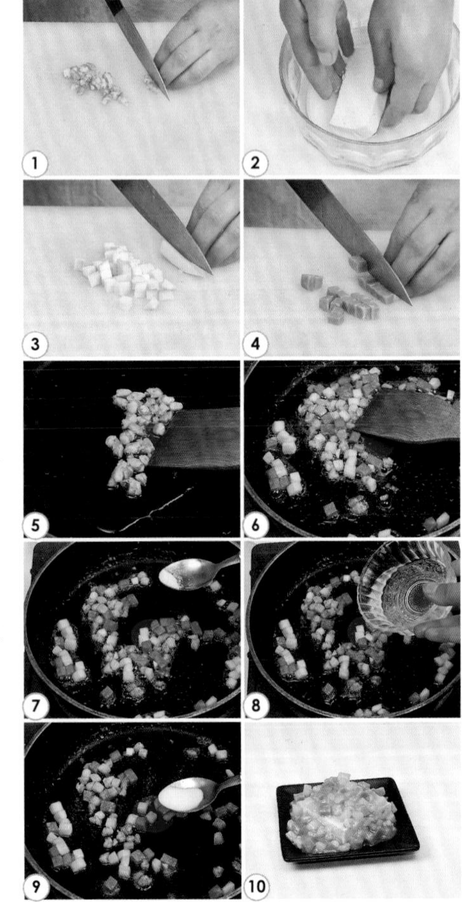

麻婆豆腐

口味 香辣味
操作时间 20分钟
难度 ★★

O失败巧招

制作麻婆豆腐宜选用细嫩清香的石膏豆腐，而不是卤水豆腐。豆腐切块后，用沸腾的淡盐水焯一下，可以保持豆腐口感细嫩，且不易碎。

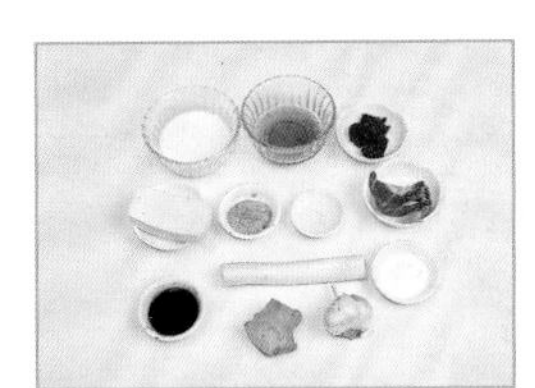

原 料

豆腐300克，猪肉100克，辣豆瓣酱50克，葱、姜、蒜、盐、花椒粉、水淀粉、料酒、酱油、花生油各适量。

做 法

1 豆腐切成块，放入温水锅内稍煮，捞出沥干。
2 猪肉切成末，葱、姜切末，蒜去皮切末。
3 辣豆瓣酱剁细。
4 炒锅注花生油烧热，下猪肉末炒香。
5 待水将干时，加辣豆瓣酱、姜末、蒜末炒香。
6 加入料酒、酱油、水。
7 随即下豆腐块、盐，转小火焖熟。
8 用水淀粉勾芡，撒葱末和花椒粉即可。

虾仁炖豆腐

豆腐可以选用内酯豆腐。用生虾仁的话，挑去虾线后一定要洗净。
豌豆务必加入开水煮熟，否则易导致食物中毒。

原 料

豆腐100克，熟虾仁75克，豌豆50克，香葱、姜、盐、味精、水淀粉、香油、高汤、花生油各适量。

做 法

1 豆腐切块，香葱、姜均切末。
2 熟虾仁洗净浸泡。
3 豌豆放入开水中煮熟，捞出沥干。
4 炒锅注花生油烧热，下入香葱末、姜末爆香。
5 添入高汤。
6 放入豆腐块、熟虾仁。
7 撒入盐、味精炖煮入味。
8 加豌豆略煮，用水淀粉勾芡，淋入香油即可。

家常豆腐

口味 鲜香味
操作时间 25分钟
难度 ★★

失败巧招

最好选用嫩豆腐，吃起来口感嫩滑，香气四溢。豆腐正反两面都要煎好，并煎至表面金黄。

原料

豆腐200克，猪肉泥50克，葱1根，料酒、酱油各10毫升，水淀粉5克，白糖2克，香菜、蒜、鸡精、高汤、盐、色拉油各适量。

做法

1 葱切成葱花。
2 香菜择洗净，切碎。
3 蒜去皮剁成蒜末。
4 猪肉泥加酱油、白糖、料酒，沿顺时针搅拌均匀，腌15分钟。
5 水淀粉加入清水调成芡汤。
6 豆腐用小刀切成小块。
7 炒锅注色拉油烧热，下入蒜末爆香，放入猪肉泥炒至八成熟，盛出。
8 锅内再注色拉油烧热，放入豆腐块，用小火稍煎，加高汤煮片刻。
9 加入猪肉泥轻轻翻炒均匀。
10 加盐、鸡精调味，烹入料酒、芡汤，加葱花、香菜碎即可。

素鸡炒蒜薹

豆制品

口味 咸鲜味
操作时间 15分钟
难度 ★

蒜薹不宜烹制得过烂，以免辣素被破坏，降低杀菌作用。

原 料

素鸡250克，嫩蒜薹100克，葱末、姜末、蒜末、盐、鸡精、水淀粉、料酒、香油、花生油各适量。

做 法

1 将素鸡切成条。
2 嫩蒜薹洗净，切成段。
3 炒锅注花生油烧热。
4 下入葱末、姜末、蒜末炒香。
5 烹入料酒。
6 放入素鸡条、嫩蒜薹段煸炒。
7 撒入盐、鸡精，炒至嫩蒜薹段熟。
8 用水淀粉勾芡。
9 淋上香油。
10 出锅，装盘即成。

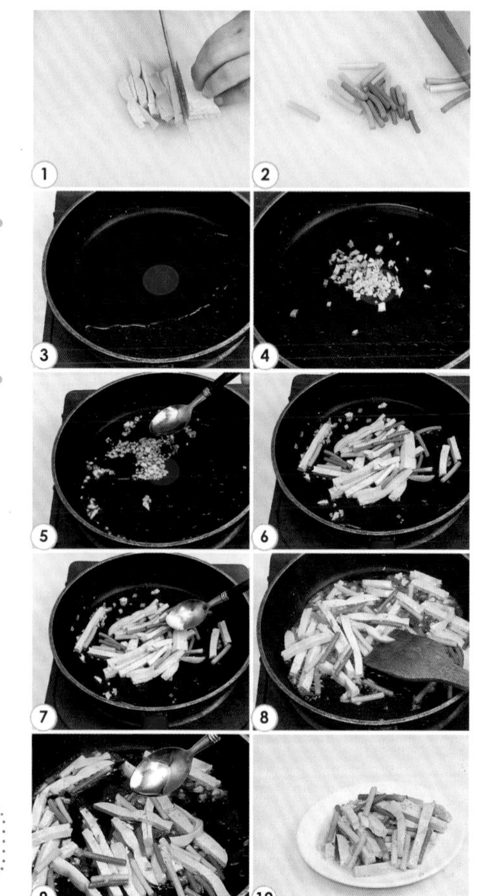

品质好的蒜薹应新鲜、脆嫩、无粗老纤维、条长。

腐皮卷素菜

口味 鲜香味
操作时间 25分钟
难度 ★★★

0失败巧招

油皮卷入锅煎时，应用慢火煎，以保证外酥内香。
制作本菜时宜使用鲜油皮，可以在油皮外部涂抹上适量盐，这样煎出来的油皮卷外皮更有味。

原料

油皮100克，胡萝卜1根，韭菜、绿豆芽各50克，榨菜、鲜香菇各30克，姜汁、盐、白糖、淀粉、胡椒粉、色拉油各适量。

做法

1. 鲜香菇洗净切末。
2. 胡萝卜洗净切末。
3. 榨菜切末。
4. 绿豆芽洗净切末。
5. 韭菜洗净切末。
6. 淀粉加适量水调成浆。
7. 炒锅注色拉油烧热，放入鲜香菇末、胡萝卜末、榨菜末、绿豆芽末、韭菜末。
8. 加盐、白糖、胡椒粉炒匀制成馅。
9. 将油皮包入适量馅，卷成长条，在收口处涂上淀粉浆。
10. 下入热色拉油锅煎至两面金黄，盛出，斜切大段即可。

蒜泥白肉

口味 鲜辣味
操作时间 30分钟
难度 ★

0失败巧招

味汁要吃时再浇入拌匀，这样可以保持美味可口。

原料

猪后腿肉350克，蒜、盐、糖、味精、酱油、辣椒油、香油各适量。

做法

1 猪后腿肉洗净。
2 放入水中，煮熟，放凉。
3 取出切成薄片。
4 蒜加少许盐捣成泥状。
5 淋入少许香油，加入凉开水搅匀。
6 再加上糖、味精。
7 放入酱油、辣椒油调成味汁。
8 将猪后腿肉片摆盘，味汁浇入肉片中即可。

特别提示

猪后腿肉位于后腿上方，臀尖肉下方，全为瘦肉，纤维较长，一般多在做白切肉或回锅肉时用。

蒜香回锅肉

口味 香辣味
操作时间 25分钟
难度 ★★

0失败巧招

猪肉先煮熟再入锅烹炒，是传统回锅肉的做法，可使炒好的肉片肥而不腻。如直接将带皮猪五花肉切片下入锅中烹炒，则口感会略差。

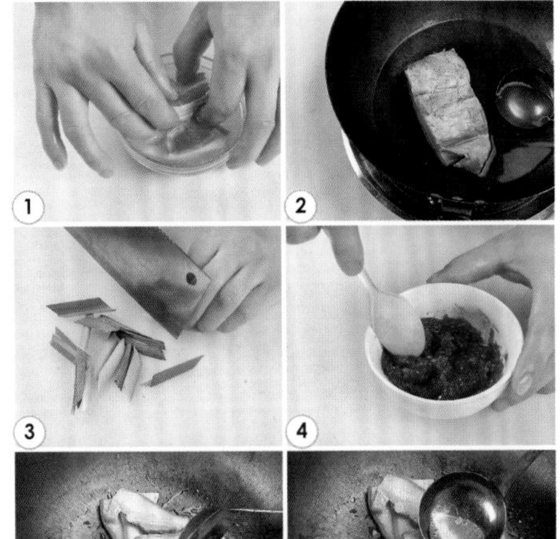

原料

带皮猪五花肉350克，蒜苗100克，豆瓣酱、甜面酱、盐、糖、酱油、料酒、花生油各适量。

做法

1. 带皮猪五花肉洗净。
2. 带皮猪五花肉入锅内煮至七成熟，捞出凉透切大片。
3. 蒜苗洗净切段。
4. 豆瓣酱剁碎粒，在碗中搅匀。
5. 炒锅注花生油烧至五成热，下带皮猪五花肉片炒至变色。
6. 烹入料酒。
7. 加入盐、糖、豆瓣酱、甜面酱、酱油炒香。
8. 放入蒜苗段，快速炒至断生即可。

榨菜肉丝

口味 咸鲜味
操作时间 20分钟
难度 ★★

0失败巧招

榨菜洗净切丝，用开水焯烫，可避免口感过咸。

原料

榨菜200克，猪瘦肉100克，干辣椒、香菜、大蒜、味精、酱油、料酒、香油、花生油各适量。

做法

1 榨菜丝洗净，下入开水锅中略焯，捞出沥干。
2 猪瘦肉洗净切丝。
3 干辣椒切丝。
4 香菜择洗净切段。
5 大蒜洗净切末。
6 炒锅注花生油烧热，下入大蒜末、干辣椒丝炒香。
7 放入猪瘦肉丝炒至变白。
8 烹入料酒、酱油。
9 加入榨菜丝炒片刻。
10 撒入香菜段、味精，淋上香油，出锅即可。

特别提示

猪肉摸上去要有点黏手，说明没有注水，按下去要有弹性，说明新鲜。

京酱肉丝

失败巧招

甜面酱的用量多少，会使得此菜口味浓淡不同，烹饪过程中，可依据个人的要求酌量添加。

原 料

猪肉200克，蛋清25克，葱白、白糖、甜面酱、味精、淀粉、酱油、花生油各适量。

做 法

1 猪肉洗净，切成细丝。
2 猪肉丝加入蛋清、淀粉、少许酱油，腌制30分钟。
3 葱白切成细丝铺在盘子里。
4 将甜面酱、味精、少许酱油、白糖搅拌均匀。
5 炒锅注花生油烧热。
6 下入猪肉丝，快速滑散。
7 片刻后倒入酱汁，翻炒均匀。
8 盛出放入铺好葱白丝的盘子内即可。

特别提示

葱丝是此菜不可缺少的材料。山东大葱茎粗，且细长，质量颇佳。

腊肉炒苋菜

口味 咸鲜味
操作时间 30分钟
难度 ★

0失败巧招

腊肉必须洗净，加料酒蒸20分钟左右，放凉之后再切成薄片，这样加工后的腊肉不腻不腥、干净卫生。

原料

苋菜250克，腊肉100克，盐、料酒、鸡精、花生油各适量。

做法

1 腊肉洗净，加料酒蒸30分钟，放凉切片。
2 苋菜去根、老叶，洗净。
3 苋菜切成长段。
4 炒锅注花生油烧热。
5 放入苋菜段。
6 加入盐。
7 加入鸡精煸炒至熟。
8 放入腊肉片煸炒，出锅盛出即可。

鱼香排骨

口味 鱼香味
操作时间 30分钟
难度 ★★★

一般说来，排骨加盐腌渍15分钟即可入味。可以用嫩肉粉代替淀粉，这样炸制出的排骨口感更嫩滑。

原料

排骨段500克，红油辣椒、姜丝、蒜末、葱、盐、淀粉、糖、酱油、醋、料酒、花生油各适量。

做法

1 排骨段洗净。
2 排骨段加盐腌渍，裹匀淀粉。
3 炒锅注花生油烧热，下入排骨段炸熟透，捞出滤油。
4 葱切段。
5 炒锅注花生油烧热。
6 放入姜丝、蒜末炒香。
7 加入红油辣椒、糖，烹入酱油、醋、料酒。
8 放入排骨段，加入葱段，炒至收汁即可。

烧排骨、糖醋排骨最好选用扁排骨，这种排骨口感更佳，更易入味。

神仙骨

口味 鲜辣味
操作时间 25分钟
难度 ★★★

剁排骨最好用专门的刀，排骨块的大小应根据配菜要求确定。

原料

排骨550克，海米末50克，鸡蛋1个，面包糠、蒜末、辣椒粉、芝麻粉、花生碎、芹菜末、盐、糖、淀粉、香油、色拉油各适量。

做法

1 排骨切成块洗净。
2 排骨块加鸡蛋液、淀粉、盐上浆。
3 炒锅注色拉油烧热，下入排骨块炸至表皮酥脆，捞出沥油。
4 炒锅留油烧热，下入面包糠、蒜末炒至金黄色。
5 放入排骨块、海米末。
6 加入辣椒粉、花生碎。
7 加入芹菜末、芝麻粉。
8 淋入香油，翻炒匀，起锅装盘即可。

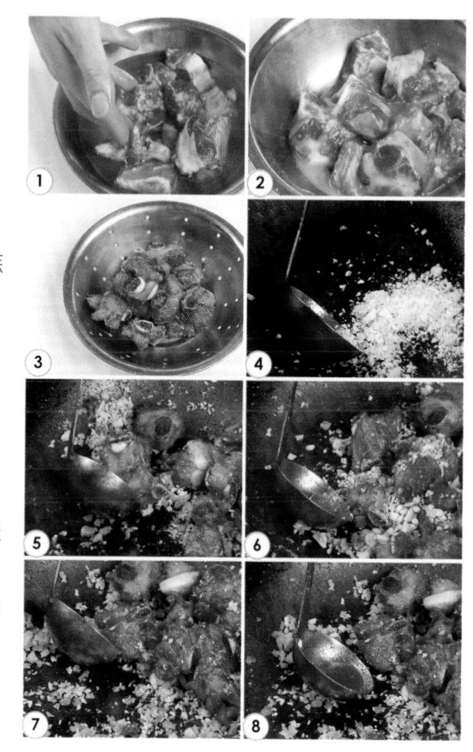

醪糟红烧肉

口味 糟香味
操作时间 30分钟
难度 ★★

失败巧招

五花肉的肉皮不易熟烂，需要用小火煨烧，并注意防止粘锅。
五花肉选用带皮的，可以令红烧肉的口感更好。

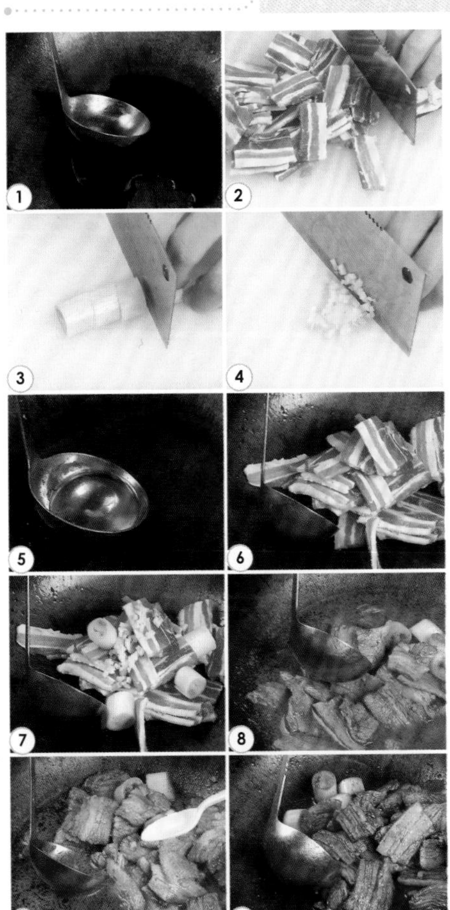

原料

带皮五花肉750克，鲜汤1000毫升，醪糟汁75毫升，冰糖75克，花椒、葱、姜、色拉油、酱油、盐各适量。

做法

1 锅中添入清水50毫升，放入冰糖炒至变成红色，加适量水制成糖色汁捞出。
2 带皮五花肉洗净，切成长片。
3 葱切段。
4 姜切末。
5 炒锅注色拉油烧热。
6 放入带皮五花肉片炒至刚吐油。
7 加葱段、姜末煸炒。
8 添入鲜汤，烧沸后去浮沫。
9 再加盐、花椒。
10 烹入酱油、糖色汁、醪糟汁，用小火慢烧1个小时，至色红、汁浓时，装盘即可。

鱼香肉丝

口味 鱼香味
操作时间 25分钟
难度 ★★

猪瘦肉最好选择里脊肉，软嫩且易于被消化吸收。

原 料

鱼骨粉50克，猪瘦肉、水发木耳各75克，胡萝卜1根，辣椒酱25克，葱、姜、蒜、盐、白糖、淀粉、酱油、醋、高汤、色拉油各适量。

做 法

1 将猪瘦肉洗净，切成粗丝。
2 加盐、淀粉调匀。
3 葱、姜、蒜分别洗净，切末。
4 水发木耳洗净切丝。
5 胡萝卜洗净切丝；白糖中加入酱油、醋。
6 再加盐、葱末、姜末、蒜末、高汤、鱼骨粉、淀粉调成鱼香汁。
7 锅内注色拉油烧至五成热，倒入猪瘦肉丝炒散。
8 加入辣椒酱炒变色，倒入水发木耳丝、胡萝卜丝和鱼香汁，略炒即可。

特别提示

配制鱼香汁时，各种原料的比例，可以个人口味需求适量调整。

梅菜扣肉

口味 鲜香味
操作时间 30分钟
难度 ★

O失败巧招

烧煮梅干菜时，一定要用高汤，不能用清水代替。

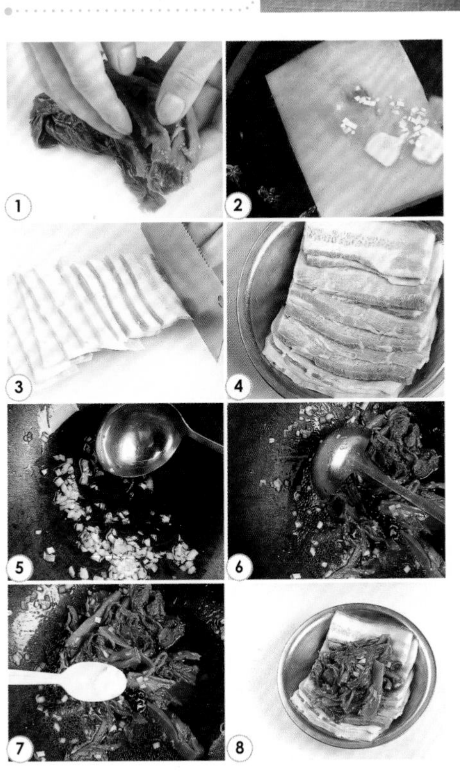

原 料

带皮猪五花肉300克，梅菜100克，高汤、蒜末、姜片、八角、蚝油、盐、白糖、酱油、鸡精、色拉油各适量。

做 法

1 梅菜洗净。
2 带皮猪五花肉放入锅里，添入适量水，加姜片、八角煮开，捞出。
3 取出带皮猪五花肉，将其切成肉片。
4 将带皮猪五花肉片摆在碗中。
5 炒锅注色拉油烧热，放入蒜末爆香。
6 放入梅菜，添入高汤、蚝油、酱油。
7 撒入盐、白糖、鸡精，小火烧制5分钟。
8 盛出，盖在带皮猪五花肉片上，上蒸锅用旺火蒸熟即可。

水煮肉片

口味 香辣味
操作时间 30分钟
难度 ★★★

处理里脊肉时，一定要先除去连在肉上的筋和膜，否则不但不好切，吃起来口感也不佳。家中若没有鲜汤，可以添入水后加入鸡精或鲜汤粉。

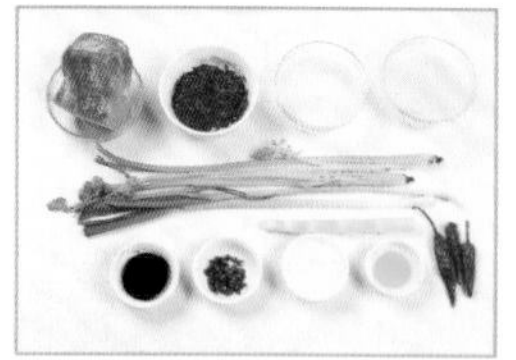

原 料

猪里脊肉250克，竹笋150克，芹菜、蒜苗各50克，豆瓣酱、干辣椒、花椒、水淀粉、盐、酱油、鲜汤、色拉油各适量。

做 法

1 猪里脊肉洗净，竹笋、芹菜、蒜苗分别洗净切段。
2 猪里脊肉切成片；干辣椒切丝。
3 猪里脊肉片加盐、水淀粉拌匀上浆。
4 将干辣椒、花椒用刀剁细；炒锅注色拉油烧热。
5 加入干辣椒丝、花椒炸成棕红色，捞出成椒香末。
6 炒锅注色拉油烧热，下入竹笋段、芹菜段、蒜苗段。
7 加盐炒至断生，装盘；豆瓣酱下热油锅炒香，加鲜汤、猪里脊肉片。
8 加酱油煮熟，倒入有蔬菜的盘中，加椒香末，淋热色拉油即可。

南瓜蒸肉

口味 乳香味
操作时间 35分钟
难度 ★★

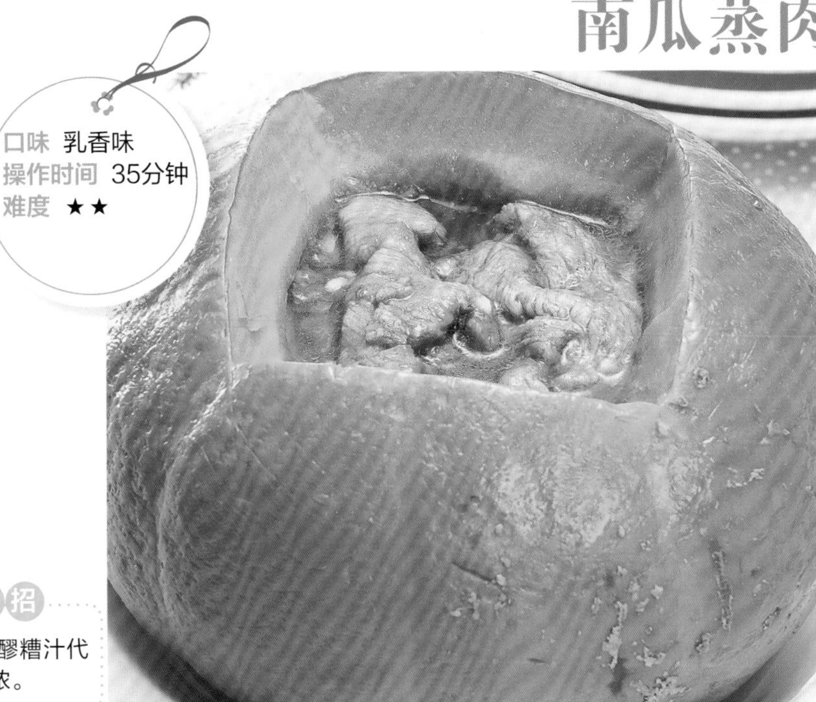

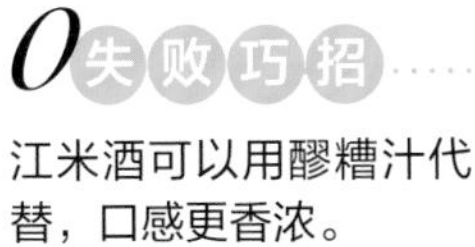

江米酒可以用醪糟汁代替，口感更香浓。

原料

小南瓜1个，猪肉300克，糯米、酱油、腐乳汁、红糖、江米酒、葱、花椒、姜各适量。

做法

1 小南瓜洗净。
2 将小南瓜沿蒂从周围切四方形刀口，取下作盖，挖净瓤。
3 猪肉洗净切片。
4 葱、姜洗净切末。
5 炒锅烧热，放入糯米、花椒，慢火炒黄，取出。
6 猪肉片加葱末、姜末、炒好的糯米花椒、红糖。
7 再放入腐乳汁、酱油、江米酒拌匀。
8 装入南瓜内，盖上瓜盖，上笼蒸熟即成。

猪肉应煮熟，因为猪肉中有时会有寄生虫，如果生吃或清理不彻底，可能会使人体感染钩绦虫。

花生猪蹄

口味 咸鲜味
操作时间 50分钟
难度 ★★

猪蹄容易烂，所以炖煮时间不宜太长。若喜欢吃软烂猪蹄的话，也可以多加一些水或适量高汤，炖久一点儿。

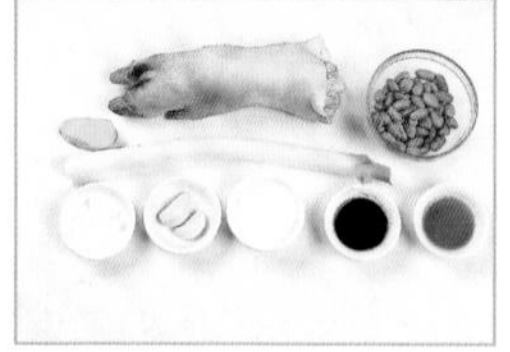

原 料

红衣花生200克，猪蹄1个，葱、姜、大蒜、盐、酱油、料酒、冰糖各适量。

做 法

1 红衣花生洗净，在盐水中浸泡2～3小时。
2 猪蹄斩成块后洗净；葱、姜洗净，葱切段，姜切片。
3 锅中添入凉水，放入猪蹄块。
4 大火加热至水沸，捞出沥干。
5 炒锅放入冰糖、少许水，小火加热，待冰糖融化成金黄色糖浆。
6 倒入猪蹄块，翻炒均匀，使之裹满糖色。
7 加入红衣花生、葱段、姜片、大蒜。
8 烹入酱油、料酒，倒入适量水。
9 盖上盖，大火烧开后，改小火炖至熟烂即可。

木须肉

口味 鲜香味
操作时间 20分钟
难度 ★★

O失败巧招

将泡发木耳用淀粉水搓洗几遍，可以很好地去除附着在木耳表面的灰尘杂质。
瘦肉片不需要提前腌制，只需要在油锅中快速煸炒，口感一样软嫩。

原料

猪瘦肉150克，黄瓜50克，鸡蛋1个，水发木耳、香葱、姜、色拉油、香油、酱油、料酒、盐各适量。

做法

1 将猪瘦肉洗净切片。
2 鸡蛋磕入碗中，用筷子打匀。
3 水发木耳去蒂洗净。
4 黄瓜洗净，切成菱形片。
5 香葱、姜洗净后切丝。
6 炒锅注色拉油烧热，加入鸡蛋炒散，盛出。
7 锅烧热色拉油，放入猪瘦肉片煸炒至变白，加入香葱丝、姜丝炒至八成熟。
8 加入盐、料酒、酱油、香油、水发木耳、黄瓜片和鸡蛋块，炒熟即可。

糖醋排骨

口味 酸甜味
操作时间 40分钟
难度 ★★

用煎的方式取代炸，可以省一些油，但一定要用中火慢慢煎，直到排骨收紧，颜色变成棕色再捞出。

收汤汁的步骤非常关键，要用大火，但糖醋汁通常很容易煳锅，因此，要多晃动锅里的排骨。

原 料

排骨500克，香葱、姜、大蒜、淀粉、盐、白糖、味精、酱油、香醋、色拉油各适量。

做 法

1 排骨切去筋膜。
2 姜、大蒜洗净切片。
3 香葱洗净切末。
4 炒锅注色拉油烧至五成热，下入排骨，煎至表面呈焦黄色，捞出，沥油。
5 锅内留油烧热，下入姜片、大蒜片爆锅。
6 放入排骨，加入盐、酱油同炒。
7 添入适量水，用大火烧开，转至小火，炖煮30分钟。
8 加入白糖、香醋、味精、香葱末，用淀粉勾芡，大火收浓汤汁即可。

香辣美容蹄

口味 香辣味
操作时间 50分钟
难度 ★★

失败巧招

在放入焦糖、猪蹄块炖煮时，要不断翻动，使猪蹄块均匀上色。
若不喜欢吃花椒，可在炒出香味后，捞出花椒。

原料

猪蹄1个，熟芝麻、干红辣椒、葱、姜、蒜、盐、味精、冰糖、花椒、八角、桂皮、香叶、料酒、色拉油各适量。

做法

1 猪蹄切成块，洗净。
2 将猪蹄块放入沸水中焯烫，捞出沥干。
3 锅中放入冰糖，添入少量水，炒成焦糖色。
4 葱切段。
5 姜、蒜均切片。
6 锅中放入八角、香叶、桂皮、葱段、姜片、蒜片。
7 放入料酒、焦糖，加水、猪蹄块、盐、味精，大火煮开，慢火炖制熟烂。
8 把煮熟的猪蹄块捞出，装盘。
9 炒锅注色拉油烧热，下入花椒、干红辣椒煸香。
10 出锅淋在猪蹄块上，撒上熟芝麻即可。

东坡肘子

口味 酱香味
操作时间 50分钟
难度 ★★★

猪肘子洗净后可放入清水中炖，炖至八成熟，将猪肘子捞起来，再上蒸笼。这样做出的猪肘子肥而不腻、粑而不烂。

原料

半熟猪肘子1个，姜片、蒜、葱各50克，豆瓣酱100克，白糖50克，醋50毫升，盐、味精、酱油、高汤、色拉油各适量。

做法

1 半熟猪肘子洗净。
2 锅中添入适量水，放入半熟猪肘子焯烫，捞出沥干。
3 取一半姜片、蒜分别剁末。
4 葱切成段。
5 大碗中放入猪肘子、葱段、另一半姜片、酱油。
6 添入适量高汤，入蒸锅中蒸熟，取出。
7 炒锅注色拉油烧热。
8 下入姜末、蒜末、豆瓣酱炒香。
9 加入白糖、味精、醋、盐、半汤匙高汤，炒匀成味料 。
10 将味料均匀地浇在猪肘子上面即成。

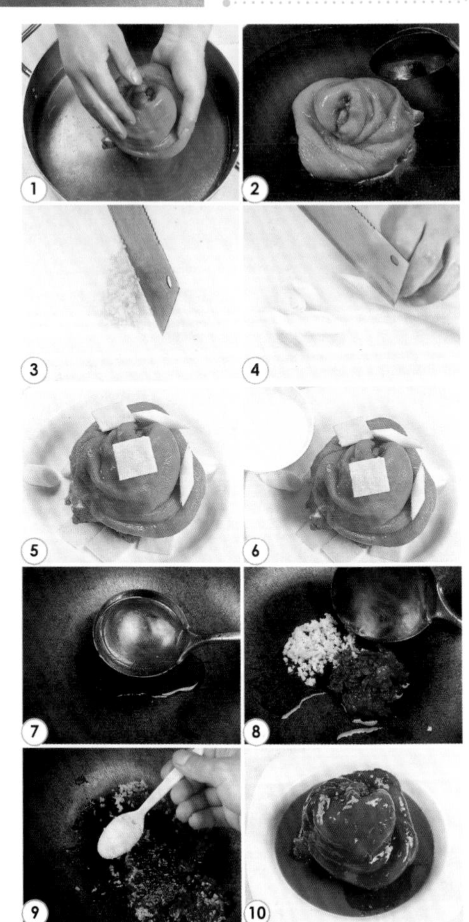

锅包肉

口味 酸甜味
操作时间 25分钟
难度 ★★★

0失败巧招

肉片挂糊时一定要均匀，且不要太厚。另外，若喜欢肉片口感软嫩一些，在步骤5中就不要炸得太焦。

原料

猪里脊肉300克，红椒1个，香菜、葱、姜、蒜、盐、糖、干淀粉、白醋、料酒、酱油、色拉油各适量。

做法

1 猪里脊肉洗净，切成厚片。
2 猪里脊肉片加盐、料酒拌匀，略腌。
3 干淀粉加少许水拌成淀粉糊。
4 将腌制好的猪里脊肉片均匀地挂上淀粉糊。
5 炒锅注色拉油烧热，把挂好糊的猪里脊肉片放锅内炸至金黄捞出。
6 糖和白醋按照3：2的比例混合均匀，滴入少量酱油调匀，制成糖醋汁。
7 蒜切末；香菜洗净，切末。
8 葱、姜、红椒均切丝。
9 炒锅注色拉油烧热，下入蒜末爆香，放入猪里脊肉片炒匀。
10 倒入糖醋汁，加入葱丝、姜丝、红椒丝快速翻炒均匀，撒入香菜末，拌匀即可。

卤牛肉

口味 五香味
操作时间 50分钟
难度 ★★★

牛肉要用热水煮，不要加冷水。热水可以使牛肉表面蛋白质迅速凝固，防止肉中氨基酸外浸，保持肉味鲜美。

原 料

牛肉500克，肉桂6克，丁香3克，茴香、花椒、八角各6克，姜、葱、蒜、盐、料酒、高汤各适量。

做 法

1 牛肉洗净切大块。
2 牛肉块放入沸水中煮10分钟，捞出。
3 姜、蒜分别切片。
4 葱切成段。
5 锅中添水，放入肉桂、丁香、茴香、花椒、八角。
6 加入姜片、蒜片、葱段、盐、高汤，烧开。
7 放入牛肉块，煮30分钟，烹入料酒，略焖。
8 关火，浸泡3小时，取出牛肉块，切片即可。

红油牛百叶

口味 红油味
操作时间 20分钟
难度 ★★

0失败巧招

牛百叶一定要用盐和醋反复搓洗几遍，用水发的时间要够长。

原料

水发牛百叶300克，香菜、干辣椒各25克，红油25毫升，盐、白糖、味精、酱油、芥末油各适量。

做法

1 将水发牛百叶洗净，切成片。
2 将水发牛百叶片放入热水锅中焯水，捞出放入盘中。
3 干辣椒切成丝。
4 香菜洗净，切小段。
5 将盐、白糖、味精、酱油调成味汁。
6 水发牛百叶片上浇入味汁。
7 放入干辣椒丝。
8 加入芥末油、红油、香菜段，拌匀即可。

特别提示

选购牛百叶要注意鉴别，牛百叶的颜色应是淡黄褐色，过白过亮的，需要谨慎购买。

干拌牛肉

口味 香辣味
操作时间 40分钟
难度 ★★

煮牛肉时放点酒、醋，这样处理之后老牛肉容易煮烂，而且肉质变嫩，色佳味美，香气扑鼻。

原 料

牛肉400克，干辣椒25克，炒花生米、香葱、盐、糖、味精、花椒粉、酱油各适量。

做 法

1 牛肉洗净，切成大块。
2 牛肉块放入加酱油的开水锅煮熟。
3 捞出牛肉块，放凉，切片。
4 香葱洗净，切小段。
5 炒花生米搓去红衣切碎。
6 干辣椒切碎。
7 牛肉片加盐、糖、味精、花椒粉。
8 加入干辣椒碎、香葱段、炒花生米碎、酱油拌匀即可。

飘香嫩牛肉

口味 酸甜味
操作时间 30分钟
难度 ★★★

0失败巧招

炒锅注油烧至六成热，把牛肉均匀地蘸上干细淀粉，炸至棕黄色捞出装盘。油温不可太高，也不可炸得太久太老。

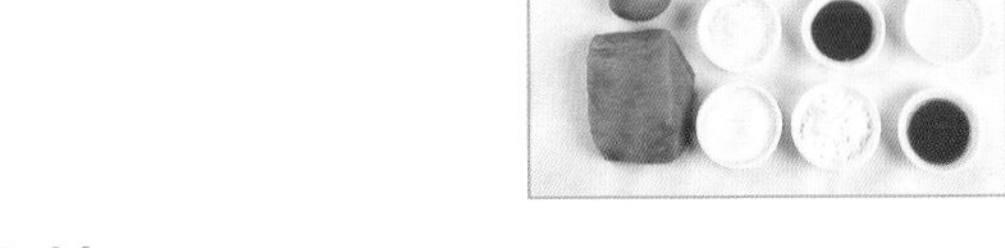

原料

牛里脊肉300克，鸡蛋1个，盐、白糖、淀粉、番茄汁、橙汁、柠檬汁、西柚汁、料酒、色拉油各适量。

做法

1 鸡蛋取蛋清。
2 将牛里脊肉洗净，切条。
3 牛里脊肉条加盐、料酒、鸡蛋清，腌渍30分钟。
4 牛里脊肉条蘸匀淀粉。
5 炒锅注色拉油烧至六成热，下入牛里脊肉条炸至棕黄色，捞出沥油。
6 锅中添入适量清水。
7 放入白糖、番茄汁、橙汁、柠檬汁、西柚汁，熬化成味汁。
8 将味汁淋在牛里脊肉条上，拌匀即可。

红烧牛肉

口味 鲜香味
操作时间 35分钟
难度 ★★★

炖的时候盐要在牛肉八成熟左右的时候放，否则会使牛肉中的汁液迅速流失，吃起来有点柴。另外，水要一次加足，如果发现水少，应加开水。

原 料

牛肉200克，胡萝卜100克，香菇50克，大葱、小葱、姜、蒜、盐、八角、鸡精、豆瓣酱、白酒、酱油、色拉油各适量。

做 法

1 牛肉、胡萝卜洗净，均切大块。
2 大葱斜切成丝。
3 小葱切末，蒜拍碎。
4 姜洗净切片。
5 香菇洗净，切十字花刀。
6 炒锅注色拉油烧热，下入大葱丝、姜片、八角爆香。
7 加入牛肉块翻炒。
8 加入豆瓣酱、酱油、白酒，炒匀。
9 添入适量清水烧沸，放入香菇、盐、胡萝卜块和蒜碎，转中小火炖20分钟，加盐调味。
10 炖至汤汁变浓时，撒入鸡精、小葱末即可。

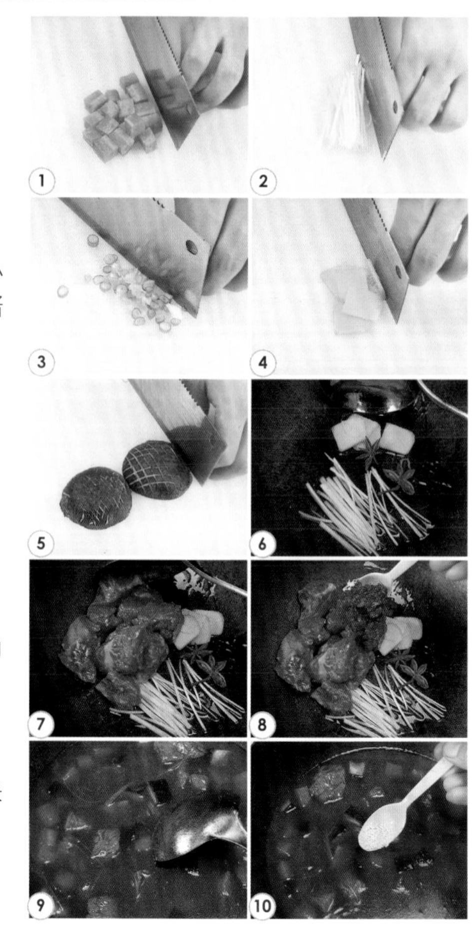

麦仁小牛肉

口味 鲜辣味
操作时间 25分钟
难度 ★★★

O失败巧招

牛肉一定要上浆，浆过的牛肉滑油后更加鲜嫩。

原 料

小麦仁200克，牛肉100克，鸡蛋、青椒、红椒、辣酱、葱、姜、盐、糖、淀粉、酱油、味精、花生油各适量。

做 法

1 牛肉洗净，切粒。
2 牛肉粒加酱油、糖、鸡蛋液、淀粉上浆。
3 炒锅注花生油烧至七成热，下入牛肉粒滑熟，捞出沥油。
4 青椒、红椒切粒。
5 葱、姜切片。
6 小麦仁下入开水锅中焯过，捞出沥干。
7 炒锅注花生油烧热，下葱片、姜片、辣酱煸香。
8 添入适量水。
9 撒入盐、味精。
10 放入青椒粒、红椒粒、牛肉粒、小麦仁粒，翻炒片刻出锅即可。

新鲜牛肉外表微干或有风干膜，不粘手，弹性好。变质肉的外表黏手或极度干燥，新切面发黏，指压后凹陷不能恢复，留有明显压痕。

麻辣牛肉条

口味 麻辣味
操作时间 20分钟
难度 ★★

炸牛肉的火候不可太大，油温要控制稳定，酱油不可滴入太多。

原 料

牛肉500克，盐、红糖、味精、辣椒粉、花椒粉、酱油、色拉油各适量。

做 法

1 牛肉洗净，切成条。
2 将牛肉下热色拉油锅中炸熟，捞出沥油。
3 锅中添入适量水。
4 放入红糖炒成浆。
5 加入酱油。
6 加入盐、味精。
7 加入辣椒粉、花椒粉略炒。
8 放入牛肉条炒匀即可。

牛肉喜甜厌咸，糖分渗入到牛肉里去，肉质会更加鲜嫩。

清炖牛肉

口味 鲜辣味
操作时间 25分钟
难度 ★★

0失败巧招

牛肉中加入白萝卜有去腥的作用。

原 料

牛肉400克，白萝卜200克，葱、姜末、盐、味精、花椒、料酒各适量。

做 法

1 白萝卜洗净去皮，切滚刀块。
2 牛肉洗净切块，葱切段。
3 锅中添入适量水烧开。
4 放入牛肉块，边炖边去除浮沫，直到无沫。
5 加入葱段、姜末。
6 加入花椒，烹入料酒，用文火炖至九成烂。
7 放入白萝卜块炖烂。
8 撒入盐、味精调味即成。

酱牛肉

口味 香辣味
操作时间 50分钟
难度 ★★

0失败巧招

牛肉焯水后，可用冷水浸泡片刻，将牛肉收紧，这样口感更佳。

原 料

牛肉500克，干辣椒、八角、桂皮、姜、葱、白糖、酱油、料酒各适量。

做 法

1 牛肉洗净，切大块。
2 牛肉块下入开水锅中焯烫，捞出沥干。
3 葱切段。
4 姜切片。
5 锅中添入适量水。
6 放入牛肉块、姜片、葱段。
7 加入干辣椒、八角、桂皮、白糖。
8 淋入酱油、料酒，大火烧开，转小火炖1小时至熟烂即可。

番茄炖牛腩

口味 鲜辣味
操作时间 30分钟
难度 ★★

炒好牛腩后，应加入适量开水烧开。
若不喜欢吃番茄皮的话，可在番茄表面画十字，然后用开水烫一下或者在火上烤一下，较易去皮。

原料

牛腩300克，番茄200克，干辣椒、桂皮、八角、葱、姜、盐、料酒、酱油、色拉油各适量。

做法

1 牛腩洗净，切成小块。
2 牛腩块下入开水锅中焯烫，捞出沥干。
3 番茄洗净，切块。
4 葱切段，姜切片。
5 锅内注色拉油烧热，放桂皮，八角煸香。
6 倒入牛腩块翻炒至变色，添入适量水。
7 烹入料酒、酱油，加入葱段、姜片、干辣椒，盖上盖，大火烧开。
8 加入番茄块炖至熟烂，出锅前加盐即可。

桂花羊肉

口味 鲜香味
操作时间 25分钟
难度 ★★★

炒锅注油烧至四成热，下入羊肉快速炒散倒出。火候不可过大，油温不可过高，翻炒要迅速。

原料

羊肉200克，鸡蛋150克，大葱、盐、胡椒粉、水淀粉、料酒、香油、色拉油各适量。

做法

1 大葱洗净切丝。
2 羊肉洗净，切成粗丝。
3 羊肉加盐、胡椒粉、料酒、水淀粉上浆。
4 鸡蛋打入碗内，撒盐，添少许水搅匀备用。
5 炒锅注色拉油烧至四成热，下入羊肉丝快速炒散倒出。
6 锅中留油烧热，下大葱丝炒香。
7 加入鸡蛋液炒熟。
8 放入羊肉丝炒匀。
9 滴入香油。
10 盛出即可。

新鲜羊肉肉色鲜红而且均匀，有光泽，肉细而紧密，有弹性，外表略干，不粘手，气味新鲜，无其他异味。

韭味羊肝

口味 咸鲜味
操作时间 20分钟
难度 ★★

0失败巧招

买回来的鲜肝不要急于烹调，应把肝放在自来水龙头下冲洗10分钟，然后放在水中浸泡30分钟。

原料

羊肝200克，韭菜段150克，盐、味精、料酒、花生油各适量。

做法

1 韭菜段洗净。
2 羊肝洗净，切片。
3 锅中添入适量水，下入羊肝片煮至水开，捞出沥干。
4 炒锅注花生油烧热。
5 放入羊肝片炒至半熟。
6 烹入料酒。
7 加入韭菜段。
8 撒入盐、味精。
9 翻炒片刻，盛出即可。

选购羊肝以颜色鲜明、个大、光滑、完整、未被胆汁污染的为宜。

香辣羊肉丝

口味 香辣味
操作时间 30分钟
难度 ★★★

羊肉中有很多膜，切丝之前应先将其剔除，否则炒熟后肉膜硬，吃起来难以下咽。

原 料

羊腿肉丝500克，小饼100克，香葱末、盐、辣椒粉、五香粉、孜然粉、鸡蛋黄、淀粉、花生油各适量。

做 法

1 将羊腿肉丝煮熟。
2 羊腿肉丝加盐、淀粉、鸡蛋黄上浆。
3 小饼放蒸笼加热。
4 取出小饼，叠成三角形放在盘边缘。
5 炒锅注花生油烧至八成熟，放入羊腿肉丝炸香，捞出控油。
6 锅留底油烧热，下入香葱末、辣椒粉、五香粉、孜然粉炒香。
7 放入羊腿肉丝炒匀。
8 撒盐调味翻匀。
9 将羊腿肉丝倒入放小饼的盘中即可。

9

山药炖羊肉

口味 咸鲜味
操作时间 30分钟
难度 ★

0失败巧招

煮制时放数个山楂或一些萝卜、绿豆，炒制时放些葱、姜、孜然等作料，可去除羊肉的膻味。

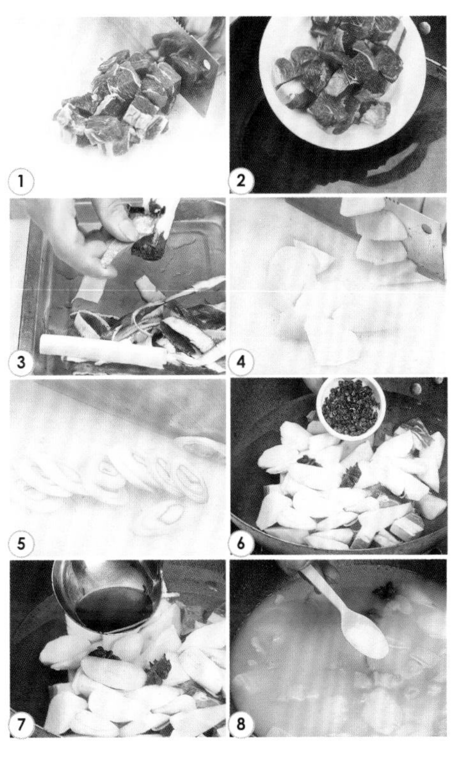

原料

山药、羊肉各500克，葱、盐、味精、八角、花椒、胡椒粉、料酒各适量。

做法

1 将羊肉洗净，切块。
2 将羊肉块放入沸水锅焯烫，捞出沥干。
3 将山药去皮，洗净。
4 将洗净的山药切块。
5 将葱洗净，切成片。
6 锅中放入羊肉块、山药块，加入葱片、八角、花椒和适量水。
7 烹入料酒，大火煮开，改用小火炖至八成熟。
8 撒入盐、味精、胡椒粉调味即可。

葱爆羊肉

口味 咸鲜味
操作时间 20分钟
难度 ★★

烹制此菜，切记一定要先将羊肉片腌制，然后炒制。另外，切羊肉时宜横切，即刀与肉的纹理呈90°下刀。

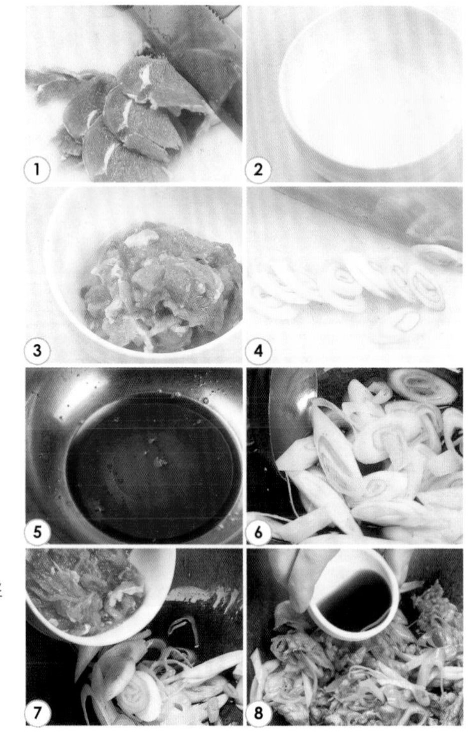

原 料

羊肉300克，鸡蛋1个，大葱、姜、盐、水淀粉、酱油、料酒、鸡精、色拉油各适量。

做 法

1 羊肉洗净切片。
2 鸡蛋取蛋清。
3 将羊肉片加盐、蛋清、水淀粉和适量水拌匀，腌制10分钟。
4 大葱洗净，斜切成薄片；姜切片。
5 将盐、酱油、料酒、鸡精、水淀粉和适量水拌匀成酱汁。
6 炒锅注色拉油烧热，倒入大葱片、姜片爆香。
7 放入羊肉片大火略炒。
8 烹入料酒、酱汁，炒至肉色变白即可。

毛血旺

口味 香辣味
操作时间 25分钟
难度 ★★★

0失败巧招

猪血片要略厚，以防烧煮时破碎。

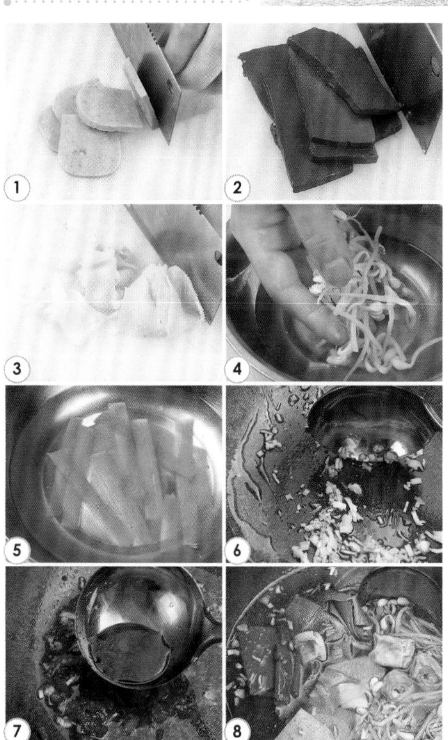

变质的猪大肠呈淡绿色或灰绿色，组织软，无韧性，易断裂，具有恶臭味。

原料

午餐肉、毛肚、猪血、猪大肠、豆芽各75克，粉条、香叶、灯笼椒、干红辣椒、八角、火锅料、葱末、姜末、盐、料酒、鲜汤、花生油各适量。

做法

1 将午餐肉切片。
2 猪血洗净切片。
3 毛肚、猪大肠洗净切小块。
4 豆芽洗净。
5 粉条洗净，泡发。
6 炒锅注花生油烧热，下火锅料、葱末、姜末炒香。
7 淋入料酒，添入鲜汤调味。
8 放入午餐肉片、毛肚块、猪血片、猪大肠块、豆芽微炖，盛入汤碗中。
9 炒锅注花生油烧热，下入香叶、灯笼椒、干红辣椒、八角、盐烧热，浇入汤碗中即可。

麻辣猪肝

口味 麻辣味
操作时间 20分钟
难度 ★★

0失败巧招

将猪肝用盐、料酒、淀粉上浆时，料酒不可过多，水淀粉也要抓匀。

原 料

猪肝200克，炸花生米75克，花椒、干辣椒、葱、姜、蒜、盐、糖、味精、淀粉、料酒、酱油、醋、色拉油各适量。

做 法

1 将猪肝洗净，加入盐、料酒、淀粉略腌。
2 将腌好的猪肝切成片。
3 葱、姜、蒜分别切成片。
4 干辣椒切节。
5 将糖、味精、淀粉、料酒、酱油和水调成味汁。
6 炒锅注色拉油烧热，放入干辣椒节、花椒炸至黑紫色。
7 放入猪肝片炒透，加葱片、姜片、蒜片炒香。
8 倒入味汁、醋烧开，加入炸花生米，略炒即成。

特别提示

优质猪肝软且嫩，手指稍用力可插入切开处，做熟后味鲜、柔嫩。

Part 6 禽肉类 鸡肉

白斩鸡

口味 酸辣味
操作时间 25分钟
难度 ★★

最后一步，也可将热油浇在鸡块上，香味更加浓郁。

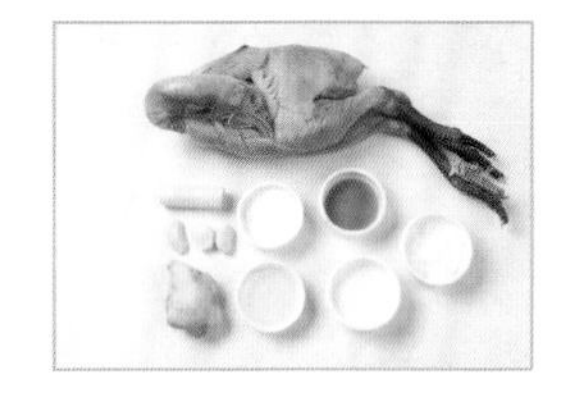

原料

净白条鸡1只，葱、姜、蒜、香油、醋、盐、白糖、味精各适量。

做法

1 净白条鸡剁成小块，洗净。
2 将净白条鸡块放入开水锅中焯熟，捞出沥干盛盘。
3 葱、姜洗净切末。
4 蒜洗净，捣成泥。
5 将葱末、姜末、蒜泥置于小碗中。
6 加入白糖、盐、味精。
7 滴入醋、香油搅拌均匀。
8 把调好的汁浇到净白条鸡块上即可。

川椒辣子鸡

口味 香辣味
操作时间 25分钟
难度 ★★★

鸡脯肉丁一定要上浆后再滑油。

原料

鸡脯肉300克，青尖椒、红椒、香菇各50克，蛋清、干辣椒丝、葱末、姜末、盐、糖、味精、花椒、胡椒粉、辣椒酱、水淀粉、料酒、花生油各适量。

做法

1 鸡脯肉洗净，切丁。
2 鸡脯肉丁加盐、味精、胡椒粉、料酒、蛋清、水淀粉上浆。
3 鸡脯肉丁下入热花生油锅中滑熟，捞出控油。
4 青尖椒、红椒、香菇分别洗净，切丁。
5 炒锅注花生油烧热。
6 下入干辣椒丝、花椒、辣椒酱、葱末、姜末炒香，烹入料酒。
7 放入青尖椒丁、红椒丁、香菇丁、鸡脯肉丁，加盐、糖、味精调味。
8 炒匀，用水淀粉勾芡，淋上热花生油即可。

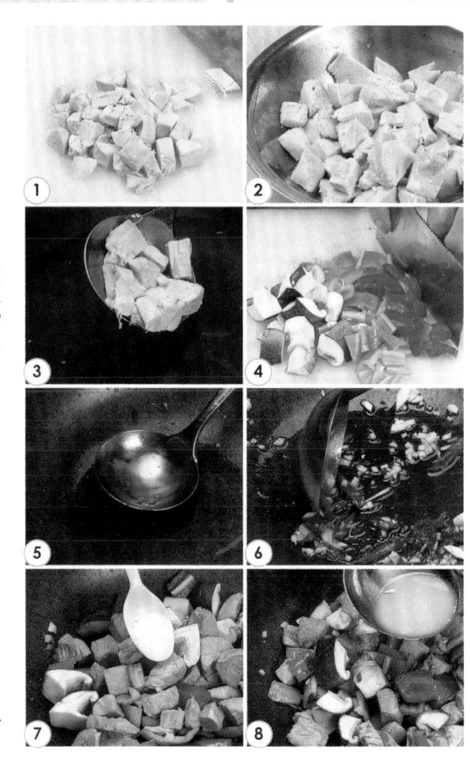

芝麻炸鸡肝

口味 咸香味
操作时间 30分钟
难度 ★★

0失败巧招

鸡肝易熟，油温不宜过高，炸熟即可。鸡肝可以浸入加盐的牛奶中去除腥味。

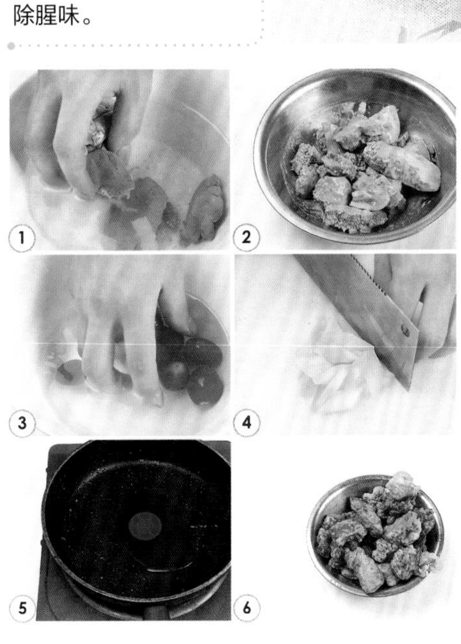

原 料

鸡肝150克，鸡蛋1个，莴笋50克，面粉、小番茄、盐、黑芝麻、花生油各适量。

做 法

1 将鸡肝洗净，放入加盐的水中浸泡。
2 捞出鸡肝放入盆中，加面粉、鸡蛋液、盐上浆。
3 将小番茄洗净。
4 将莴笋去皮，切成菱形块。
5 炒锅注花生油烧至七成热。
6 加入鸡肝炸至金黄色，捞出沥油。
7 撒入黑芝麻，用莴笋块、小番茄装饰入盘即可。

山椒泡凤爪

口味 咸鲜味
操作时间 25分钟
难度 ★★

0失败巧招

将鸡爪煮熟，泡制前可用凉水洗掉浮油。

特别提示

此菜肉质滑嫩，咸鲜微辣，入口又带着些许酸甜，是极佳的开胃凉菜。

原 料

鸡爪500克，西芹150克，子姜、野山椒各100克，干红辣椒50克，盐、味精、白糖、江米酒、花椒、八角、茴香各适量。

做 法

1 将鸡爪去爪尖，清洗干净。
2 鸡爪下入开水锅中焯烫，捞出沥干。
3 子姜洗净，切成薄片。
4 西芹洗净，切成菱形块。
5 干红辣椒、花椒、八角、茴香，用纱布包好，制成香料包。
6 锅中添入适量清水，放入香料包，烧开至沸。
7 加盐、味精、白糖、江米酒、野山椒调和均匀。
8 放入鸡爪、子姜片、西芹块，煮熟。
9 泡制4～6小时，捞出鸡爪、子姜片、西芹块摆盘，点缀上野山椒即可。

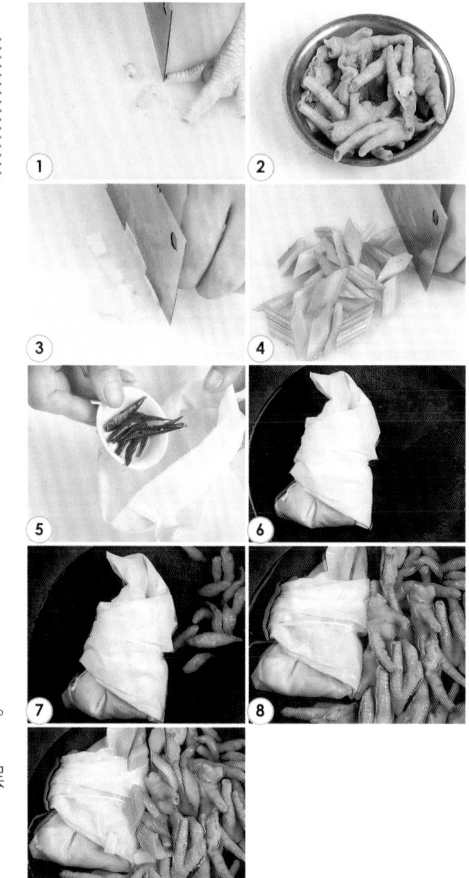

土豆咖喱鸡块

口味 咖喱味
操作时间 30分钟
难度 ★★★

0失败巧招

土豆用边煎边炒的方法煎至两面金黄会更好吃；加水以后大火煮开就要转中火，如果一直大火的话，鸡肉会变得难吃；鸡熟得很快，如果土豆切得小就可以少放点水，焖煮的时间也可以略短。

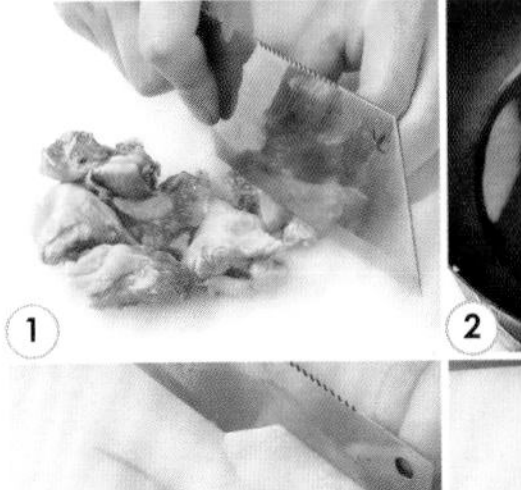

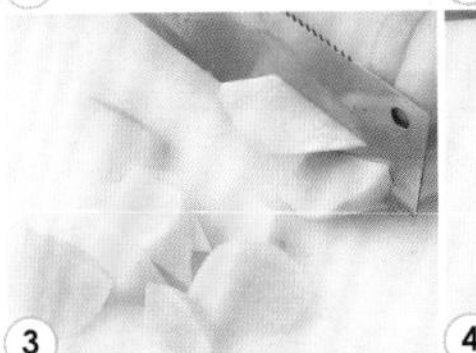

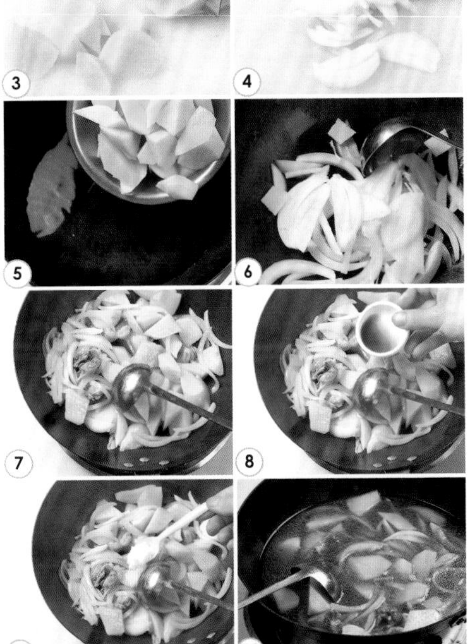

原 料

白条鸡1只，土豆（去皮）、洋葱（去皮）各1个，姜、盐、白糖、咖喱粉、料酒、酱油、色拉油各适量。

做 法

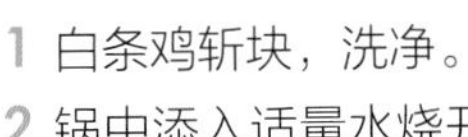

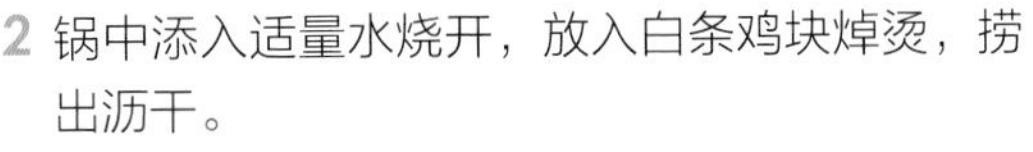

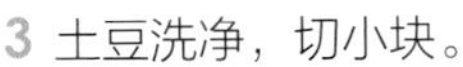

1 白条鸡斩块，洗净。
2 锅中添入适量水烧开，放入白条鸡块焯烫，捞出沥干。
3 土豆洗净，切小块。
4 洋葱切丝，姜切片。
5 炒锅注色拉油烧热，下入土豆块煎至金黄，捞出。
6 炒锅留底油烧热，下入洋葱丝、姜片爆香。
7 放入土豆块、白条鸡块翻炒均匀。
8 烹入酱油、料酒。
9 加入白糖、盐、咖喱粉翻炒均匀。
10 添入适量清水大火煮开，转至小火炖熟烂即可。

番茄焖鸡块

口味 鲜辣味
操作时间 30分钟
难度 ★★

O失败巧招

用小火焖时，可添入适量鸡汤，更加美味。

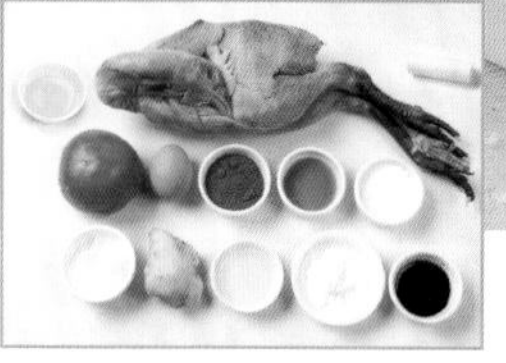

原 料

净鸡350克，番茄、鸡蛋各1个，葱、姜、盐、白糖、辣椒粉、淀粉、酱油、料酒、香油、色拉油各适量。

做 法

1 番茄去蒂，洗净，切成厚片。
2 葱、姜分别洗净，切成碎末。
3 净鸡剁成块，洗净；取适量辣椒粉放入热色拉油锅中制成辣椒油。
4 鸡蛋打散成蛋液，加入淀粉、适量水，调成蛋糊。
5 净鸡块加盐、料酒、辣椒粉腌渍入味，裹匀蛋糊。
6 炒锅注色拉油烧至五成热，下入净鸡块炸至变色，捞出沥油。
7 炒锅留底油烧热，投入葱末、姜末煸炒出香味。
8 下入鸡块，烹入料酒、酱油，添入适量水。
9 放入辣椒油、盐、白糖，加盖，用小火焖20分钟左右。
10 再放入番茄片，焖片刻后翻炒均匀，装盘，淋入香油即可。

可乐鸡翅

口味 甜香味
操作时间 30分钟
难度 ★★

O失败巧招

翻炒鸡翅中时，鸡翅中本身会渗出很多油，所以，煎之前可少放一些油，以免太油腻。

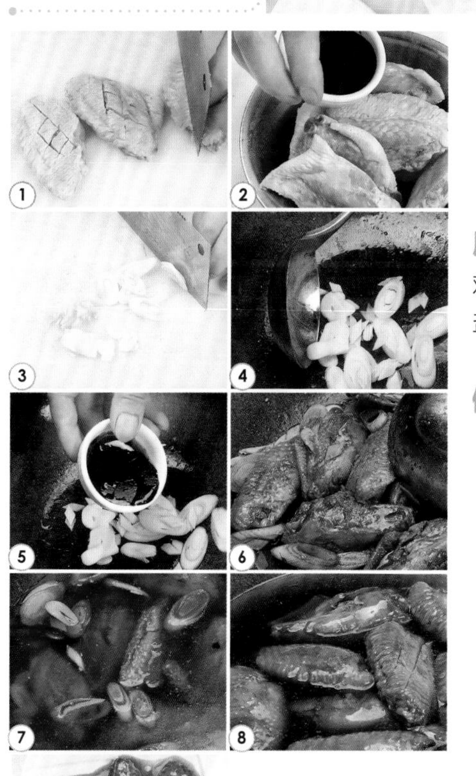

原料

鸡翅中200克，葱、蒜、姜、可乐、酱油、料酒、盐、白糖、色拉油各适量。

做法

1 鸡翅中洗净，侧划上几刀。
2 鸡翅中加盐、酱油、料酒、可乐、白糖，腌15分钟。
3 葱、姜、蒜分别切片。
4 炒锅注色拉油烧热，下入葱片、姜片、蒜片炒香。
5 烹入适量酱油。
6 放入鸡翅中翻炒到变色。
7 加入可乐，添入适量水没过鸡翅中。
8 盖上盖，大火煮开，转小火炖到汤汁浓厚。
9 出锅，装盘即可。

特别提示

做可乐鸡翅也可不用加入盐，以甜味为主。

宫保鸡丁

口味 香辣味
操作时间 25分钟
难度 ★★

0失败巧招

花生米适宜最后放入，能保持花生的香脆口感，和鸡肉搭配也会更好吃。

原料

鸡胸肉300克，干红辣椒25克，炸花生米75克，鸡蛋1个，葱、蒜末、盐、白糖、花椒、淀粉、醋、酱油、料酒、香油、色拉油各适量。

做法

1 鸡胸肉洗净，切成方块状碎丁。
2 鸡蛋取蛋清。
3 将切好的鸡胸肉丁加蛋清、盐、淀粉略腌。
4 炒锅注色拉油烧热，下入鸡胸肉丁，用大火快炸，炸到变色之后，捞出沥油。
5 将葱切段。
6 炒锅留油烧热，下入干红辣椒用小火炒香。
7 放入花椒和葱段爆香。
8 放入鸡胸肉丁、炸花生米。
9 烹入料酒、酱油、醋。
10 撒入白糖、盐，用大火快炒片刻，淋入香油即可。

葱姜鸭

口味 葱香味
操作时间 25分钟
难度 ★

0失败巧招

将油倒入鸭腿块中时，油温不可过高，控制在五成热即可。

特别提示

鸭的体表光滑，呈乳白色，切开后切面呈玫瑰色，表明是优质鸭。

原 料

鸭腿300克，姜、葱、盐、味精、料酒、花生油各适量。

做 法

1 鸭腿洗净，切成小块。
2 取一半姜切片，一半葱切段。
3 锅中添入适量水，放入鸭腿块、姜片、葱段，煮熟，捞出沥干。
4 取另一半姜和葱切成末。
5 鸭腿块中加入盐、味精。
6 淋入料酒。
7 放入姜末。
8 放入葱末。
9 炒锅注花生油烧热，浇入鸭腿块中。
10 拌匀盛出即可。

香辣鸭掌

口味 香辣味
操作时间 25分钟
难度 ★★

失败巧招

蒸鸭掌时，要大火烧开，小火蒸熟透。

原料

鸭掌300克，葱段、姜片、蒜末、红辣椒、盐、味精、酱油、料酒、红油、香油各适量。

做法

1 将鸭掌刮净粗皮，洗净。
2 将鸭掌放入锅内。
3 添入适量水。
4 加入一部分葱段、姜片，焯烫后盛出。
5 将鸭掌放入碗中，加入剩余的葱段和姜片。
6 放入红辣椒、料酒、酱油、盐。
7 上屉蒸10分钟，取出放凉，码入盘中。
8 将红油、香油、蒜末、味精调成味汁。
9 浇在鸭掌上拌匀即成。

特别提示

挑选鸭掌时不要为了看起来干净而选择太白的，带有血色的鸭掌更新鲜一些。

Part 7 **海鲜类** 鱼

枸杞子炖鲫鱼

口味 咸鲜味
操作时间 25分钟
难度 ★★

将鱼去鳞剖腹洗净后，放入盆中，倒一些黄酒，就能除去鱼的腥味，并能使鱼滋味鲜美。

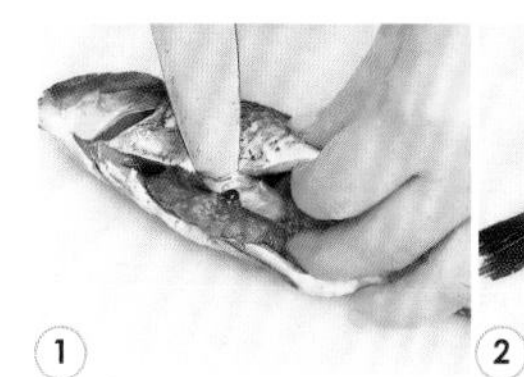
1

2

3

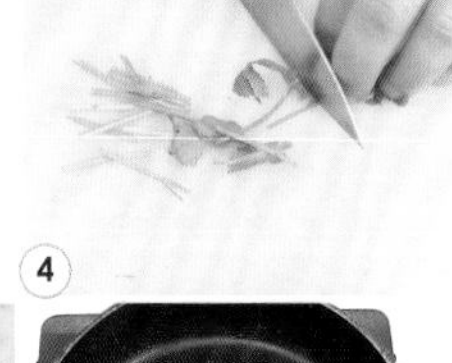
4

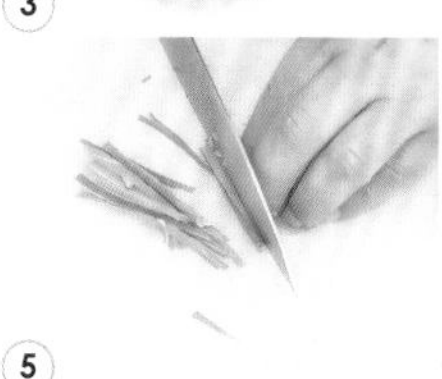
5

6

7

8

9

10

原 料

鲫鱼500克，枸杞子25克，香菜、葱、姜、盐、料酒、花生油各适量。

做 法

1. 将鲫鱼去鳞、鳃、内脏洗净。
2. 在鲫鱼身打上斜刀花。
3. 将枸杞子洗净。
4. 香菜洗净切段。
5. 葱、姜分别切丝。
6. 炒锅注花生油烧热。
7. 放入葱丝、姜丝煸炒。
8. 加入清水，放入鲫鱼、枸杞子。
9. 烹入料酒，撒入盐，旺火烧开，改用小火慢烧至酥烂。
10. 加葱丝、姜丝、香菜段即成。

芹酥鲫鱼

口味 咸鲜味
操作时间 25分钟
难度 ★★

炒锅注油烧六成热，放入鲫鱼炸黄，捞出沥油。油温控制好，不可炸得过老。

原 料

鲫鱼500克，芹菜100克，葱、姜、蒜、花椒、八角、盐、白糖、酱油、醋、花生油各适量。

做 法

1 鲫鱼宰杀后去内脏，洗净，沥干。
2 炒锅注花生油烧六成热，放入鲫鱼炸黄，捞出沥油。
3 葱、姜、蒜分别去皮洗净，切末；芹菜洗净，切段。
4 锅内注花生油烧热。
5 下入葱末、姜末、蒜末、花椒、八角爆锅。
6 添入适量清水。
7 放入芹菜段、鲫鱼。
8 加入盐、白糖。
9 烹入酱油、醋。
10 大火煮开，转小火焖至汁干、鱼骨酥烂时，装盘即可。

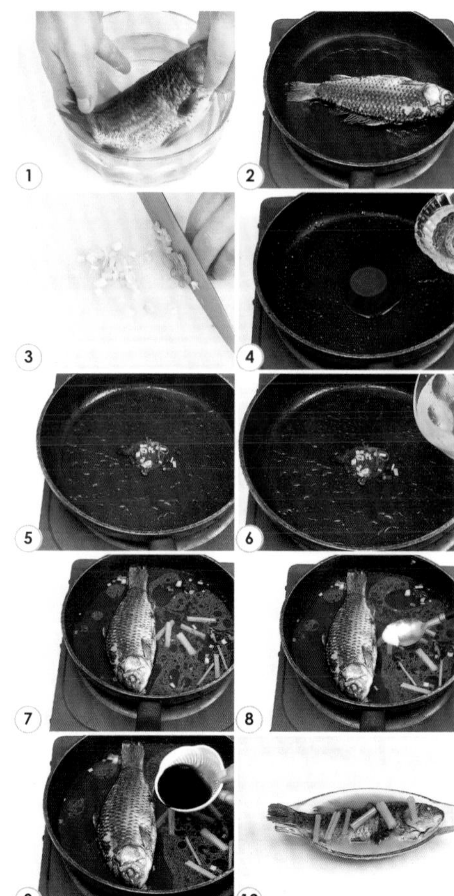

银鱼炒蛋

口味 清香味
操作时间 15分钟
难度 ★★

0失败巧招

煎银鱼时要不时翻动，不可用力过猛，防止破碎。

1

2

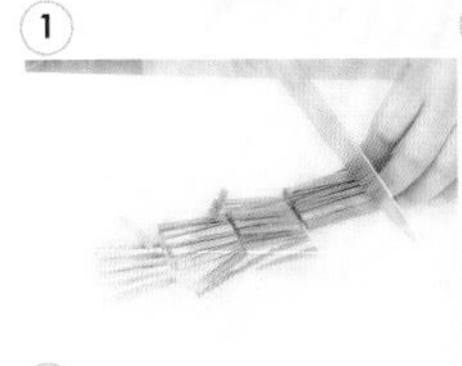
3

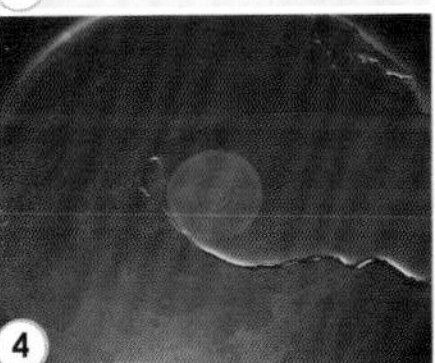
4

5

6

7

8

9

原料

银鱼150克，鸡蛋2个，水发木耳、韭菜各25克，盐、料酒、香油、花生油各适量。

做法

1 银鱼去头尾，洗净，沥干水分。
2 鸡蛋打入碗中搅匀。
3 韭菜择洗净，切段。
4 炒锅注花生油烧热。
5 下银鱼炒熟。
6 倒入鸡蛋液。
7 加入水发木耳、韭菜段。
8 烹入料酒及少许清水，撒入盐，用小火烧透。
9 淋香油，出锅即成。

特别提示

正常的冰鲜银鱼或化冻后的冻银鱼，呈自然弯曲状，体表色泽呈乳白色，无明显异常。

豆腐鲤鱼

口味 鲜辣味
操作时间 30分钟
难度 ★★★

鲤鱼鱼腹两侧各有一条像细线一样的白筋，去掉可以除腥味；在靠鲤鱼鳃部的地方切一个小口，白筋就显露出来了，用镊子夹住，轻轻用力，即可抽掉。

原 料

鲤鱼300克，豆腐100克，葱、姜、蒜、盐、味精、淀粉、酱油、豆瓣辣酱、高汤、白酒、色拉油各适量。

做 法

1. 豆腐洗净，切条；淀粉加水调成水淀粉。
2. 葱、姜、蒜去皮洗净，均切末。
3. 鲤鱼去鱼鳞、内脏，抽去腥线，洗净。
4. 背部划刀。
5. 炒锅注色拉油烧热，放入豆腐条炸至金黄色，捞出沥油。
6. 放入鲤鱼略炸，捞起沥油。
7. 锅内留油烧热，下入葱末、姜末、蒜末、豆瓣辣酱翻炒。
8. 放入鲤鱼、豆腐条。
9. 烹入酱油、白酒、高汤。
10. 撒入盐、味精煮熟，用水淀粉勾芡即可。

番茄鱼片

口味 酸甜味
操作时间 25分钟
难度 ★★★

0失败巧招

草鱼要新鲜，煮时火候不能太大，以免把鱼肉煮散。

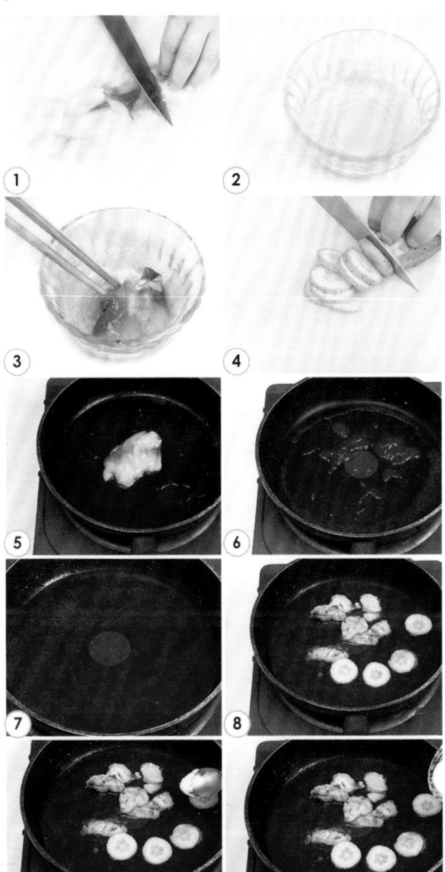

原料

草鱼300克，黄瓜、番茄酱、鸡蛋各50克，料酒、盐、白糖、淀粉、香油、色拉油各适量。

做法

1 草鱼洗净，取鱼肉，切成片。
2 鸡蛋取蛋清；部分淀粉加水调成水淀粉。
3 鱼肉片加盐、蛋清、料酒、剩余淀粉调匀。
4 黄瓜洗净，切片。
5 锅内注色拉油烧热，放入鱼肉片滑散，至鱼肉片呈白色，盛出沥油。
6 锅内留油烧热，放入番茄酱炒出红色。
7 添入适量水。
8 放入鱼肉片、黄瓜片。
9 撒入盐、白糖，烧沸。
10 用水淀粉勾芡，加香油即可。

特别提示

活鲜鱼放在水中往往游在水底层，鳃盖起伏均匀；稍次一点的活鲜鱼，常用嘴贴近水面，尾部下垂，游在水的上层。

清蒸鲈鱼

口味 鲜香味
操作时间 25分钟
难度 ★★

0失败巧招

宰杀时应把鲈鱼的鳃夹骨斩断，倒吊放血，待血污流尽后，放在砧板上，从鱼尾部跟着脊骨逆刀上，剖断胸骨，将鲈鱼分成软、硬两边，取出内脏，洗净血污即可。

原 料

鲈鱼1条，火腿、香菇各50克，香菜、葱、姜、料酒、盐、胡椒粉、淀粉、香油、色拉油各适量。

做 法

1 鲈鱼去鱼鳞、内脏，洗净沥干。
2 鲈鱼两侧各划两刀。
3 鲈鱼加盐、料酒、色拉油略腌，香菇洗净。
4 火腿、香菇均切片。
5 葱切葱花，姜切丝；淀粉加水调成水淀粉。
6 将鲈鱼放入盘中，鱼身上摆好葱花、姜丝、火腿片、香菇片。
7 上笼屉蒸熟，滗出蒸汁，去掉葱花和姜丝。
8 锅内添蒸汁烧热，加料酒、盐、胡椒粉，用水淀粉勾芡，淋入香油。
9 浇入鱼身上即可。

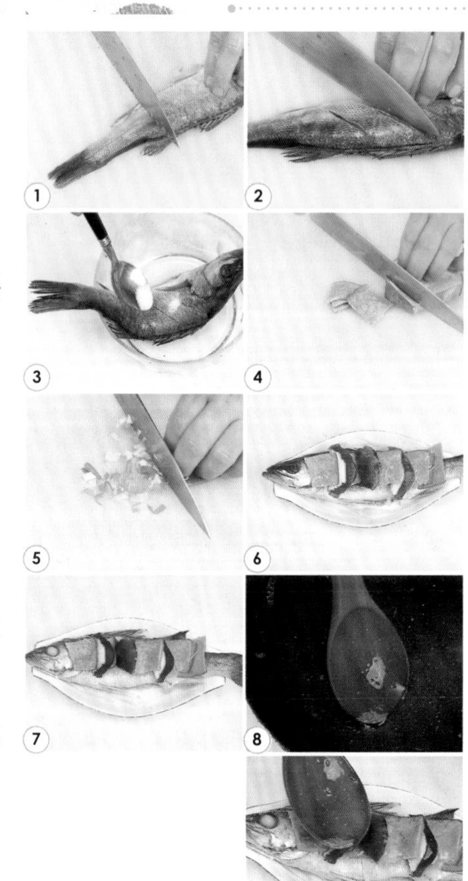

煎蒸带鱼

口味 咸味
操作时间 30分钟
难度 ★

0失败巧招

带鱼段要用蛋液裹均匀，将带鱼段两面煎至金黄而不可太老，上笼屉蒸15分钟也不可太久。

特别提示

带鱼肉肥刺少，味道鲜美，营养丰富，鲜食、腌制、冷冻均可。

原 料

带鱼500克，鸡蛋1个，辣椒丝、香菜段、葱丝、姜丝、盐、胡椒粉、面粉、酱油、料酒、花生油各适量。

做 法

1 带鱼去内脏，洗净，切成段。
2 带鱼段加盐、胡椒粉、料酒腌制。
3 鸡蛋磕碗内打散。
4 带鱼段拍面粉，裹匀蛋液。
5 炒锅注花生油烧热，下入带鱼段，煎至两面金黄，取出。
6 上笼屉蒸15分钟取出，盛入盘内。
7 在带鱼段上淋上酱油。
8 放入葱丝、姜丝、香菜段、辣椒丝。
9 烧热花生油，浇在鱼上即成。

韭菜鲫鱼羹

口味 咸鲜味
操作时间 25分钟
难度 ★

鲜鱼剖开洗净，在牛奶中泡一会儿既可除腥，又能增加鲜味。

原料

鲫鱼400克，韭菜200克，葱、姜、面粉、盐、味精、料酒、胡椒粉、花生油各适量。

做法

1 韭菜洗净，切段。
2 鲫鱼去鳞、鳃、内脏，洗净。
3 葱、姜均洗净，切末；面粉加入适量水调成面粉水。
4 炒锅注花生油烧至五成热，下葱末、姜末炝锅。
5 添入适量水，加入鲫鱼。
6 撒入盐、味精、胡椒粉。
7 烹入料酒，煮至鱼肉熟。
8 捞出鲫鱼，片去鱼骨，将鱼肉放回锅内。
9 下入面粉水煮成糊状。
10 放入韭菜段烧至入味，淋热花生油出锅即可。

鲫鱼炖羊肉

口味 鲜辣味
操作时间 30分钟
难度 ★★★

0失败巧招

加入熟羊肉块、煮羊肉原汤、料酒和清水烧沸，浮沫一定要撇干净。

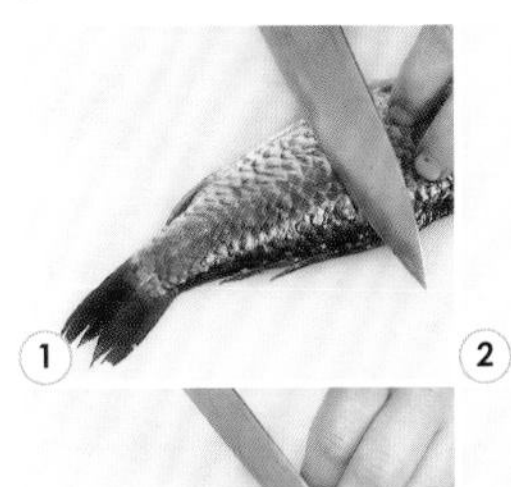

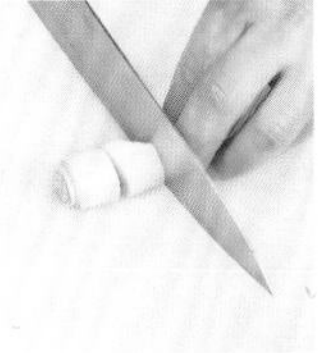

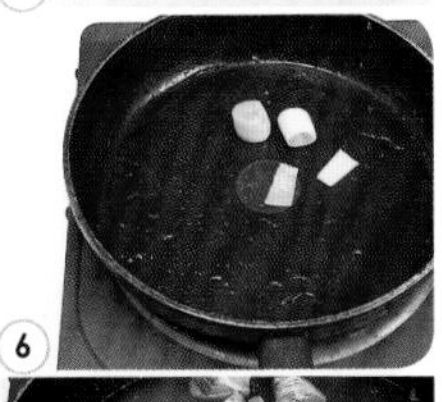

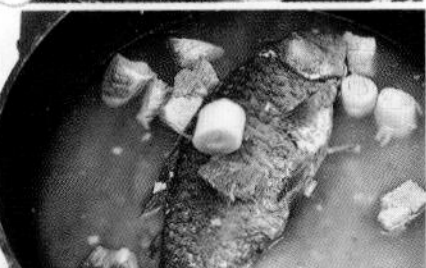

原料

羊肉、鲫鱼各300克，大葱、姜、料酒、盐、味精、胡椒粉、辣椒油、色拉油各适量。

做法

1 鲫鱼去鳞、鳃、内脏洗净，两面剞上花刀。
2 大葱切段。
3 姜切片。
4 羊肉煮熟切成小块。
5 将鲫鱼放入热色拉油锅内略煎，盛出。
6 炒锅注色拉油烧热，下大葱段、姜片爆锅，放入略炸的鲫鱼。
7 加入羊肉块、料酒和清水烧沸，撇去浮沫，盖上盖炖10分钟。
8 待汤汁乳白，加入盐、味精、辣椒油、胡椒粉。
9 稍煮即成。

特别提示

此菜鲜美无比，滋味浓厚。尤其适宜胃寒腹痛、食欲缺乏、消化不良、虚弱无力等病症的食疗。

笋香豆腐鲫鱼

口味 咸鲜味
操作时间 25分钟
难度 ★★

0失败巧招

可将鲫鱼入沸水焯烫一遍，去掉杂味。

原 料

鲫鱼500克，油豆腐200克，油菜心、冬笋各50克，鸡肉、火腿各25克，料酒、水淀粉、盐、味精、鸡汤、色拉油各适量。

做 法

1 鲫鱼宰杀洗净。
2 油豆腐切丁。
3 鸡肉、火腿切片。
4 冬笋去硬壳，洗净，切片；油菜心择洗干净。
5 炒锅注色拉油烧热，下入鲫鱼煎黄。
6 加入料酒、鸡汤、盐。
7 放入油豆腐丁，中火煮至汤呈乳白色。
8 放入鸡肉片、火腿片、油菜心、冬笋片略煮。
9 撒味精，用水淀粉勾芡即成。

特别提示

这道菜颜色美观，味道香浓，而且营养丰富，温中散寒，是冬令时节食之最佳炖菜，鲫鱼与豆腐搭配炖汤营养且美味。

鲫鱼豆腐

口味 咸鲜味
操作时间 25分钟
难度 ★★

失败巧招

烹调时宜加入适量料酒和醋，以去掉异味，提升鲜美味道。

原 料

鲫鱼500克，豆腐250克，蒜、雪里蕻各25克，白糖、料酒、酱油、鸡汤、花生油各适量。

做 法

1 鲫鱼宰杀净。
2 雪里蕻洗净，切成小段。
3 豆腐切方块，蒜去皮洗净后切丁。
4 炒锅注花生油烧热，放入鲫鱼、雪里蕻段。
5 加料酒、酱油、白糖。
6 添入鸡汤烧煮至鲫鱼熟。
7 放入豆腐块烧开，改文火焖烧几分钟。
8 下入蒜丁，浇入熟花生油即可。

剁椒鱼头

口味 鲜辣味
操作时间 30分钟
难度 ★★

失败巧招

剁椒可以在家里自己腌制，不过需注意的是，制作剁椒酱时，盐并非用来调味而是为了防止剁椒变质。一般来说，辣椒和盐的比例为10:1，如果盐放得比较少，剁椒的味道会酸一点，保存时间也会较短。

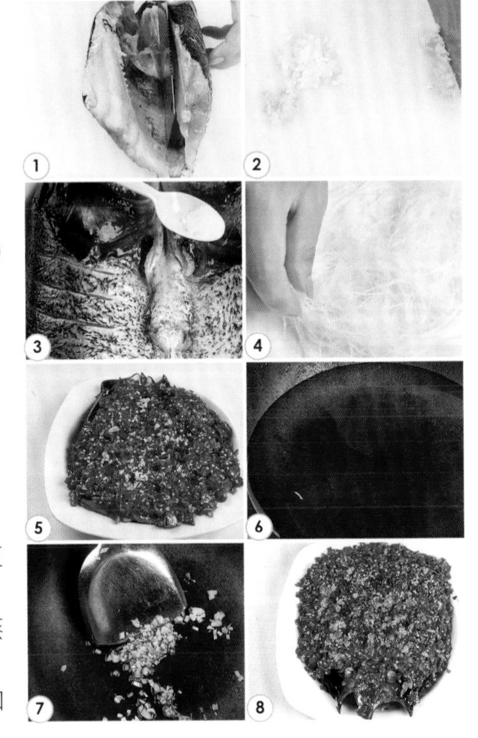

原料

鱼头1个，泡红椒150克，姜、蒜、粉丝、葱各20克，料酒、豆豉、盐、酱油、鱼露、色拉油各适量。

做法

1 将鱼头洗净，切成两半，鱼头背相连。
2 泡红椒剁碎，葱切碎，姜切末，蒜剁成细末。
3 用色拉油、盐抹遍鱼头，腌制10分钟。
4 粉丝用凉水浸软，铺在盘底。
5 将鱼头放在粉丝上，撒上剁椒、姜末、盐、豆豉，加酱油、料酒调味。
6 锅中加水烧沸后，将鱼头连盘一同放入锅中蒸约10分钟，取出。
7 锅内注色拉油烧热，放入蒜末、葱碎爆香，加入少许鱼露与酱油。
8 将炒好的蒜油淋在鱼头上即可。

清蒸过江鱼

口味 咸鲜味
操作时间 60分钟
难度 ★★★

O失败巧招

此汤是清淡菜肴，所以在操作中要注意不被其他有色原料污染，腌渍后应再清洗一次。
调味应该是酸咸鲜香，是酸中有咸味而不是只酸不咸鲜。

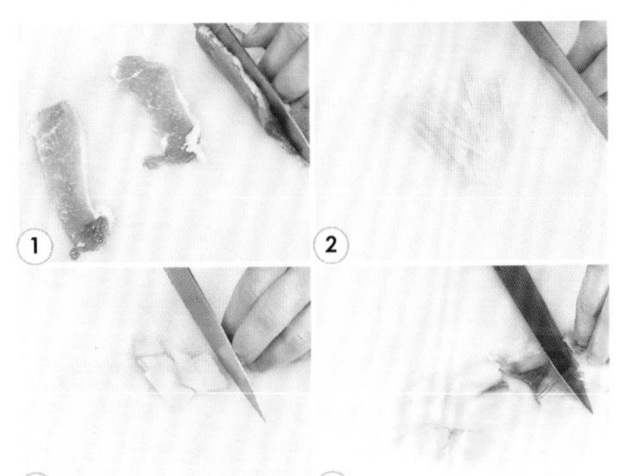

原料

活鲤鱼750克，猪肉、莴笋各100克，葱、姜各30克，料酒、盐、鲜汤、香油各适量。

做法

1 猪肉洗净，片成大片。
2 莴笋洗净，去皮切丝。
3 葱洗净切段，姜洗净切片。
4 将活鲤鱼处理干净，将鱼肉切成6片，装碗。
5 加葱段、姜片、盐、料酒，腌渍20分钟。
6 待鲤鱼肉片入味后，再放入清水内清洗一次，放入大碗。
7 加盐、姜片、鲜汤、葱段，盖上猪肉片，蒸30分钟，取出。
8 去除猪肉片、葱段、姜片；将莴笋丝蒸熟，撒在鱼上，淋香油即可。

干炸小黄鱼

口味 咸鲜味
操作时间 25分钟
难度 ★★

将黄花鱼腌制前，在鱼身两面剖上斜直刀，可以更快入味。

原料

小黄花鱼500克，淀粉100克，葱、姜、盐、料酒、花生油各适量。

做法

1 小黄花鱼洗净，去内脏，鱼身切直刀。
2 葱洗净切段。
3 姜洗净切片。
4 小黄花鱼加入盐、料酒、葱段、姜片，腌渍入味。
5 锅内注花生油烧五成热。
6 小黄花鱼依次蘸匀淀粉。
7 将小黄花鱼放入锅中炸至金黄色。
8 捞出盛盘即可。

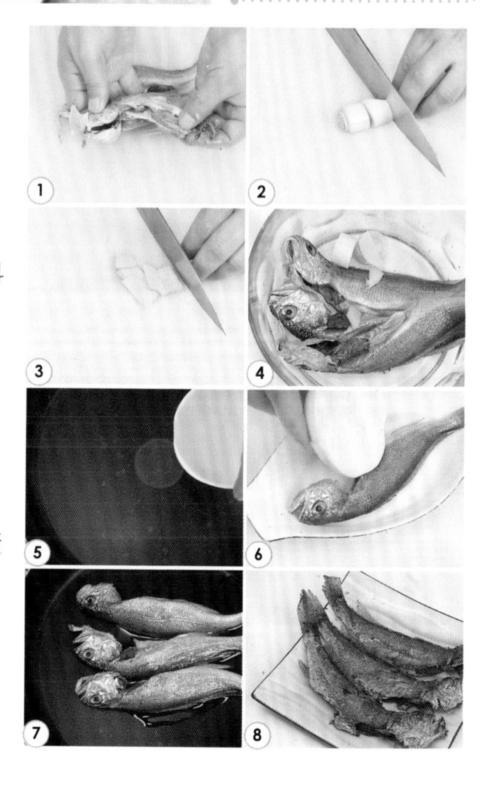

干烧小黄鱼

口味 鲜辣味
操作时间 30分钟
难度 ★★★

0失败巧招

最后一步，留少许汤汁，将青椒丁煸炒，要炒至只见油汁，不见汤汁，然后浇在鱼身上。

特别提示

此菜色泽枣红、鱼肉酥嫩、鲜辣适口，但注意吃鱼前后不要喝茶，黄鱼也不宜与荞麦同食。

原料

小黄花鱼500克，猪五花肉150克，玉兰片、香菇、青椒各25克，榨菜10克，葱、姜、蒜、豆瓣酱、盐、白糖、料酒、酱油、醋、清汤花生油各适量。

做法

1. 葱、姜、蒜均去皮洗净，切末。
2. 将小黄花鱼刮鳞、去鳃、去内脏，洗净。
3. 猪五花肉、香菇、玉兰片、榨菜、青椒均洗净，切成小丁。
4. 锅内注花生油烧至八成热，放入小黄花鱼煎至两面金黄。
5. 锅内留底油烧至八成热，放入葱末、姜末、蒜末爆香，放入豆瓣酱炒出红油。
6. 放入猪五花肉丁、玉兰片丁、香菇丁、榨菜丁煸炒几下。
7. 将炸好的小黄花鱼放入，烹入料酒、醋，加盖稍焖。
8. 随即放入适量清汤、酱油、白糖、盐，用中小火烧7～8分钟。
9. 将小黄花鱼盛盘，留少许汤汁，倒入青椒丁煸炒几下，浇在鱼身上即可。

水煮鱼

口味 香辣味
操作时间 30分钟
难度 ★★★

放鱼片时要一片片将鱼片放入，用筷子拨散，将鱼片煮熟。

原 料

草鱼1条，黄豆芽400克，葱、姜、蒜、干辣椒、豆瓣酱、花椒粒、盐、淀粉、鸡蛋清、胡椒粉、料酒、花生油各适量。

做 法

1 将草鱼杀好洗净，剁下头尾。
2 草鱼片成鱼片，并把剩下的鱼骨剁成几块。
3 将草鱼片加盐、料酒、淀粉和鸡蛋清抓匀，腌渍。
4 将葱、姜、蒜去皮洗净，切末。
5 锅内添水烧开，放入黄豆芽煮熟，捞入大盆中。
6 花生油锅内加豆瓣酱、姜末、蒜末、葱末、花椒粒、干辣椒煸炒。
7 放入鱼骨块、料酒、胡椒粉，加清水煮开，放入草鱼片煮熟。
8 草鱼片连汤倒入盛黄豆芽的大盆中，浇上炒香的花椒、辣椒即可。

红烧鳝段

口味 香辣味
操作时间 25分钟
难度 ★★

0失败巧招

鳝鱼的腥味较重，在烹制中，一般要用姜、蒜、豆豉、辣椒、料酒等调料，以去除其腥味。

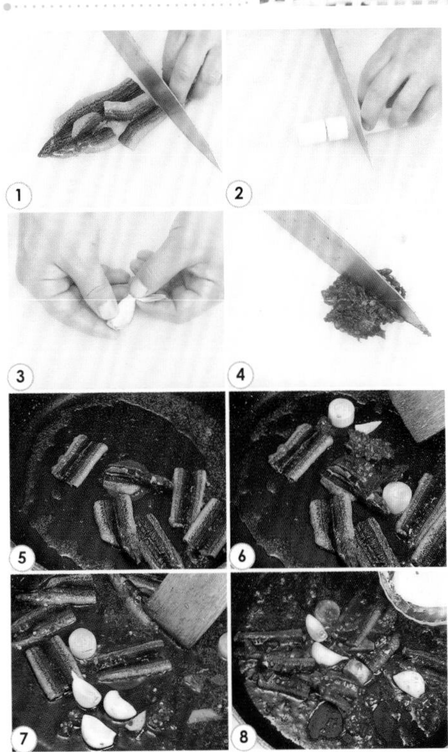

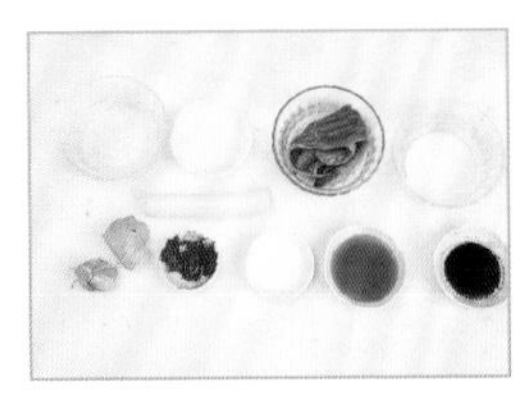

原料

鳝鱼500克，大蒜75克，郫县豆瓣酱30克，葱、姜各10克，盐、酱油、鲜汤、料酒、水淀粉、色拉油各适量。

做法

1 鳝鱼洗净，切成小段。
2 葱洗净切段，姜洗净切片。
3 大蒜去皮洗净。
4 郫县豆瓣酱剁碎。
5 炒锅注色拉油烧七成热，放入鳝鱼段炒至断生。
6 加入郫县豆瓣酱、姜片、葱段炒香至油呈红色。
7 加鲜汤、酱油、盐、大蒜、料酒，烧沸入味至软熟。
8 用水淀粉勾芡，装盘即可。

酸菜鱼

口味 酸辣味
操作时间 30分钟
难度 ★★★

失败巧招

片鱼片时，不宜太厚、也不能太薄。太厚煮制时间长，口感则差；太薄容易碎。

特别提示

制作本菜时，最好选用淡水鱼，因其肉质的口感会更好。

原料

鲜鱼1条，泡酸菜300克，泡辣椒、花椒、姜、蒜、葱、料酒、淀粉、盐、色拉油各适量。

做法

1 鲜鱼宰杀洗净，片成片；姜、蒜去皮洗净，切片；葱切葱花。
2 鲜鱼肉片加入淀粉、盐抓匀，上浆。
3 泡酸菜切丝，泡辣椒切碎。
4 锅中注色拉油烧六成热，放花椒、姜片、蒜片炒香，倒入泡酸菜丝炒约半分钟。
5 加水烧沸，下鱼骨、料酒，熬煮约10分钟。
6 将鲜鱼肉片抖散，逐一放入锅中。
7 炒锅注色拉油烧至六成热，放入泡辣椒碎小火炒出香味。
8 把炒锅中的泡辣椒碎泼入煮酸菜鱼的锅中。
9 起锅后撒上葱花即可。

干炸带鱼

口味 咸香味
操作时间 25分钟
难度 ★★

0失败巧招

将带鱼段腌制时，可以加入少许花椒粒，有很好的增香效果。
鸡蛋液、面粉和水调成糊时，不宜太稠，带鱼段基本能够挂住即可。

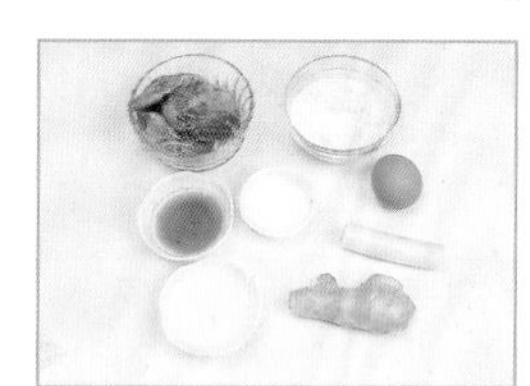

原 料

带鱼段500克，面粉100克，鸡蛋1个，葱、姜、盐、料酒、花生油各适量。

做 法

1 葱洗净切段。
2 带鱼段去内脏。
3 姜洗净，切片。
4 带鱼段加入盐、葱段、姜片、料酒腌渍入味。
5 鸡蛋磕入碗中，打散。
6 加入面粉、适量水搅匀成糊。
7 锅内注花生油烧八成热，放入带鱼段炸至金黄色。
8 出锅，盛盘，装饰即可。

油菜拌海米

泡发海米前先用清水冲洗一下，然后放入开水中浸泡至软即可。

原 料

油菜200克，海米50克，葱、姜、盐、醋、香油各适量。

做 法

1 将油菜择洗净切段。
2 油菜段下入开水锅中焯熟，放入凉水中浸凉，捞出沥干水分。
3 葱切葱花，姜切末。
4 将海米用开水泡开。
5 海米略切几刀，与油菜段拌在一起。
6 加入葱花、姜末。
7 加入盐、醋、香油拌匀。
8 盛盘即可。

此菜色彩翠绿，鲜香味美。海米有镇静作用，有助于治疗神经衰弱、植物神经功能紊乱诸症。

干烧大虾

口味 香辣味
操作时间 25分钟
难度 ★★★

0失败巧招

炒锅注油烧至六成热，下入大虾慢火炸熟，注意不可用大火急炸。

特别提示

大虾若一次吃不完，可以用保鲜膜密封，放入冰箱冷藏保存即可。

原 料

大虾300克，豆苗、葱末、姜末、蒜末、郫县豆瓣酱、糖、盐、酱油、醋、料酒、花生油、清汤各适量。

做 法

1 大虾洗净，去虾线。
2 郫县豆瓣酱斩细。
3 豆苗择洗净。
4 炒锅注花生油烧至六成热，下入大虾炸熟，捞出沥油。
5 锅内留油烧热，下入郫县豆瓣酱、葱末、姜末、蒜末炒香。
6 加料酒、酱油、清汤、糖、盐。
7 放入大虾，烧至汤将干，盛盘内。
8 炒锅注花生油烧热，下入豆苗，翻炒片刻。
9 滴入少许醋，撒盐略炒。
10 出锅，垫在盘底，放上大虾即可。

炸凤尾虾

口味 鲜香味
操作时间 20分钟
难度 ★★

0失败巧招

一定要将虾线挑去不要。

原 料

草虾300克，面粉100克，奶粉、葱末、姜末、盐、味精、料酒、香油、苏打粉、色拉油各适量。

做 法

1 草虾去头、壳（仅留尾部的壳），自背部切开（不切断）。
2 草虾加盐、味精、料酒、香油、葱末、姜末腌渍。
3 将面粉、苏打粉、奶粉、清水搅拌成面糊。
4 放入草虾蘸匀。
5 锅内注色拉油烧热。
6 下入草虾炸至金黄色。
7 将草虾捞出控油。
8 盛入盘中即可。

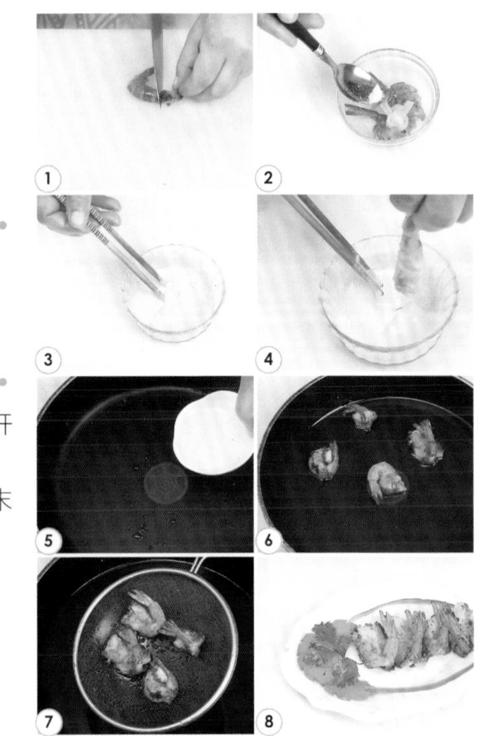

粉丝烧明虾

口味 香辣味
操作时间 25分钟
难度 ★★

0失败巧招

色发红、身软的虾不新鲜尽量不吃。

原料

明虾300克，粉丝、葱末、姜末、蒜末、香辣酱、盐、糖、水淀粉、高汤、香油、花生油各适量。

做法

1 将明虾去虾线，洗净。
2 明虾放入热花生油锅内略炸，捞出。
3 粉丝用热水泡发至软。
4 炒锅注花生油烧热，下香辣酱、葱末、姜末、蒜末炒香。
5 添高汤，加入粉丝、盐、糖烧入味，捞起装盘。
6 将炸好的虾肉放入煮粉丝的原汁内烧透。
7 用水淀粉勾芡。
8 起锅，码在粉丝上，淋入香油即可。

萝卜丝炖青虾

口味 咸鲜味
操作时间 20分钟
难度 ★★

0失败巧招

在汤中放一根肉桂棒，既可以去虾仁腥味，又不影响虾仁的鲜味。

原 料

青萝卜300克，青虾150克，香菜末25克，葱花、姜丝、盐、胡椒粉、鲜汤、料酒、花生油各适量。

做 法

1 将青萝卜洗净去皮，切成细丝。
2 青虾去须、腿，洗净。
3 炒锅注花生油烧热，下入葱花爆锅。
4 加入青萝卜丝煸炒至软，盛出。
5 另起锅注花生油烧热，下入葱花、姜丝烹出香味。
6 加入青虾煎炒。
7 放入鲜汤、料酒和青萝卜丝略炒，用慢火炖熟烂。
8 加入胡椒粉、盐。
9 撒上香菜末。
10 淋上热油即成。

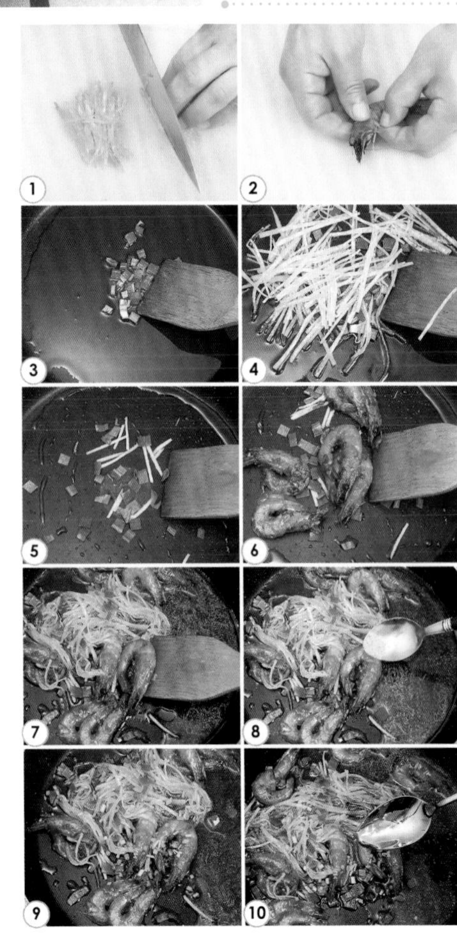

银丝顺风虾

口味 鲜辣味
操作时间 20分钟
难度 ★★

0失败巧招

在烹制虾仁之前，可用料酒、葱、姜腌制虾仁，能有效除腥增鲜。

原 料

熟虾（或鲜虾）300克，粉丝、青椒、蒜末、盐、胡椒粉、花生油各适量。

做 法

1 将熟虾洗净，剪去虾腿、虾须和虾尾。
2 青椒切细粒。
3 粉丝用开水泡开。
4 将熟虾放入碗内，加入盐、胡椒粉、蒜末。
5 放入粉丝，拌匀。
6 将碗放入蒸笼内，蒸熟。
7 取出，撒上青椒粒。
8 浇上热花生油即可。

特别提示

新鲜的虾色泽正常，体表有光泽，背面为黄色，体两侧和腹面为白色，一般雌虾为青白色，雄虾为蛋黄色。

白灼虾

口味 鲜香味
操作时间 15分钟
难度 ★

加盖焖至虾壳鲜红、肉质饱满，捞出沥水装盘。不可焖过头，水要沥干。

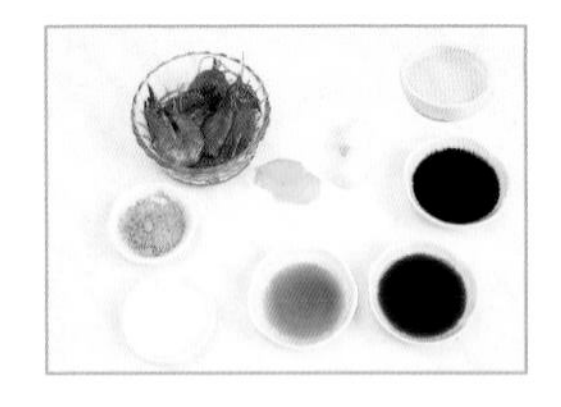

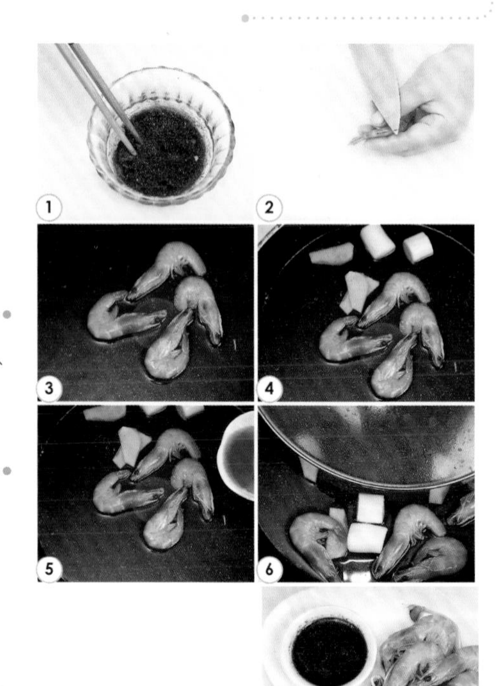

原料

基围虾500克，葱段、姜片、盐、胡椒粉、酱油、料酒、醋、花生油各适量。

做法

1 酱油、盐、胡椒粉、醋调成汁。
2 将基围虾去虾线，洗净。
3 炒锅注花生油烧热，放入基围虾略炒。
4 加入葱段、姜片。
5 烹入料酒，加入适量水。
6 盖上盖，焖至基围虾肉质饱满，捞出沥水装盘。
7 随调味汁蘸食即可。

虾体瘫软如泥、脱壳、体色黑紫、有异味的为变质虾。

虾仁雪花豆腐羹

口味 鲜香味
操作时间 20分钟
难度 ★★

0失败巧招

加入虾仁、青豌豆、胡萝卜丁和豆腐，撒入盐、胡椒粉煮2分钟。不可煮得太久，以免过熟。

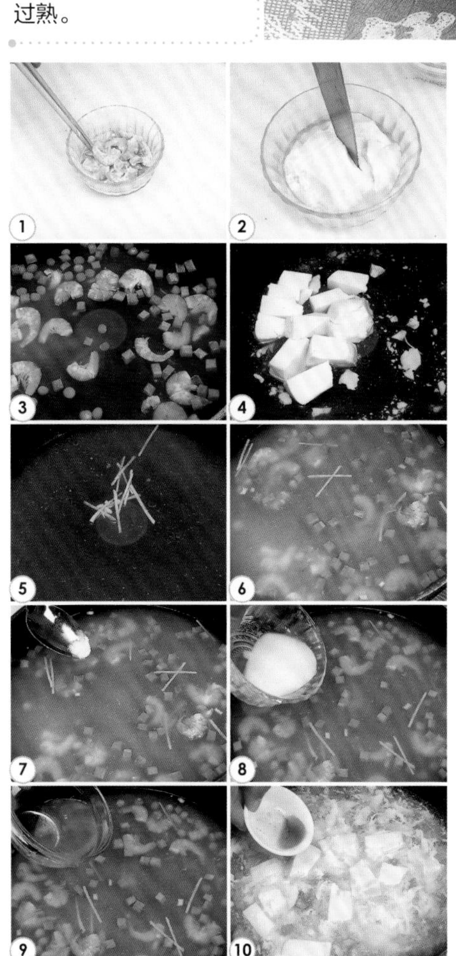

特别提示

此菜羹汁味鲜，可补钙健脑。虾体内的虾青素有助于消除因时差反应而产生的“时差症”。

原料

内酯豆腐1盒，熟虾仁50克，青豌豆、胡萝卜丁、葱花、姜丝、盐、胡椒粉、蛋清、水淀粉、肉汤、香油各适量。

做法

1 熟虾仁用少许盐和水淀粉拌匀。
2 内酯豆腐切小块。
3 锅中添水烧开，撒入少许盐，放入熟虾仁、青豌豆、胡萝卜丁略烫，捞出。
4 再放入内酯豆腐块略烫，捞出。
5 锅内倒入肉汤烧开，下入姜丝煮片刻。
6 加入熟虾仁、青豌豆、胡萝卜丁。
7 撒入盐、胡椒粉煮2分钟。
8 用水淀粉勾芡。
9 将蛋清打匀，淋入汤中搅匀，加入内酯豆腐块煮熟。
10 滴入少许香油，撒入葱花即可。

海米冬瓜

口味 咸鲜味
操作时间 20分钟
难度 ★

0失败巧招

将海米洗净，浸泡后，泡海米的水可以留着，在步骤6中，将此水添入海米和冬瓜中焖烧，味更鲜。

原 料

冬瓜500克，海米50克，料酒、淀粉、葱末、姜末、盐、鸡精、色拉油各适量。

做 法

1 将冬瓜削去外皮，去瓤、籽，洗净切成片。
2 冬瓜片加少许盐腌10分钟左右，沥干水分待用。
3 将海米用温水泡软。
4 炒锅注色拉油烧至六成热。
5 下入葱末、姜末爆香。
6 添入适量水，放入海米、冬瓜片。
7 撒入鸡精、盐。
8 烹入料酒，用旺火烧开，转用小火焖烧至熟透且入味。
9 用淀粉勾芡，炒匀即可出锅。

特别提示

冬瓜性寒味甘，有清热解毒、利尿消肿的功效，且不含脂肪、热量低，是减肥的极佳食材。

油焖虾

口味 鲜香味
操作时间 20分钟
难度 ★★

0失败巧招

将虾煸炒至表皮变红后，即可烹入料酒、鸡汤等，加盖焖。

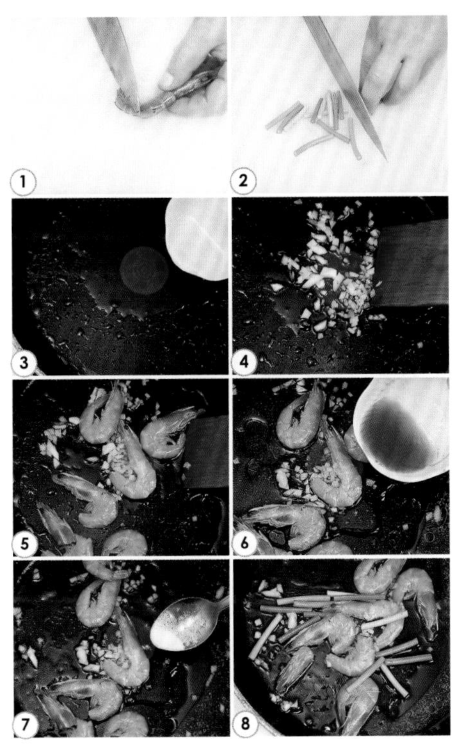

原 料

虾500克，蒜薹、盐、味精、鸡汤、白糖、葱末、姜末、香油、料酒、色拉油各适量。

做 法

1 将虾洗净，剪去虾腿、虾须和虾尾。
2 蒜薹去根洗净，切成长段。
3 炒锅注色拉油烧到五六成热。
4 下入姜末、葱末爆香。
5 放入虾煸炒。
6 烹入料酒、鸡汤、香油。
7 撒入盐、白糖，盖上盖，焖约 5分钟。
8 当汤汁已浓时，撒上蒜薹段即成。

香辣虾

口味 香辣味
操作时间 20分钟
难度 ★★

鲜虾不去虾线也很干净，但为了避免吃时会有沙沙的感觉，建议挑去虾线。
在烹炒炸好的河虾时，稍微翻炒即可，口味以鲜香嫩辣为好。

原 料

鲜虾500克，干辣椒、花椒、料酒、香菜、葱、姜、淀粉、盐、花生油各适量。

做 法

1 将干辣椒切碎。
2 香菜择洗净，切段。
3 葱切葱花，姜切片。
4 鲜虾去虾线洗净，加适量淀粉拌匀。
5 锅内注花生油烧至六成热，下入虾炸脆，捞出沥油。
6 锅内留油烧热，下入葱花、姜片、花椒、干辣椒炒香。
7 放入炸好的虾，烹入料酒。
8 加入香菜段、盐炒匀，出锅即可。

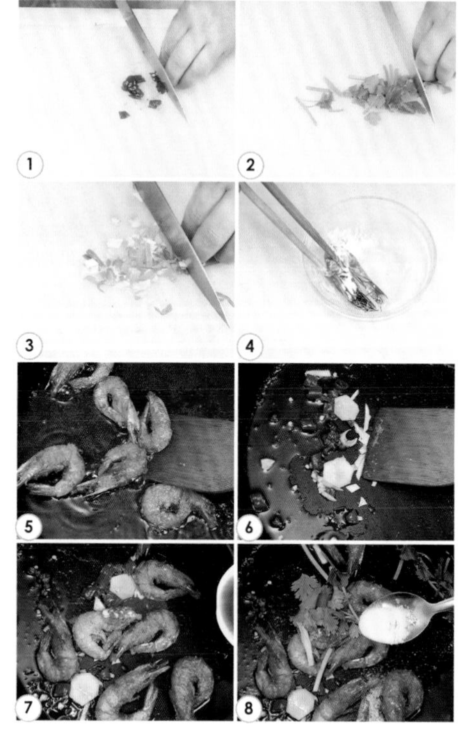

豉汁扇贝

口味 鲜香味
操作时间 25分钟
难度 ★★

贝类本身极富鲜味，烹制时千万不要再加味精，也不宜多放盐，以免鲜味反失，贝类中的泥肠不宜食用。

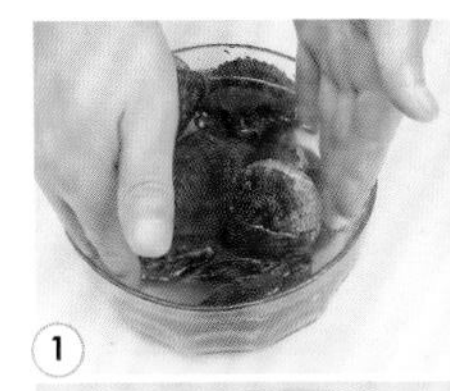

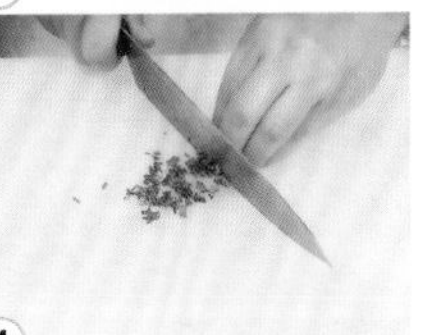

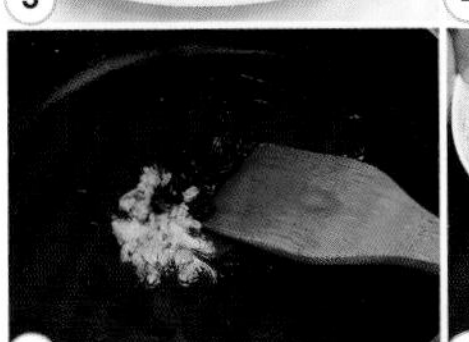

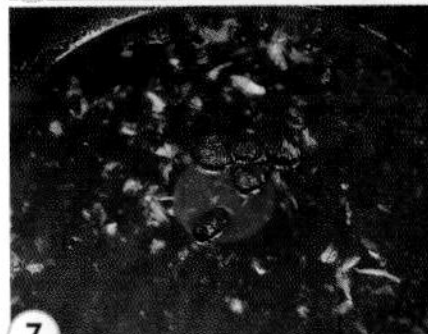

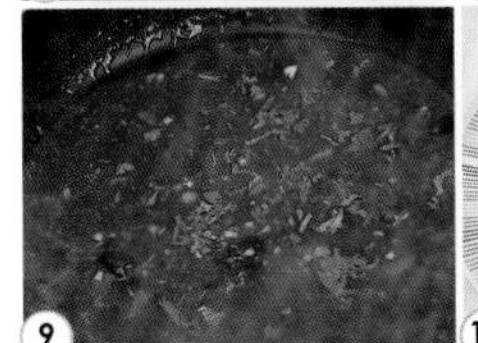

原料

扇贝500克，香菜、蒜泥、豆豉、水淀粉、酱油、蚝油、香油、花生油各适量。

做法

1 将扇贝洗净沥干。
2 下入开水锅内煮至扇贝张口。
3 捞出，去掉半片壳，摆放盘中。
4 香菜洗净，切末。
5 炒锅注花生油烧热，下蒜泥、豆豉炒香。
6 放入蚝油、酱油。
7 加入少许清水烧开。
8 用水淀粉勾芡。
9 淋入香油，撒上香菜末成豉汁。
10 将豉汁均匀地浇在扇贝肉上即成。

选购扇贝可以通过嗅、看、触的方式。海腥味浓、色泽亮黄、肉饱满、肉质硬的为优质扇贝。

小米海参

口味 清香味
操作时间 30分钟
难度 ★

海参清洗时，一般从海参尾部至头部沿腹部中线剪开，取出沙嘴，清洗海参肚内杂质，挑断海参内壁上附着的筋即可。

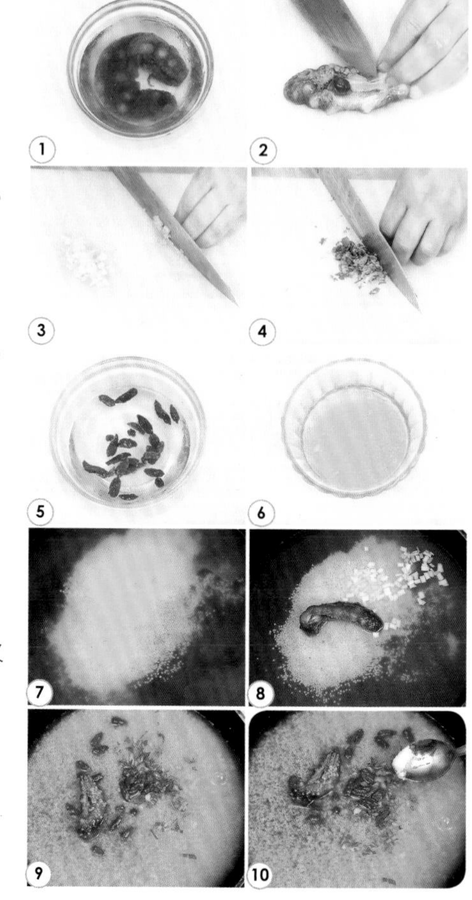

原 料

小米75克，海参25克，油菜、葱、姜、枸杞子、盐各适量。

做 法

1 将海参用温水泡发。
2 海参去肠洗净。
3 将葱、姜洗净切末。
4 将油菜择洗干净，切末。
5 枸杞子洗净泡发。
6 将小米淘洗干净，捞出沥干。
7 将小米放入锅中。
8 加入海参、葱末、姜末，大火烧开后转小火慢炖。
9 出锅前5分钟撒入油菜末、枸杞子。
10 撒盐调味，装碗即成。

香辣蟹

口味 香辣味
操作时间 25分钟
难度 ★★

0失败巧招

在螃蟹的切口处，蘸上一些干淀粉，可以减少肉的鲜味流失。

原 料

螃蟹500克， 葱、姜、蒜各25克，干尖椒10克，花椒、桂皮、八角各5克，海鲜酱、麻辣酱、红辣椒粉各1勺，盐、料酒、色拉油各适量。

做 法

1 将螃蟹肚子朝上，剥去底部的软盖。
2 翻过来剥开正面的大壳盖，将腮及边上的毛边等部位除干净。
3 取下两个大蟹钳，用刀背拍出裂隙，将螃蟹的身躯从中一分为二。
4 将海鲜酱、麻辣酱、红辣椒粉放入碗中，调成酱汁。
5 将葱洗净切片，姜洗净切片，蒜去皮洗净。
6 炒锅注色拉油烧热，放入葱片、姜片、蒜、花椒、干尖椒、桂皮、八角炒香。
7 放入螃蟹翻炒5分钟，撒入盐、烹入料酒。
8 加入酱汁、水炒匀，盖上盖，小火焖10分钟，出锅即可。

辣烧梭蟹

口味 鲜辣味
操作时间 25分钟
难度 ★★★

烹制时，不能食用死蟹。因为死蟹体内含有大量细菌和分解产生的有害物质，会引起过敏性食物中毒。

原 料

梭蟹500克，青椒、红椒、葱、姜、辣椒酱、盐、糖、淀粉、番茄汁、料酒、花生油各适量。

做 法

1 将梭蟹洗净斩成块。
2 蟹钳用刀拍碎，拍匀淀粉。
3 将青椒、红椒洗净，切丁。
4 将葱、姜洗净切片。
5 炒锅注花生油烧至四成热，放入蟹块炸熟，捞出控油。
6 炒锅内留油烧热，放入葱片、姜片、辣椒酱翻炒片刻。
7 烹入料酒，加入适量水，撒盐、糖、番茄汁炒匀。
8 放入蟹块烧至汤将收尽，撒入青椒丁、红椒丁，出锅即可。

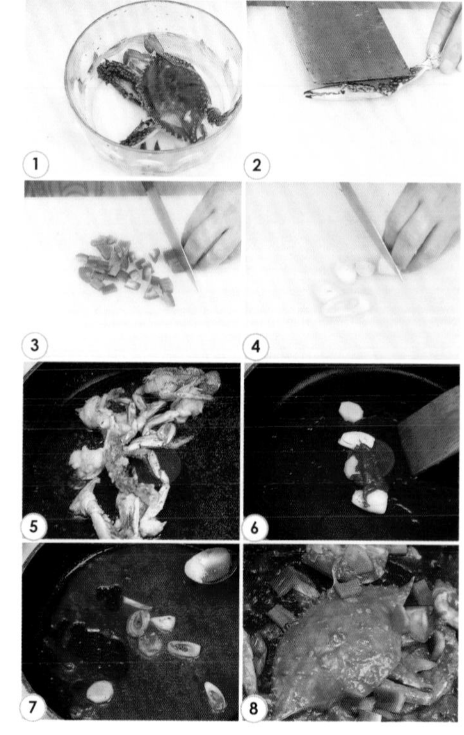

椒油鱿鱼卷

口味 鲜辣味
操作时间 15分钟
难度 ★★

O 失败巧招

烫鱿鱼卷时要沸水焯烫，入水时间要短，形成鱼卷即可，保持鲜嫩。

原料

鱿鱼400克，红椒、西芹各50克，盐、料酒、鲜汤、花椒油、香油各适量。

做法

1 将鱿鱼处理干净，洗净。
2 在鱿鱼上剞上麦穗花刀。
3 将鱿鱼切成片。
4 将红椒洗净，切成菱形块。
5 将西芹择洗净，切段。
6 锅内加鲜汤、料酒烧沸。
7 放入鱿鱼片、红椒块、西芹段煮熟。
8 捞出沥干水分，放入拌菜盆内。
9 撒入适量盐。
10 淋入香油、花椒油拌匀，装盘即成。

韭菜拌海肠

口味 清香味
操作时间 15分钟
难度 ★

海肠必须是活的，用剪刀将海肠两头带刺的部分剪掉，把内脏和血液洗净。

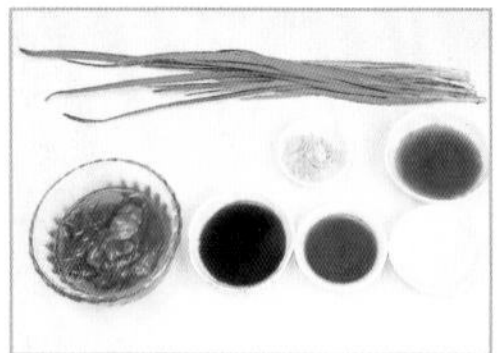

原 料

海肠400克，韭菜150克，蒜泥、盐、料酒、醋、香油各适量。

做 法

1 将海肠去内脏洗净。
2 放入开水锅中焯烫。
3 捞出切成段。
4 将韭菜洗净，沥干。
5 将韭菜切成段。
6 将韭菜段放入盘中。
7 加盐、醋、香油拌匀。
8 海肠段放入盆内，加盐、醋、料酒、蒜泥。
9 淋香油，拌匀。
10 盛出，放在韭菜段上即成。

买海肠时要观察海肠的颜色，如呈鲜红色为异常；外表如有退色现象为异常；剖开肠体，如有退色现象为异常。

韭菜炒鱿鱼

口味　咸鲜味
操作时间　15分钟
难度　★★

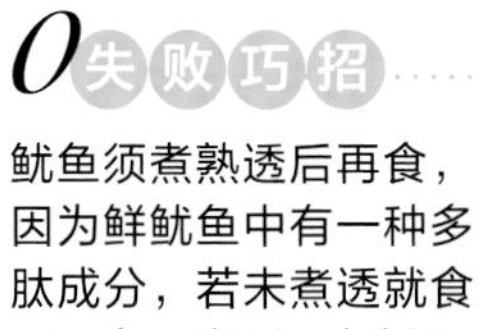

0失败巧招

鱿鱼须煮熟透后再食，因为鲜鱿鱼中有一种多肽成分，若未煮透就食用，会导致肠运动失调。

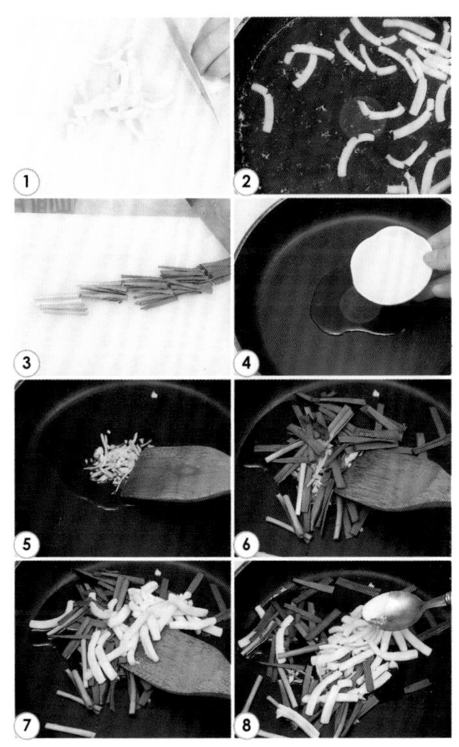

原 料

韭菜400克，鱿鱼300克，葱花、姜丝、盐、料酒、色拉油各适量。

做 法

1 鱿鱼洗净，切丝。
2 鱿鱼丝用开水焯烫，捞出沥干。
3 韭菜择洗净，切段。
4 炒锅注色拉油烧热。
5 下入葱花、姜丝爆锅。
6 加入韭菜段，炒软。
7 放入鱿鱼丝，烹入料酒。
8 加入适量盐炒熟，淋上熟色拉油出锅即可。

特别提示

优质鱿鱼体肉厚而坚实，身肉干燥，微透红色，无霉点。

海蜇皮炒豆苗

口味 咸鲜味
操作时间 30分钟
难度 ★★

0失败巧招

海蜇在食用前一定要用清水多次洗净，去掉盐、矾、沙子，再用热水焯一下。

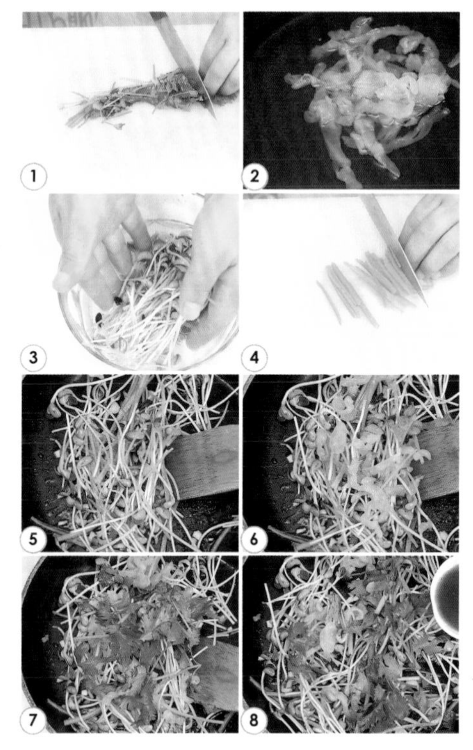

原 料

豆苗300克，泡发海蜇皮丝150克，胡萝卜、香菜各100克，葱花、盐、料酒、花生油各适量。

做 法

1. 将香菜洗净切段。
2. 将泡发海蜇皮丝入开水锅中焯烫，捞出沥干。
3. 将豆苗择洗净。
4. 将胡萝卜洗净切丝。
5. 炒锅注花生油烧热，爆香葱花，加入豆苗、胡萝卜丝翻炒。
6. 放入海蜇皮丝。
7. 撒入香菜段，炒至海蜇皮丝熟软。
8. 加入料酒、盐调味，炒匀出锅即可。

特别提示

好的海蜇呈白色、黄褐色或红琥珀色，肉质厚实，无泥沙等杂质，口感松脆。

鱼肉煎蛋

口味 咸香味
操作时间 20分钟
难度 ★★

失败巧招

搅拌鱼肉时，应沿着同一个方向搅匀，这样制作出的鱼肉煎蛋口感更好，有韧劲。

原料

草鱼200克，鸡蛋2个，葱、盐、胡椒粉、香油、色拉油各适量。

做法

1 将葱洗净，切末。
2 将鸡蛋磕入碗内。
3 鸡蛋液加盐搅匀。
4 将草鱼洗净。
5 取鱼肉剁成泥。
6 将鱼肉泥放入碗中，加入鸡蛋液。
7 加入葱末、胡椒粉。
8 淋香油，搅拌成糊状。
9 炒锅注色拉油烧热，倒入鱼肉蛋糊，用小火煎成饼状。
10 切块，装盘即成。

特别提示

挑选鸡蛋时应注意，若蛋壳颜色不均匀或者蛋壳比较粗糙，有可能是不健康的鸡下的蛋。

香菜鸡蛋羹

口味 清香味
操作时间 15分钟
难度 ★

鸡蛋液中可以加入适量牛奶，这样蒸出的鸡蛋羹具有奶香味，且不易出现蜂窝状。

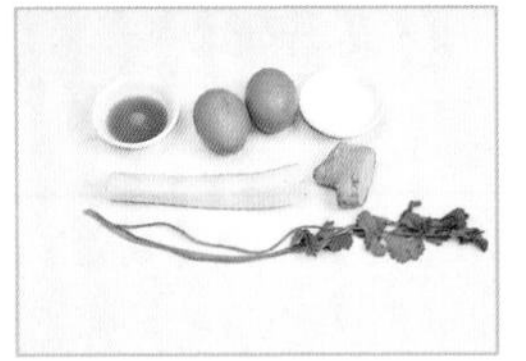

原 料

鸡蛋2个，香菜1棵，葱、姜、盐、香油各适量。

做 法

1 将鸡蛋磕入碗内，搅匀成蛋液。
2 将香菜洗净，切末。
3 葱洗净，切葱花。
4 姜洗净，切末。
5 鸡蛋液中撒入香菜末。
6 加入适量水，沿顺时针方向搅匀。
7 放入蒸锅，蒸成形。
8 撒入葱花、姜末。
9 加入适量盐。
10 淋香油，再蒸2分钟，取出即可。

用嘴向蛋壳上轻轻哈一口热气，然后用鼻子嗅其气味，若是优质鲜蛋则有轻微的生石灰味。

猪肉蛋羹

口味 鲜香味
操作时间 20分钟
难度 ★★

0失败巧招

蒸时应控制时间，时间过长易导致蛋羹呈蜂窝状，时间短会产生蛋羹不熟的情况。

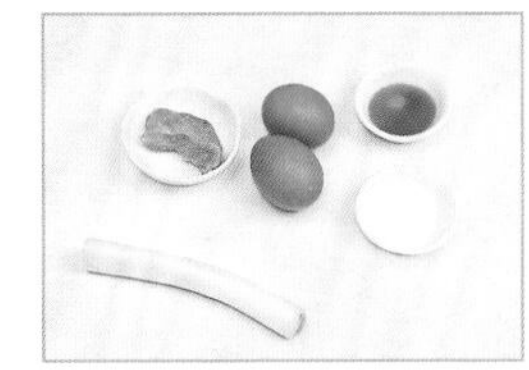

原料

猪瘦肉25克，鸡蛋2个，葱、盐、香油各适量。

做法

1 将猪瘦肉洗净。
2 将猪瘦肉剁成肉末。
3 将葱洗净切末。
4 将鸡蛋磕入碗内。
5 搅匀成蛋液。
6 再加入葱末、猪瘦肉末。
7 加入盐、适量清水搅匀。
8 入蒸锅小火蒸12分钟。
9 取出，淋上香油即成。

特别提示

鉴别劣质蛋：蛋壳表面的粉霜脱落；壳色油亮，呈乌灰色或暗黑色，有油样浸出；有较多或较大的霉斑。

水果奶蛋羹

口味 清香味
操作时间 20分钟
难度 ★★

烹煮奶羹时，注意使用小火，避免大火烧煳。

原 料

鸡蛋、苹果、橘子各1个，牛奶100毫升，糖、玉米粉各适量。

做 法

1 将鸡蛋取鸡蛋黄。
2 将苹果洗净，捣成苹果泥。
3 将橘子去皮、橘络。
4 将橘子瓣捣烂。
5 锅中放入玉米粉。
6 加入糖、蛋黄搅匀。
7 将温牛奶慢慢倒入锅中。
8 边倒边搅拌，用小火熬煮至黏稠状。
9 将煮好的奶羹盛入碗中。
10 放上做好的苹果泥、橘子泥即可。

优质鲜蛋拿在手上，轻轻抖动使蛋与蛋相互碰击，声音清脆；手握摇动，则无声音。

蛋奶菜心

0失败巧招

加热牛奶时不要煮沸，也不要久煮，否则会破坏营养素，影响人体吸收。

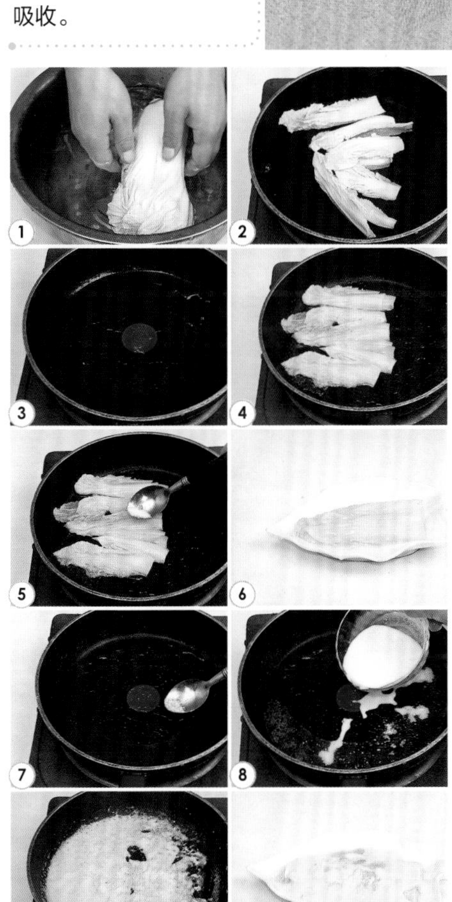

原料

白菜心250克，鸡蛋2个，鲜奶150毫升，盐、鸡精、水淀粉、料酒、鲜汤、香油、色拉油各适量。

做法

1. 将白菜心洗净。
2. 锅内添入适量水烧开，放入白菜心焯水，捞出沥干。
3. 炒锅注色拉油烧热，加入料酒、鲜汤。
4. 放入白菜心略烧。
5. 撒盐，用水淀粉勾芡。
6. 取出摆放盘中。
7. 锅内添少量鲜汤，撒盐、鸡精调味。
8. 加入鲜奶烧开，用水淀粉勾芡。
9. 加入鸡蛋推匀，淋上香油。
10. 盛出浇在白菜心上即成。

牛奶煮蛋

口味 奶香味

操作时间 15分钟

难度 ★

熬煮时注意使用微火、慢火，避免火过大杀死牛奶中的有益成分，影响菜肴的营养价值。

原 料

鸡蛋3个，糖、牛奶各适量。

做 法

1 将鸡蛋的蛋清与蛋黄分开。

2 将蛋清放入碗中。

3 打发至起泡。

4 将牛奶倒入锅中。

5 加入蛋黄。

6 撒入糖，用小火煮至微沸。

7 再用勺子一勺一勺把调好的蛋清放入牛奶蛋黄锅内稍煮。

8 装碗即成。

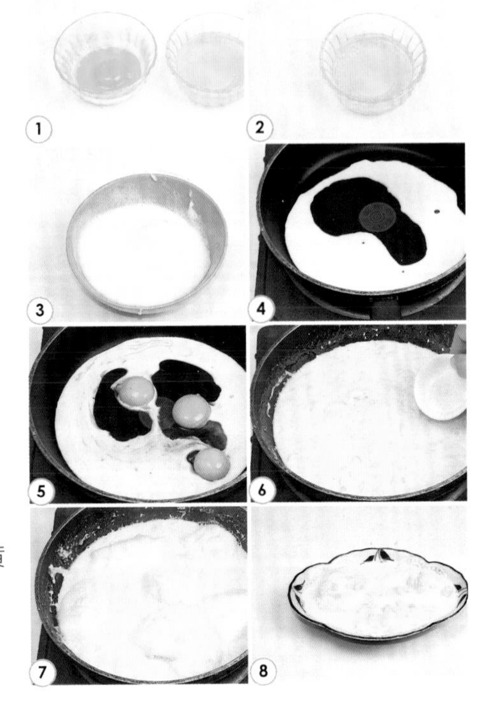

Part 1 蔬菌类 冬瓜

鲜蘑冬瓜汤

口味 咸鲜味
操作时间 15分钟
难度 ★★

冬瓜最好选择肉质致密、长棒形的黑皮冬瓜，做汤时更易入味。

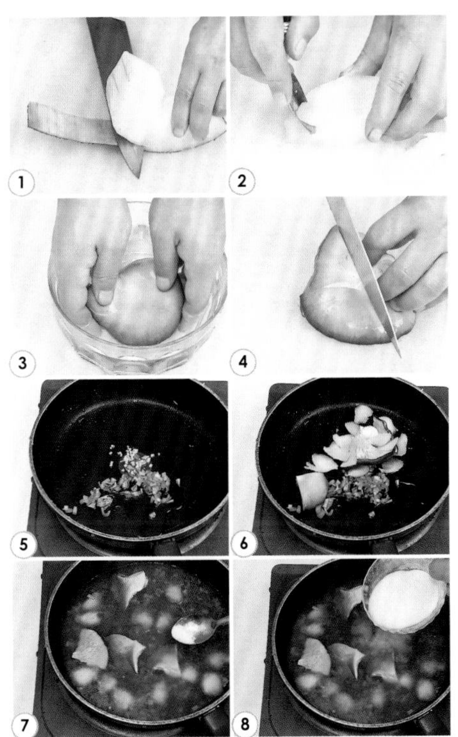

冬瓜300克，鲜蘑菇150克，葱花、姜末、盐、味精、白胡椒粉、水淀粉、料酒、清汤、色拉油各适量。

做 法

1 将冬瓜洗净，去皮、瓤。
2 用勺子将冬瓜挖成小圆块，浸入水中。
3 将鲜蘑菇洗净。
4 将鲜蘑菇切成块备用。
5 炒锅注入色拉油烧热，下入葱花、姜末爆香。
6 加入料酒、鲜蘑菇块、冬瓜块和适量清汤烧开。
7 撒入盐、味精、白胡椒粉调味。
8 用水淀粉勾芡，出锅即成。

此汤可以滋润皮肤、美容养颜。

香菇冬瓜汤

口味 咸鲜味
操作时间 15分钟
难度 ★★

0失败巧招

使用干香菇做汤，泡发香菇的水不要丢弃，因为很多营养物质都溶在水中。可将泡香菇的水过滤后，加入高汤中一并熬煮。

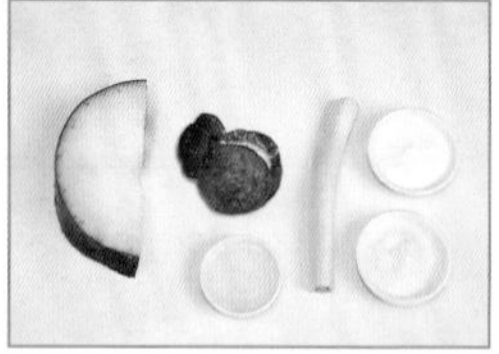

原 料

冬瓜400克，干香菇100克，大葱、盐、味精、高汤、花生油各适量。

做 法

1 将冬瓜去皮、瓤，洗净。
2 将洗净后的冬瓜切块，大葱切末。
3 将干香菇用清水泡发，洗净备用。
4 炒锅注花生油烧热，下入大葱末炝锅。
5 添入适量高汤，放入香菇烧沸。
6 放入冬瓜块煮至熟烂。
7 撒入盐、味精调味。
8 起锅盛入汤碗中即成。

特别提示

使用高汤代替清水，可使汤的营养更丰富。

冬瓜枸杞子汤

口味 咸鲜味
操作时间 20分钟
难度 ★

失败巧招

凡个体较大、肉厚湿润、表皮有一层粉末、体重、肉质结实、质地细嫩的冬瓜质量好；反之，其质量就差。

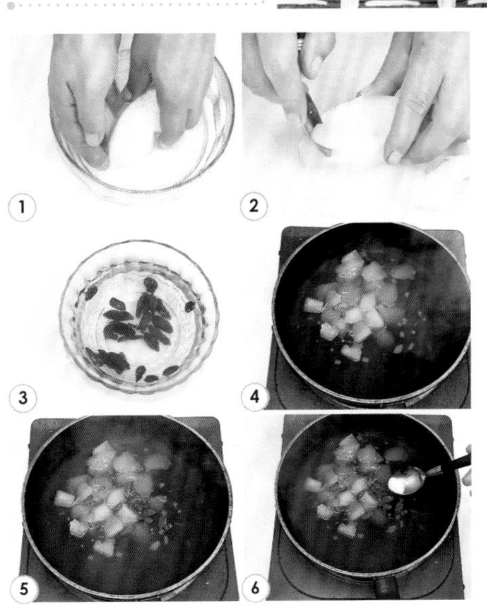

特别提示

冬瓜和枸杞子都为补品，所煮之汤自是上品。此汤醇厚微甜，可活血养颜。

原料

冬瓜300克，枸杞子10克，盐、鸡精、白糖各适量。

做法

1 将冬瓜去皮、瓤，洗净。
2 用勺子将冬瓜挖成块。
3 将枸杞子用清水泡软。
4 锅中添入清水，放入冬瓜块煮开。
5 加入枸杞子，煮3分钟。
6 加盐、鸡精、白糖调味即可。

火夹冬瓜汤

口味 鲜香味
操作时间 30分钟
难度 ★★★

冬瓜买回家后，应放在阴凉的地方保存，最好能接地气，千万不可把冬瓜放在塑料袋中，否则会不透气，烂得更快。

原 料

冬瓜500克，火腿100克，盐、味精、胡椒粉、清汤各适量。

做 法

1 将冬瓜去皮、瓤，洗净。
2 将冬瓜切成厚的连刀片。
3 将冬瓜片入沸水锅略煮捞出。
4 将火腿切成宽片。
5 将火腿片嵌在冬瓜夹片中间，并排扣在碗内。
6 在碗内稍撒些盐、味精、胡椒粉，添入清汤。
7 上屉蒸约20分钟取出，倒入汤碗内。
8 锅中添入清汤，撒盐、味精。
9 将烧好的汤倒入装有冬瓜夹片的汤碗内即成。

冬瓜片要略厚，以防止蒸熟后破碎。

三鲜苦瓜汤

0失败巧招

挑选苦瓜时，除了要挑果瘤大的品种，还要注意其外形。优质的苦瓜瓜形直立，颜色嫩绿泛白，有光泽。

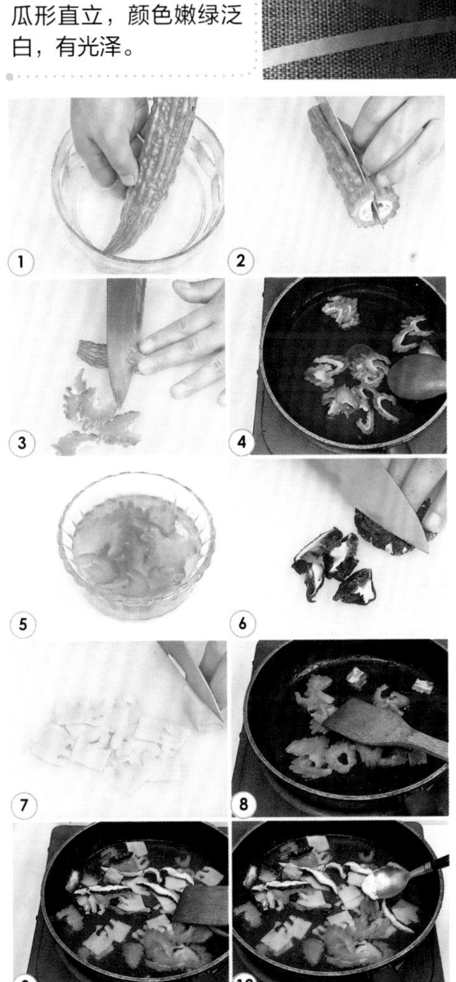

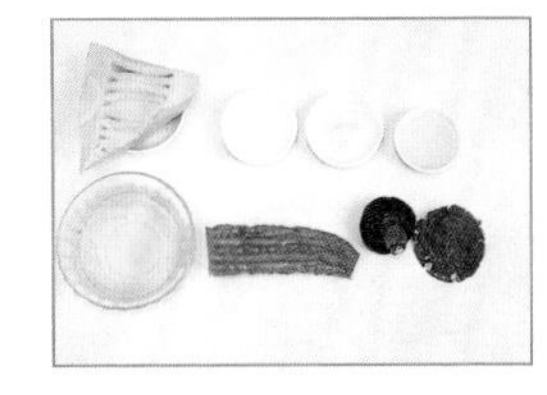

原 料

苦瓜300克，鲜香菇、冬笋各100克，盐、味精、鲜汤、色拉油各适量。

做 法

1 将苦瓜洗净。
2 将苦瓜顺切成两半。
3 挖去瓜瓤，切成薄片。
4 将苦瓜片放入沸水锅中焯烫。
5 捞出苦瓜片，放凉水中浸凉。
6 将鲜香菇洗净去蒂，片成薄片。
7 将冬笋洗净去壳，切成薄片。
8 炒锅注入色拉油烧热，放入苦瓜片略炒，添入鲜汤煮开。
9 加入冬笋片、香菇片煮至酥软。
10 撒入盐、味精调味，起锅倒入汤碗即可。

特别提示

去掉苦瓜的瓜瓤，可以有效除去苦瓜的苦味。

苦瓜排骨汤

口味 鲜香味
操作时间 35分钟
难度 ★★★

将切好的苦瓜片撒上盐腌渍一会儿，然后将水滤掉，可减轻苦味。

原料

苦瓜300克，排骨250克，姜片、盐、料酒、大酱各适量。

做法

1 苦瓜洗净。
2 将苦瓜顺切成两半。
3 挖去瓜瓤，切成薄片。
4 排骨用清水洗净。
5 将排骨块放入沸水锅中焯烫，捞出沥干。
6 锅中添入适量清水烧沸。
7 先放入排骨块、姜片煮20分钟。
8 再放入苦瓜片和大酱，转小火焖煮至排骨熟烂。
9 撇去浮沫，加入盐、料酒调味即可。

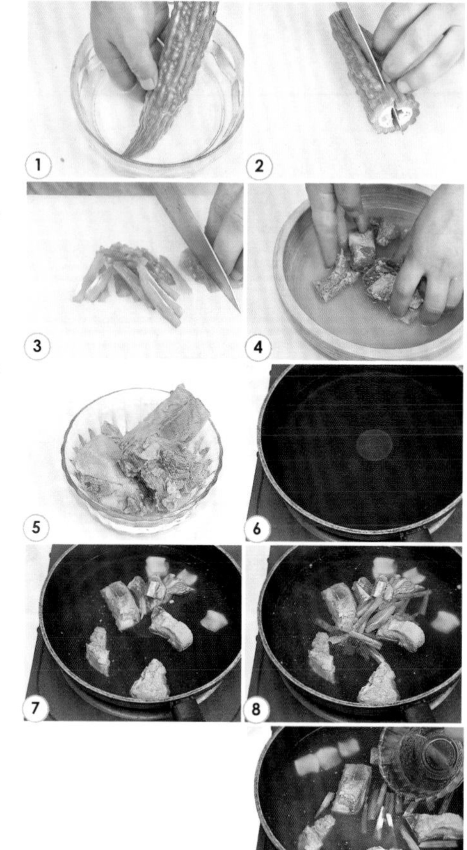

此汤鲜咸适口，可利尿活血、退热消暑、降血糖。

苦瓜消暑汤

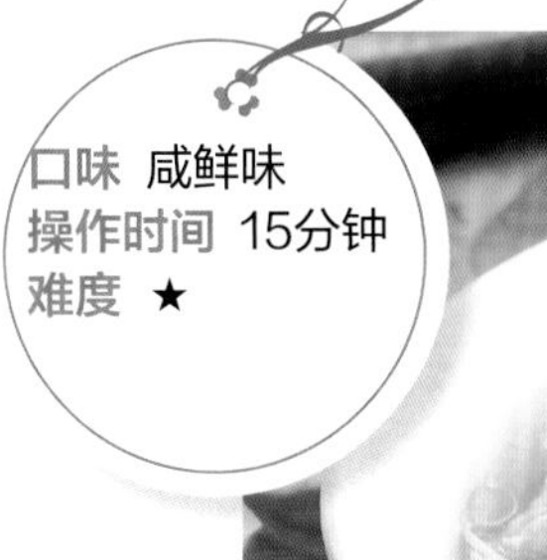

口味 咸鲜味
操作时间 15分钟
难度 ★

苦瓜虽苦，却从不会把苦味传给其他原料；熟肉丝也可用火腿丝替换，风味独特，口感更佳。

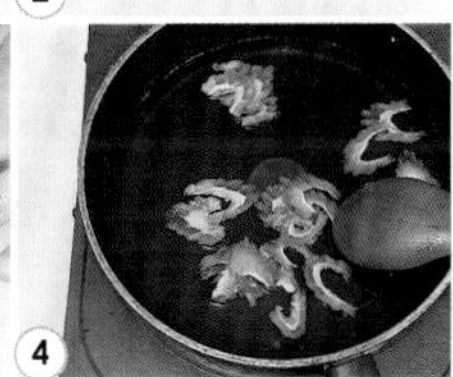

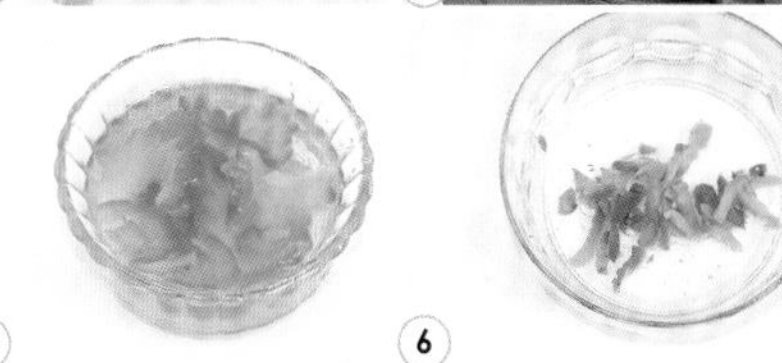

原 料

苦瓜200克，熟肉丝50克，榨菜丝、盐、味精、高汤、色拉油各适量。

做 法

1 将苦瓜洗净。
2 将苦瓜顺切成两半。
3 挖去瓜瓤，切成薄片。
4 将苦瓜片放入沸水锅中焯烫。
5 捞出苦瓜片放凉水中浸凉。
6 榨菜丝用清水泡去咸味后放汤碗中。
7 锅内注入色拉油烧热，添入高汤。
8 放入苦瓜片、熟肉丝、榨菜丝煮沸。
9 加入适量盐、味精调味。
10 起锅倒入汤碗中即可。

本菜咸鲜适口，是夏季消暑的佳饮。

魔芋南瓜汤

口味 甜味
操作时间 30分钟
难度 ★★

南瓜被切开后，容易从内部变质，所以最好用汤匙把内部掏空，再用保鲜膜包好，放入冰箱冷藏，这样可以存放5~6天。

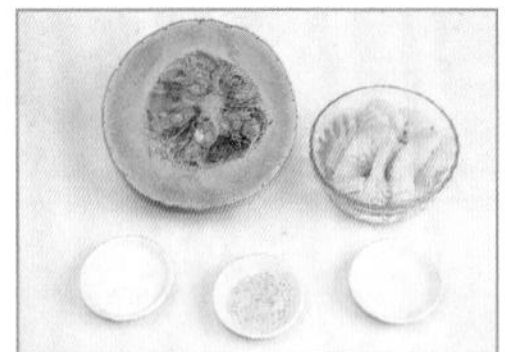

原 料

南瓜250克，魔芋条150克，盐、白糖、鸡精各适量。

做 法

1 将南瓜洗净。
2 将洗净的南瓜去皮、籽。
3 将南瓜切成块。
4 南瓜块装碗，上笼蒸至软烂。
5 取出，倒入搅拌机搅打成泥。
6 锅中添入适量清水煮开。
7 放入南瓜泥、魔芋条略煮。
8 撒入盐、白糖、鸡精搅匀即可。

南瓜对防治糖尿病、降低血糖有特殊的功效。

南瓜甜椒汤

口味 咸鲜味
操作时间 30分钟
难度 ★★

0失败巧招

南瓜属于非常容易保存的一种蔬菜，完整的南瓜放入冰箱里一般可以存放2～3个月。

原料

南瓜500克，甜椒100克，盐、色拉油各适量。

做法

1 将南瓜洗净，去皮、瓤，切成粗丝。
2 南瓜丝加入适量清水、盐腌2分钟，沥干。
3 将甜椒洗净，切成粗丝。
4 炒锅注入色拉油烧热，加入甜椒丝、盐略炒。
5 放入南瓜丝稍炒，添入适量清水煮开。
6 煮至南瓜丝断生，撇去浮沫，盛入碗中即可。

特别提示

此菜制作时不要加太多油，口感清淡最好。

润燥南瓜汤

口味 甜味
操作时间 140分钟
难度 ★

0失败巧招

表面有损伤、虫害或斑点的南瓜不宜选购。优质的南瓜外形完整，瓜梗蒂连着瓜身。

原 料

南瓜1个，莲子50克，巴戟天25克，老姜3片，冰糖、盐各适量。

做 法

1 将南瓜洗净。
2 将洗净的南瓜去皮。
3 将南瓜切成块。
4 将莲子洗净用清水泡软。
5 将巴戟天洗净。
6 锅中添入适量清水煮开。
7 将南瓜块、莲子放入开水锅中。
8 加入巴戟天、老姜片，小火煮约2个小时。
9 加入冰糖，大火煮10分钟。
10 加盐调味即可。

特别提示

莲子一定要用凉水泡软再煮，不可用温水或热水。

栗香丝瓜汤

口味 清香味
操作时间 15分钟
难度 ★

栗子去外皮后，可将其置于冷水中浸泡30分钟，这样，内皮容易剥。体虚内寒、腹泻者不宜多食丝瓜。

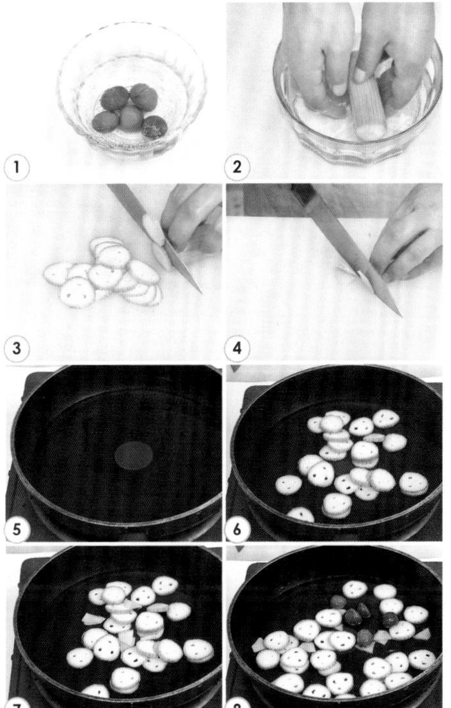

原料

丝瓜50克，栗子、姜各适量。

做法

1 将栗子去皮洗净。
2 将丝瓜洗净去皮。
3 将丝瓜切成薄片。
4 将姜洗净切片。
5 锅中添入适量水。
6 放入丝瓜片。
7 加入姜片一同煮沸，再转用小火略煮。
8 加入栗子，煮开即可。

本汤营养丰富、富含纤维，常食对调理月经不顺很有帮助。

丝瓜芦笋汤

口味 鲜香味
操作时间 10分钟
难度 ★

0失败巧招

丝瓜未熟时口感柔嫩，可作为菜肴的原料；熟透的丝瓜筋络较多，只能用于擦洗器皿。购买丝瓜时，一定要挑选细嫩可口的。

原 料

丝瓜1根，芦笋50克，香菜、香油、盐、胡椒粉各适量。

做 法

1 将丝瓜去皮，洗净，切成薄片。
2 香菜洗净切段；芦笋放入清水中洗净，切片。
3 锅内加水烧开，放入芦笋片。
4 加入丝瓜片一同煮沸。
5 撒入盐、胡椒粉调味。
6 淋入香油，撒上香菜段即可。

特别提示

丝瓜制作菜肴时，可做汤，也可烧、炒、蒸等。

丝瓜玉米汤

口味 清香味
操作时间 25分钟
难度 ★★

丝瓜汁水丰富，宜现切现做，以免营养成分随汁水流走；甜玉米粒可以购买罐头装的，使用起来比较方便。

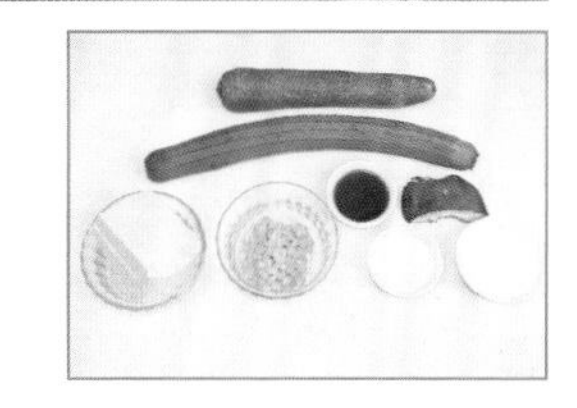

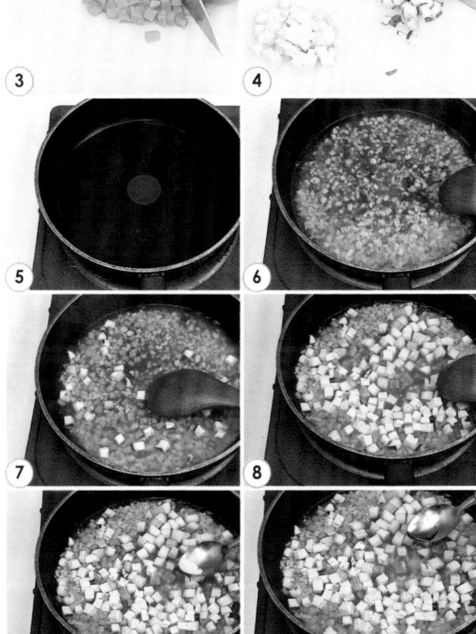

原 料

豆腐200克，甜玉米粒50克，丝瓜、胡萝卜各1根，香菇、盐、淀粉、香油各适量。

做 法

1 将丝瓜去皮、瓤，洗净，切小丁。
2 将甜玉米粒切碎。
3 将胡萝卜去皮，洗净，切小丁。
4 将香菇、豆腐均洗净，切小丁。
5 锅中添入适量水煮开。
6 放入甜玉米粒煮约10分钟。
7 加入胡萝卜丁、香菇丁再煮约5分钟。
8 加入丝瓜丁、豆腐丁略煮。
9 撒入适量盐、淀粉调味。
10 淋入香油出锅即可。

丝瓜搭配胡萝卜、豆腐、玉米粒，粗细得当，营养丰富。

酸辣汤

口味 酸辣味
操作时间 25分钟
难度 ★★★

O失败巧招

保存豆腐可将食盐化水煮沸，冷却后，便可将豆腐浸入，以全部浸没为准。

特别提示

此汤醒酒去腻、助消化，豆腐中的大豆卵磷脂有益大脑发育。

原 料

豆腐100克，冬菇、火腿各50克，鱿鱼、猪瘦肉、鸡蛋、葱、水淀粉、盐、胡椒粉、酱油、醋、鸡汤、色拉油各适量。

做 法

1 将豆腐、冬菇、鱿鱼、火腿分别切成细丝。
2 将葱洗净，切成葱花。
3 将猪瘦肉切成细丝，焯熟捞出放入锅内。
4 将豆腐丝、冬菇丝、鱿鱼丝一起放入锅内。
5 锅内添入鸡汤。
6 撒适量盐，淋酱油烧沸。
7 撇去浮沫，用水淀粉勾芡。
8 将鸡蛋打散，加入汤中。
9 将火腿丝、胡椒粉、醋、色拉油、葱花放入汤碗内。
10 将加工好的汤冲入碗内即可。

文思豆腐

口味 咸鲜味
操作时间 20分钟
难度 ★★★

失败巧招

做此菜最好选用内酯豆腐，内酯豆腐改变了传统的用卤水点豆腐的制作方法，豆腐质地细嫩、有光泽、适口性好、清洁卫生。

原料

内酯豆腐1盒，香菇、冬笋、菜叶各25克，熟鸡脯肉50克，火腿10克，盐、高汤、色拉油各适量。

做法

1 将内酯豆腐切细丝，放入清水中浸泡。
2 将香菇、冬笋、菜叶均洗净切丝。
3 将熟鸡脯肉、火腿均切丝。
4 锅内注入色拉油烧热，添入高汤。
5 加入内酯豆腐丝。
6 放入香菇丝、冬笋丝、菜叶丝。
7 加入熟鸡脯肉丝。
8 撒盐烧沸。
9 起锅倒入汤碗内。
10 撒上火腿丝即可。

特别提示

内酯豆腐细嫩，操作时要注意防碎。

什锦豆腐汤

口味 鲜香味
操作时间 20分钟
难度 ★★

0失败巧招

香菇、油菜、冬笋、火腿均切细丝；此汤不可久煮，关键是保持清淡。

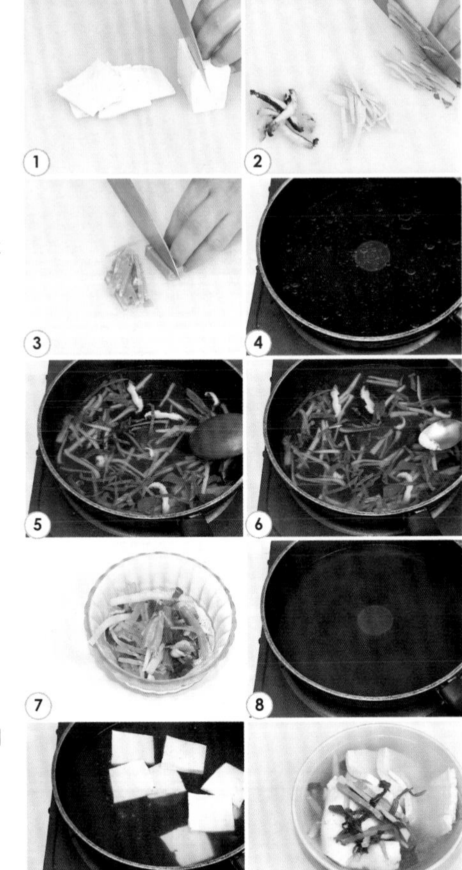

原料

油菜200克，豆腐150克，火腿50克，香菇、冬笋各25克，盐、高汤、熟猪油各适量。

做法

1 将豆腐冲洗净，切片。
2 将香菇、油菜、冬笋均洗净切丝。
3 将火腿切丝。
4 锅内加适量高汤和熟猪油烧沸。
5 放入香菇丝、冬笋丝、油菜丝、火腿丝。
6 加入盐煮熟。
7 捞出各种丝盛入汤碗内。
8 将锅内的汤再烧开。
9 放入豆腐片煮至浮起。
10 最后将豆腐片和汤倒入盛有各种丝的汤碗内即可。

特别提示

此汤色彩悦目，清淡可口，营养丰富。

豆腐海带汤

口味 咸鲜味
操作时间 25分钟
难度 ★★

O失败巧招

海带在食用前，应当先洗净，再浸泡，然后将浸泡的水和海带一起下锅做汤食用，这样可以避免溶于水中的甘露醇和某些维生素被丢弃不用，从而保存了海带中的有效成分。

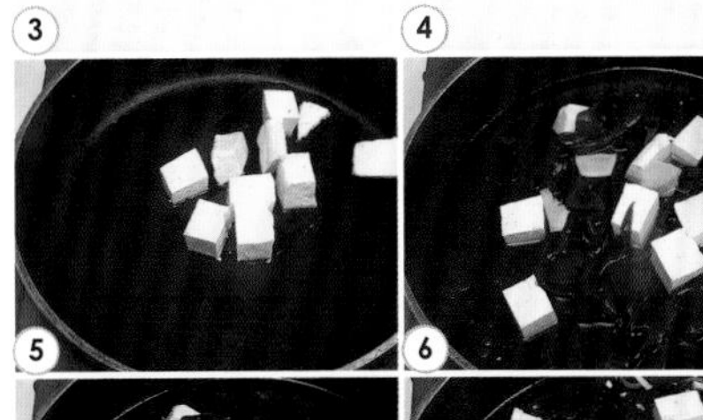

原 料

豆腐250克，海带结150克，葱、姜、蒜、盐、鸡精、胡椒粉、料酒、色拉油各适量。

做 法

1 将海带结用清水泡发好，洗净。
2 将豆腐切大块。
3 将葱、姜分别洗净，葱切葱花，姜切片。
4 将蒜去皮洗净，切成末。
5 锅内注入色拉油烧热，放入豆腐块稍煎。
6 加海带结、姜片、料酒，添水煮开，中火煮8分钟。
7 加盐、胡椒粉、鸡精调味，搅匀。
8 撒入葱花、蒜末，出锅即可。

时蔬浓汤

口味 咸鲜味
操作时间 20分钟
难度 ★★

在同类型卷心菜中，应选菜球紧实的，用手去摸越硬实越好。同重量时体积小者为佳。

原 料

卷心菜、生菜各200克，红甜椒、鸡肉各150克，盐、味精、水淀粉各适量。

做 法

1 将卷心菜、生菜、红甜椒分别洗净。
2 将洗好的蔬菜均切短丝。
3 将鸡肉切丝。
4 锅内添入适量清水烧开。
5 倒入卷心菜丝、生菜丝、红甜椒丝，边划散边烧开。
6 将鸡肉丝放入锅中，煮至熟软。
7 加盐、味精调味。
8 用水淀粉勾芡，出锅即可。

此汤营养丰富，易于消化吸收，特别适宜儿童食用。

西式番茄红薯汤

口味 鲜香味
操作时间 60分钟
难度 ★★

番茄去皮的方法有很多，用开水烫后可以比较轻易撕去皮，也可以用勺子将番茄仔细刮一遍，也能轻易去掉番茄皮。

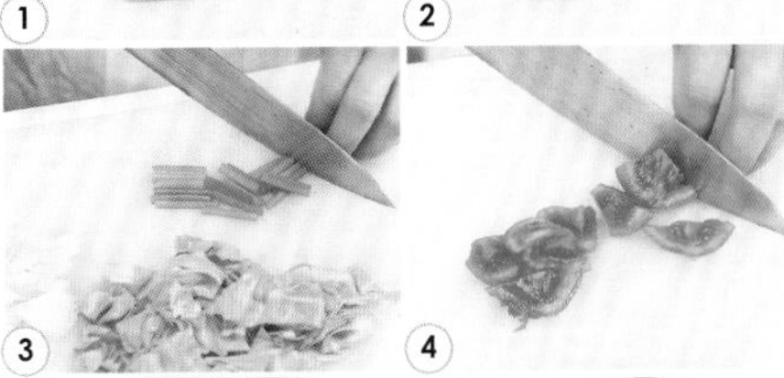

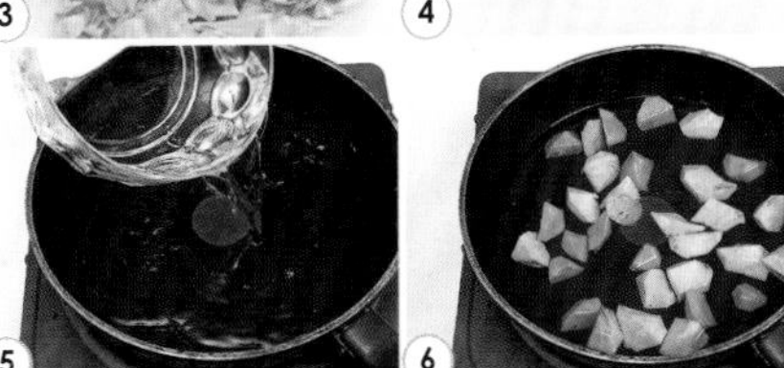

青色未熟的番茄不宜食用。

原料

红薯、番茄各1个，西芹2根，葱头1/2个，胡萝卜1/2根，圆白菜1/4个，盐、香油各适量。

做法

1 将红薯去皮洗净切块。
2 将胡萝卜洗净切块。
3 将葱头去皮切块，圆白菜切块，西芹洗净切段。
4 番茄用开水烫后去皮，切大块。
5 锅置火上，添适量清水烧开。
6 将红薯块、胡萝卜块放入开水锅小火煮40分钟。
7 加入圆白菜块、葱头块、西芹段再煮5分钟。
8 放入番茄块煮熟。
9 撒入盐调味。
10 淋入香油出锅即可。

奶香番茄汤

口味 奶香味
操作时间 30分钟
难度 ★★★

将番茄从尖部到底部都细细地用勺刮一遍，这时用手可以轻松撕去番茄皮。

原 料

番茄1个，奶油50克，洋葱、香叶、炒过的面包粒、盐、面浆、鸡汤、黄油各适量。

做 法

1 将番茄用开水稍烫，去皮切块。
2 将洋葱去皮切成末。
3 锅中注黄油烧热，下入洋葱末炒香。
4 加入番茄块、香叶翻炒片刻。
5 添入适量鸡汤烧开。
6 加入面浆搅匀。
7 将锅中的汤倒出放凉，用粉碎机搅拌一下。
8 倒回锅内烧开。
9 加入盐、奶油搅匀。
10 盛盘，撒入炒过的面包粒即可。

番茄炒出沙后再加汤，质量更佳。

银耳冬瓜汤

口味 鲜香味
操作时间 15分钟
难度 ★★

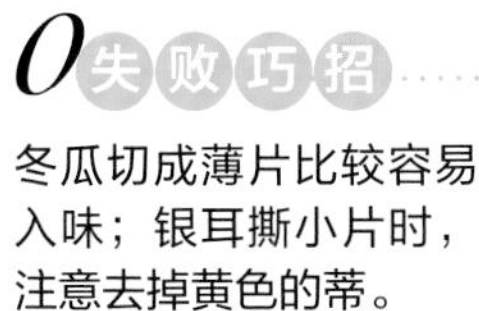

0失败巧招

冬瓜切成薄片比较容易入味；银耳撕小片时，注意去掉黄色的蒂。

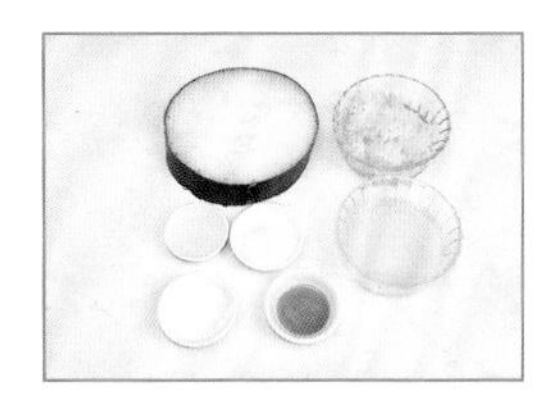

原 料

冬瓜250克，水发银耳25克，鲜汤500毫升，盐、味精、香油、花生油各适量。

做 法

1 将冬瓜剖开，去皮、籽。
2 将冬瓜洗净后切成片。
3 将水发银耳洗净撕成小片。
4 炒锅注花生油烧热，放入冬瓜片炒至变色。
5 添入鲜汤。
6 加盐烧至冬瓜片软滑。
7 加入水发银耳片、味精略煮。
8 淋入香油出锅即可。

特别提示

夏天气候炎热、心烦气躁、闷热不舒服时宜饮此汤。

银耳红枣汤

口味 甜味
操作时间 25分钟
难度 ★

加入糖的量可以根据个人的口味调整；加入糖桂花可以使汤有桂花香味，提高食欲。

原 料

红枣100克，银耳50克，糖、糖桂花各适量。

做 法

1 将银耳用温水泡软。
2 将银耳去蒂、杂质，撕成小朵。
3 将红枣用冷水泡软。
4 锅中添入适量清水。
5 放入银耳、红枣，大火烧沸。
6 加入糖、糖桂花略煮。
7 起锅倒入碗中即可。

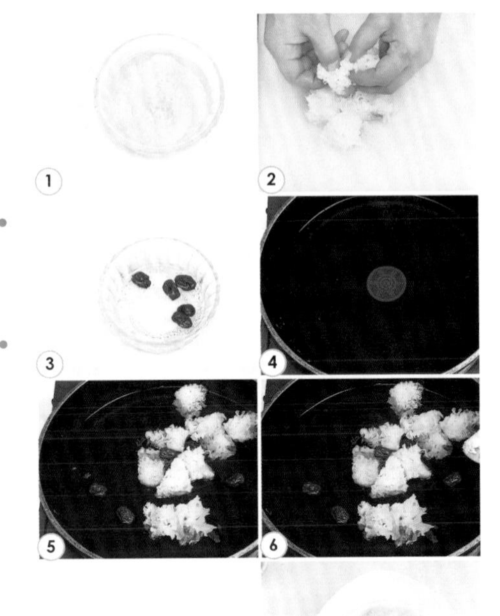

此汤口感滑润、香甜醇美，可健脑补肾，补血养颜。

砂锅紫菜汤

口味 咸鲜味
操作时间 20分钟
难度 ★★

0失败巧招

选购紫菜，要注意其色泽以紫红色为好，表明菜质较嫩，如色泽发黑可能是隔年紫菜。

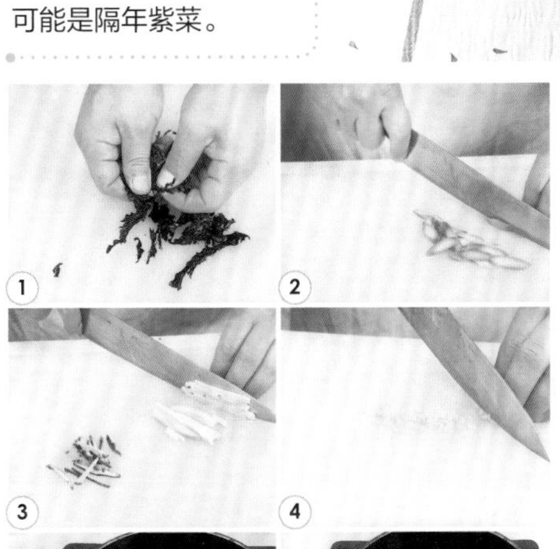

紫菜食用前用清水泡发，并换1～2次水以清除污染、毒素。

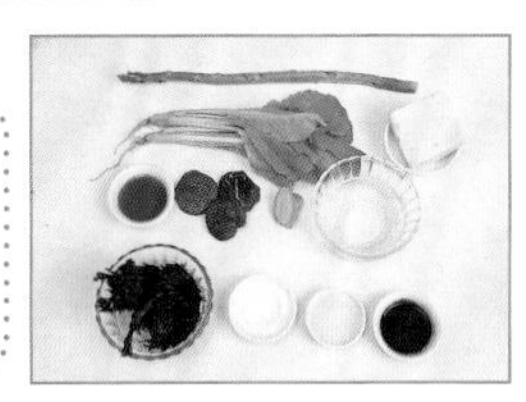

原 料

紫菜、芦笋、香菇、小白菜、豆腐各50克，姜、盐、酱油、素汤、香油、花生油各适量。

做 法

1 将紫菜去杂质，掰成碎块。
2 将芦笋洗净，切成小片。
3 将香菇、豆腐切成细丝。
4 将小白菜洗净；姜洗净，去皮切成末。
5 炒锅注花生油烧热，放入芦笋片、香菇丝、豆腐丝略煸。
6 添入素汤。
7 放入紫菜块烧沸，倒在砂锅内。
8 砂锅内加入盐、酱油、姜末。
9 淋入香油。
10 放入小白菜略烧即可。

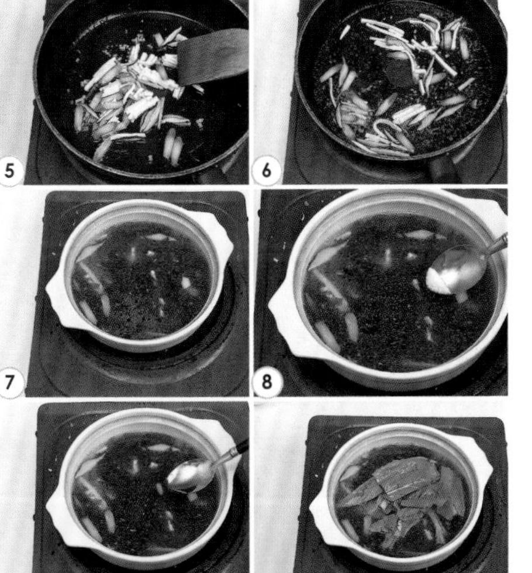

紫菜蛋花汤

口味 咸鲜味
操作时间 15分钟
难度 ★★

失败巧招

紫菜是海产食品，容易返潮变质，应将其装入黑色食品袋置于低温干燥处，或放入冰箱中，以保持其味道和营养。

原 料

紫菜20克，香菜15克，鸡蛋1个，葱花、盐、香油、味精、色拉油各适量。

做 法

1 将紫菜洗净撕碎，加水浸泡。
2 将香菜洗净切段。
3 将鸡蛋在碗中打成蛋液。
4 锅内注色拉油烧热，放入葱花爆香。
5 倒入适量清水烧开。
6 加入盐。
7 均匀淋入鸡蛋液搅散。
8 当蛋花浮起后，放入泡好的紫菜碎煮熟，放入香菜段。
9 淋入香油。
10 加味精调味即可。

特别提示

此汤简单易做，紫菜放入锅中略煮即熟。

菠菜豆花汤

口味 蒜香味
操作时间 20分钟
难度 ★★

0失败巧招

菠菜的品质以色泽浓绿、根为红色、不着水、茎叶不老、不带黄烂叶者为佳。

1

2

3

4

5

6

7

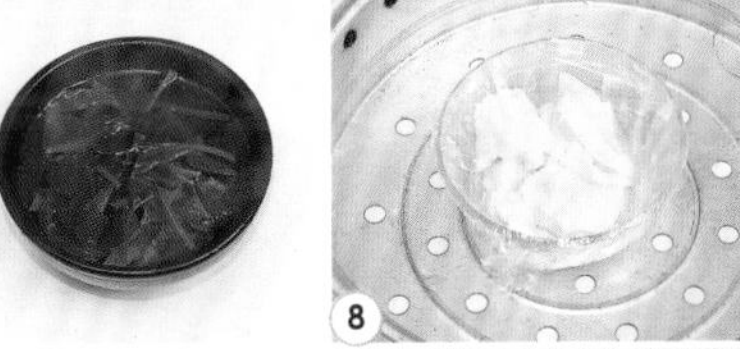
8

9

10

原 料

菠菜150克，豆花100克，大蒜、盐、味精、鸡汤各适量。

做 法

1 将菠菜择洗干净，切段。
2 将大蒜去皮，洗净，切成片。
3 将大蒜片捣成蒜泥。
4 锅内添入鸡汤烧开。
5 放入菠菜段。
6 撒入盐、味精调味。
7 待汤再次开后，撇去浮沫，倒入汤碗内。
8 将豆花放入小碗中，盖上盖，上屉用旺火蒸半分钟取出。
9 将豆花分次舀入盛有菠菜的汤碗中。
10 撒上蒜泥拌匀即可。

特别提示

豆花用旺火蒸后，可以去除部分豆腥味，更卫生。

菠菜甜椒汤

口味 鲜香味
操作时间 15分钟
难度 ★★

菠菜含有草酸，圆叶品种含量尤多，食后影响人体对钙的吸收，因此，食用时宜先焯烫，以减少草酸含量。

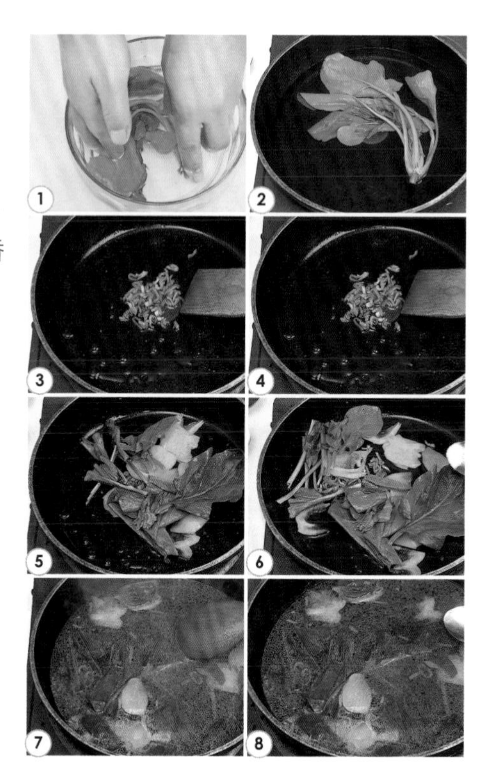

原 料

菠菜250克，甜椒150克，葱花、盐、高汤、香油、花生油各适量。

做 法

1 将菠菜洗净。
2 将菠菜放入开水锅中焯熟，捞出沥干。
3 将甜椒洗净，切成片。
4 炒锅注花生油烧热，下入葱花爆香。
5 放入甜椒片、菠菜。
6 加盐略炒。
7 加入适量高汤煮开。
8 淋香油出锅即可。

甜椒维生素含量丰富，可以生吃。

菠菜汤

口味 咸味
操作时间 30分钟
难度 ★

为了防止菠菜干燥，应该用湿纸包好装入塑料袋或用保鲜膜包好放在冰箱里，一般在2天之内可以保证菠菜的新鲜。

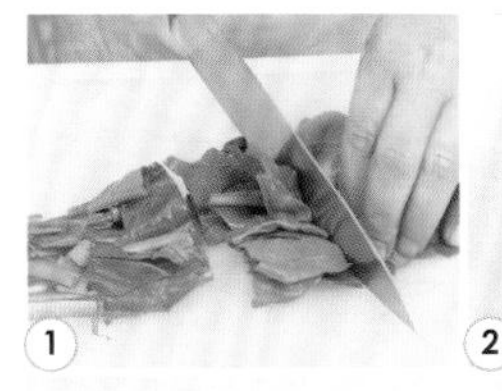
1

2

3

4

5

6

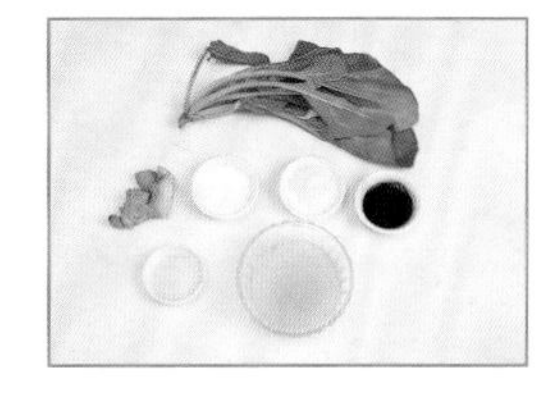

原料

菠菜250克，姜、盐、味精、酱油、高汤、花生油各适量。

做法

1 将菠菜洗净，切成长段，姜切成末。
2 将菠菜段放入沸水锅中略焯。
3 将菠菜段捞出后用凉水冲凉控干。
4 炒锅注入花生油烧热，下入姜末爆香。
5 淋入酱油，添入高汤，撒盐和味精。
6 放入菠菜段，待汤开后即可。

此汤不仅清淡可口，而且具有补铁、促血、补脑的功效。

海米菠菜粉丝汤

口味 鲜辣味
操作时间 15分钟
难度 ★

应使原料与冷水共同受热，既不直接用沸水煨汤，也不中途加冷水，以使原料中的营养物质缓慢地溢出，最终达到味浓汁厚的效果。

原 料

菠菜200克，粉丝25克，海米15克，盐、胡椒粉各适量。

做 法

1 将菠菜洗净。
2 将菠菜切成长段。
3 将粉丝用温水泡软。
4 将海米用水洗净，加温水浸泡。
5 锅中注入适量清水。
6 把粉丝、海米放入锅中。
7 加入菠菜段一同煮沸。
8 撒入盐。
9 加胡椒粉，盛出即可。

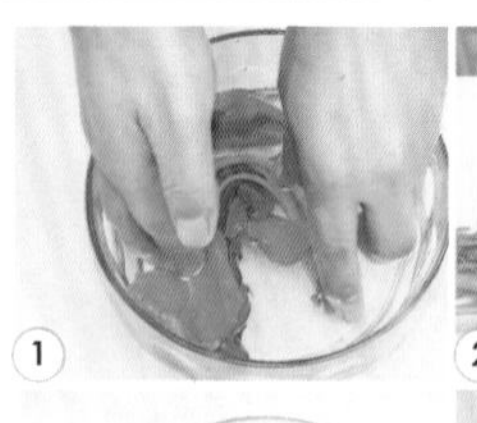

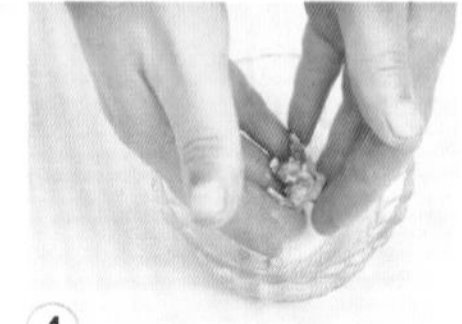

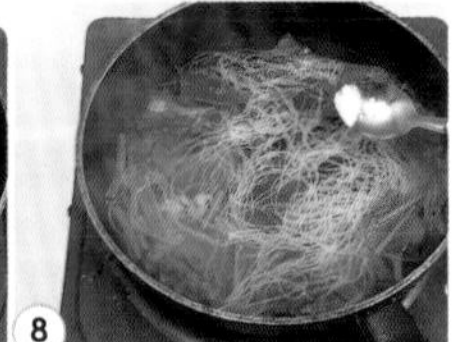

菠菜外部如有变色现象，要予以剔除。

榨菜豆腐汤

口味 咸鲜味
操作时间 10分钟
难度 ★

O失败巧招

没有包装的豆腐很容易腐坏，买回家后，应立刻用水浸泡，并放入冰箱冷藏。

1

2

3

4

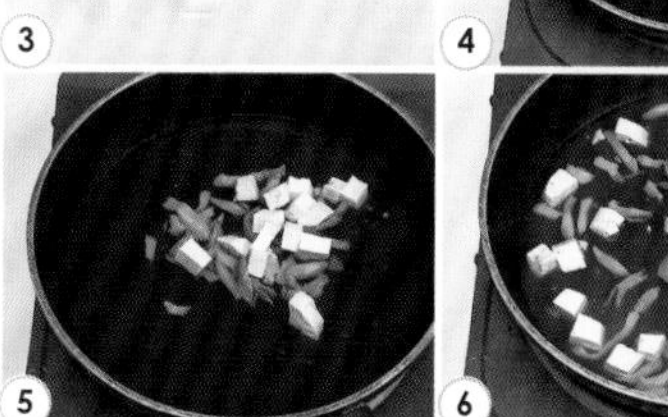
5

6

7

8

原 料

豆腐150克，榨菜50克，葱、盐、高汤、酱油各适量。

做 法

1 将榨菜洗净。
2 将葱洗净切成葱花。
3 将豆腐冲洗净，切小丁。
4 将适量高汤添入锅中。
5 放入榨菜、豆腐丁煮开。
6 撒入适量盐调味。
7 淋入酱油。
8 出锅盛碗，撒上准备好的葱花即可。

豆腐滑嫩味美，对病后调养、减肥、细腻肌肤均很有好处。

榨菜丝蛋花汤

口味 鲜香味
操作时间 15分钟
难度 ★

O失败巧招

榨菜的主要成分是蛋白质、胡萝卜素、膳食纤维、矿物质等，它有“天然味精”之称，富含产生鲜味的化学成分，经腌制发酵后，其味更浓；榨菜应用塑料袋或瓶装，封口冷藏。

原料

青豆40克，榨菜丝20克，鸡蛋2个，盐、味精、肉汤、熟猪油各适量。

做法

1 将青豆洗净，放入水中稍浸泡。
2 将鸡蛋打散成鸡蛋液。
3 锅里添入适量肉汤，置旺火上。
4 加入青豆、榨菜丝。
5 撒盐和味精烧沸。
6 淋入鸡蛋液烧熟。
7 将煮好的汤盛装大汤碗里。
8 淋入熟猪油即可。

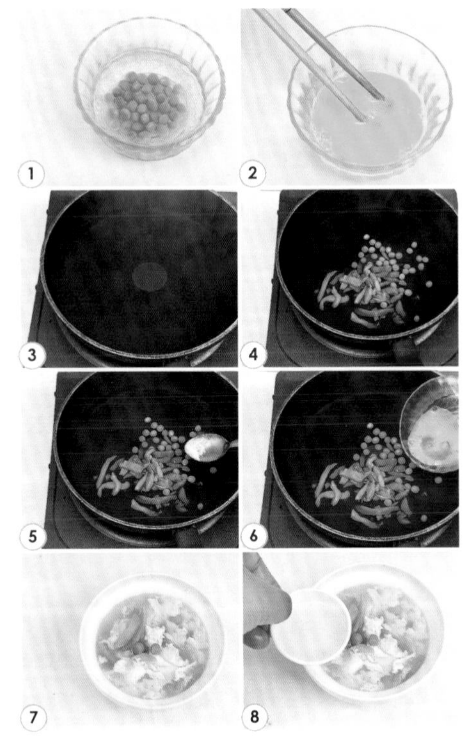

菜花

蔬菜浓汤

口味 奶香味
操作时间 20分钟
难度 ★★★

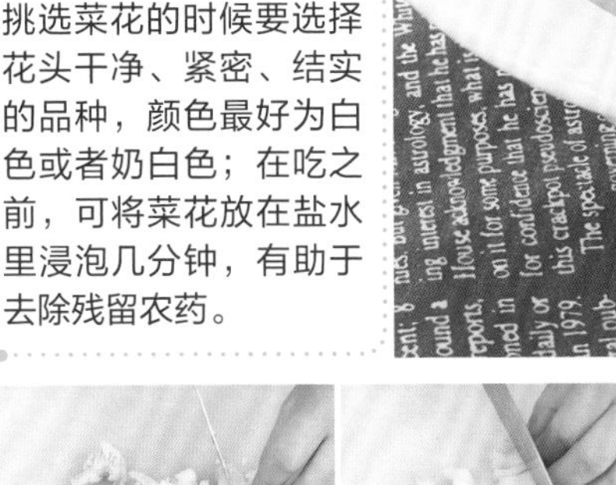

O失败巧招

挑选菜花的时候要选择花头干净、紧密、结实的品种，颜色最好为白色或者奶白色；在吃之前，可将菜花放在盐水里浸泡几分钟，有助于去除残留农药。

原 料

菜花、洋葱、胡萝卜各50克，牛奶50毫升，青豆、玉米粉、咖喱粉、色拉油各适量。

做 法

1 将菜花切成小朵洗净。
2 将洋葱切成正方形小块。
3 将胡萝卜洗净切丁。
4 牛奶中加入玉米粉拌匀。
5 炒锅注入色拉油烧热，放入胡萝卜丁和洋葱块炒香。
6 加入咖喱粉。
7 添入放有玉米粉的牛奶。
8 加入菜花。
9 煮熟后加入青豆，再次煮熟即可。

特别提示

汤料丰富，浓淡适中，香浓营养。

粟米菜花汤

口味 鲜香味
操作时间 20分钟
难度 ★★

0失败巧招

菜花经过开水焯烫后，捞出要用凉水过凉，可以保持菜花的脆嫩口感，使汤的味道更佳。

原 料

菜花400克，玉米粒100克，盐、鸡精、水淀粉、香油、色拉油各适量。

做 法

1 将菜花切成小朵洗净。
2 将菜花放入沸水锅焯熟。
3 将菜花捞出用凉水过凉，沥干水分待用。
4 炒锅注色拉油烧至六成热，放入菜花煸炒。
5 倒入玉米粒和适量清水。
6 加入盐和鸡精烧沸。
7 烧开后用水淀粉勾芡。
8 淋上香油，出锅即可。

菜花制作凉菜时不用加酱油，如果偏好酱油的口味，可以加少量生抽。

白萝卜

虾皮白萝卜汤

口味 鲜香味
操作时间 15分钟
难度 ★

0失败巧招

新鲜白萝卜掂起来比较重，捏起来表面比较硬实；反之，则表明白萝卜不新鲜。白萝卜应切成尽可能薄的片。

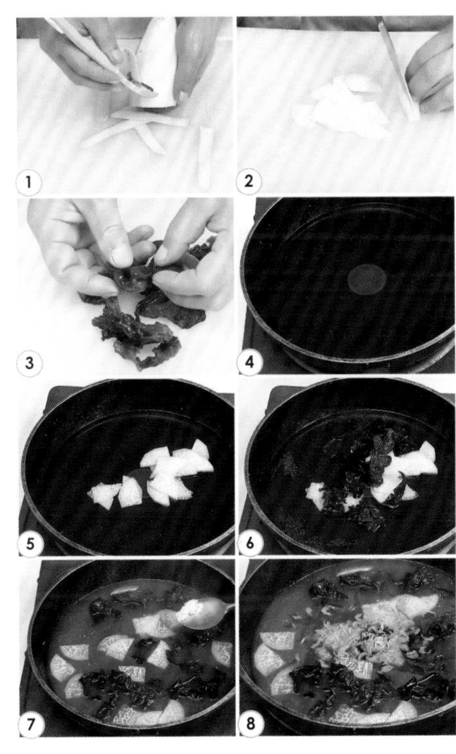

原 料

白萝卜250克，水发木耳50克，虾皮25克，盐、白糖各适量。

做 法

1 将白萝卜洗净去皮。
2 将白萝卜均匀切成薄片。
3 将水发木耳去蒂洗净，撕成小朵。
4 锅置火上，倒入适量清水煮开。
5 倒入白萝卜片。
6 加入水发木耳，煮至白萝卜片软烂。
7 加盐、白糖调味。
8 放入虾皮煮开即可。

特别提示

萝卜中的淀粉酶能分解食物中的淀粉、脂肪，使之得到充分吸收。

白萝卜粉丝汤

口味 香辣味
操作时间 15分钟
难度 ★

优质粉丝色泽洁白，有光泽；较差粉丝色泽稍暗或微泛淡褐色，微有光泽；劣质粉丝色泽灰暗，无光泽。

原 料

白萝卜200克，粉丝、盐、味精、胡椒粉、猪油各适量。

做 法

1 将白萝卜洗净去皮。
2 将白萝卜均匀切成丝。
3 将粉丝放入温水中泡软。
4 捞出粉丝切成段。
5 锅中加适量清水煮开。
6 放入白萝卜丝煮开。
7 加入粉丝段。
8 淋入猪油烧开。
9 加入盐、味精调味。
10 撒入胡椒粉煮开，出锅即可。

此汤清香淡雅，鲜咸微辣。猪油与粉丝搭配时，可获得其他调料难以达到的美味。

海米白萝卜汤

口味 咸鲜味
操作时间 15分钟
难度 ★★

0失败巧招

用手指弹碰萝卜腰部，如果声音沉重，说明不糠心，如声音混浊则多为糠心萝卜。

原 料

白萝卜100克，海米、大葱、盐、料酒、清汤、花生油各适量。

做 法

1 将白萝卜洗净去皮。
2 将白萝卜均匀切成细丝。
3 将海米用清水洗净，大葱切末。
4 炒锅注入花生油烧热。
5 加入海米、白萝卜丝略炒。
6 下入大葱末，随即烹入料酒。
7 添入清汤烧开。
8 撒盐调味。
9 撇去浮沫，出锅即可。

特别提示

要先将海米的香味炒出来，再下入萝卜丝炒软。

法式胡萝卜汤

口味 酸辣味
操作时间 30分钟
难度 ★★★

优质胡萝卜集中表现为“三红一细”，“三红”指表皮、肉质(韧皮部)和芯柱均呈橘红色；“一细”指芯柱要细。

原 料

芹菜、胡萝卜、土豆各200克，葱、柠檬汁、盐、胡椒粉、鸡精、紫苏叶、酸奶油各适量。

做 法

1 将胡萝卜去皮洗净，切成丁。
2 将土豆去皮，切成丁。
3 将芹菜和葱洗净，切成1寸长的段。
4 锅中添入适量清水，撒鸡精。
5 把切好的蔬菜都放进去，煮软为止。
6 把煮软的蔬菜和汤一起倒进搅拌器里搅碎。
7 将搅好的汤再倒回到锅中，煮开即可。
8 撒入盐和胡椒粉。
9 加柠檬汁。
10 出锅盛碗，撒上切碎的紫苏叶末，加酸奶油即可。

柠檬汁主要起调味的作用，所以挤入少许即可。

山药莲子汤

口味 甜味
操作时间 40分钟
难度 ★★

山药皮中含有皂角素或黏液里含的植物碱，少数人接触会引起过敏而发痒，处理山药时戴上手套就能有效避免。

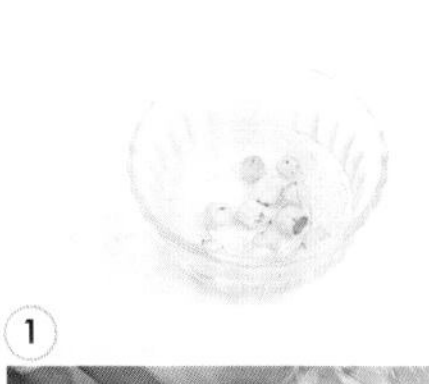

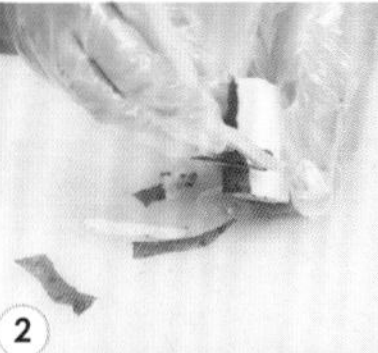

原 料

山药、莲子各150克，白糖、糖桂花各适量。

做 法

1 将莲子用沸水泡软。
2 将山药削去皮。
3 将山药切成滚刀块。
4 锅中放入莲子、山药块。
5 添入适量清水，大火煮沸。
6 转小火焖至莲子酥烂。
7 加入白糖、糖桂花。
8 起锅盛碗即可。

新鲜的山药一般表皮比较光滑，颜色自然。

莲子安神汤

口味 甜味
操作时间 300分钟
难度 ★★

将莲子先洗一下，然后放入开水锅中，加入适量老碱，搅拌均匀后稍焖片刻，用力揉搓，即可很快去除莲子皮。

原 料

红豆、莲子各50克，干百合、陈皮、冰糖各适量。

做 法

1 将红豆、莲子分别洗净，用清水浸泡2个小时。
2 将干百合洗净，用清水浸泡2个小时。
3 将陈皮洗净，用清水浸泡2个小时。
4 锅中添入适量清水。
5 放入上述材料用大火煮开。
6 改小火煮2小时，再用大火煮30分钟。
7 待红豆起沙，加入冰糖，继续煮10分钟。
8 出锅盛盘即可。

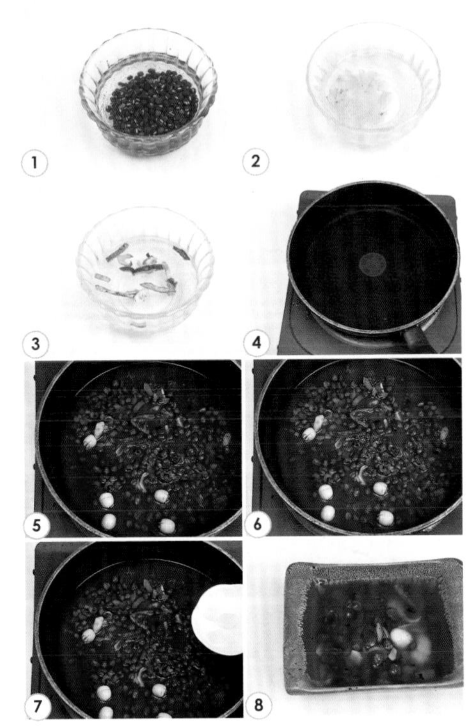

此汤补脾益肾，养心安神，补血，利尿，消肿。

莲蓉奶羹

口味 奶香味
操作时间 60分钟
难度 ★★★

在盛有水的碗内滴几滴牛奶，若牛奶凝结、沉入碗底的便是优质品；浮散的质量欠佳。若是瓶装牛奶，只要在牛奶上部观察到稀薄现象或瓶底有沉淀的，都不是新鲜奶。

原料

莲子300克，牛奶250克，江米25克，碱、白糖各适量。

做法

1 将江米淘洗净，用清水浸泡。
2 将莲子放入碗内。
3 适量开水加碱溶化，取1/3碱水，倒入放莲子的碗内，不断搅动。
4 照此方法洗3次，脱净莲衣。
5 将莲子用清水洗净。
6 锅内添适量清水，加白糖煮滚，放入莲子煮烂。
7 将莲子、江米、牛奶一起磨成莲蓉。
8 将莲蓉缓缓倒入锅中，煮匀出锅即可。

百合草莓白藕汤

口味 清香味
操作时间 140分钟
难度 ★

在选购百合时，以肉质肥厚、叶瓣均匀为好。可以将其放在米缸中储存，能够延长存放的时间。

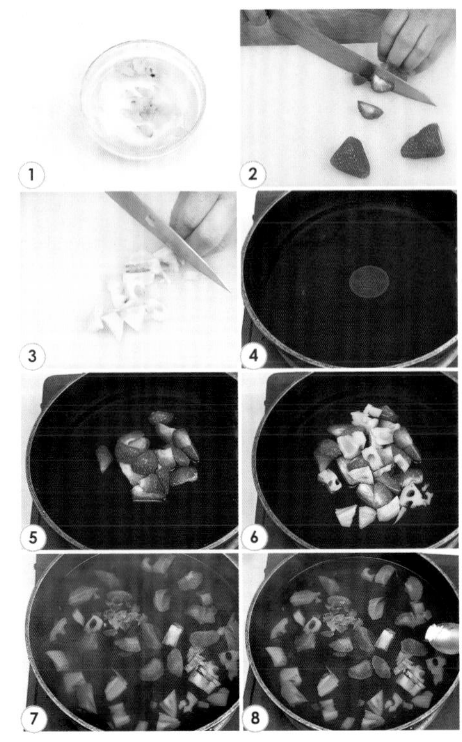

原料

莲藕250克，百合200克，草莓100克，盐适量。

做法

1 将百合洗净，用清水浸泡。
2 将草莓洗净，切成小块。
3 将莲藕去皮洗净，切成块。
4 锅中添入适量清水。
5 放入草莓块。
6 放入莲藕块，煲约2个小时。
7 加入百合，继续煮约10分钟。
8 撒入盐调味即可。

鲜百合具有养心安神、润肺止咳的功效。

鲜藕小麦红枣汤

口味 咸鲜味
操作时间 30分钟
难度 ★

0失败巧招

藕的品质要求以藕身肥大、肉质脆嫩、水分多而甜、带有清香的为佳。同时，藕身应无伤、不烂、不变色、无锈斑、不干缩、不断节；藕身外附有一层薄泥保护。

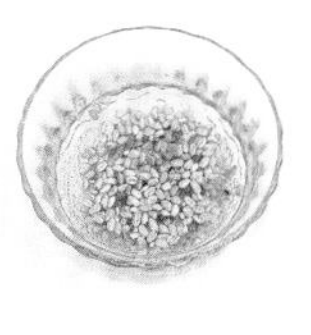
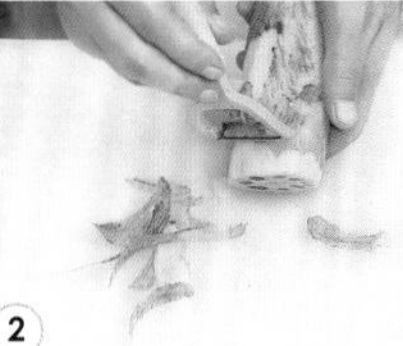
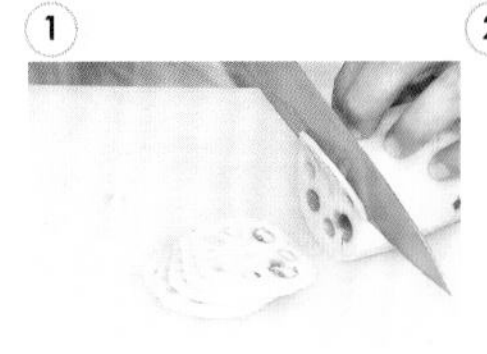

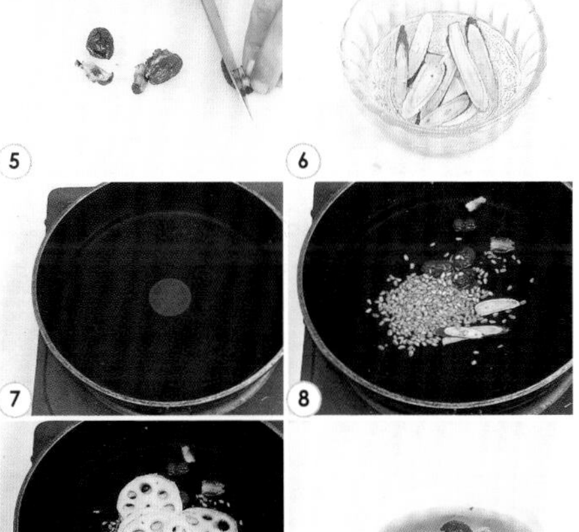

原料

莲藕250克，小麦75克，红枣25克，甘草、盐各适量。

做法

1 将小麦洗净，放入水中浸泡。
2 将莲藕洗净、去皮。
3 将洗净的莲藕切成片。
4 将红枣洗净，泡软。
5 捞出红枣，去核备用。
6 将甘草洗净备用。
7 锅中添入适量清水煮开。
8 将小麦、去核红枣、甘草放入锅中。
9 加入莲藕片以小火煮软。
10 撒入盐调味即可。

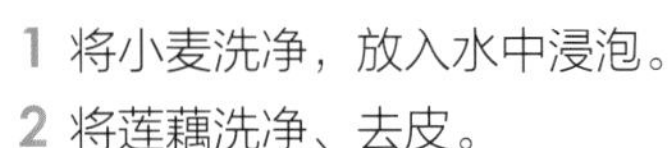

冬笋香菇汤

口味 鲜香味
操作时间 20分钟
难度 ★★

0失败巧招

冬笋颜色洁白，肉质细嫩。质量好的冬笋呈枣核形，即两头小中间大，驼背鳞片，略带茸毛，皮黄白色，肉淡白色。

原料

香菇、冬笋各100克，胡萝卜75克，鸡蛋1个，香菜末、盐、味精、清汤、花生油各适量。

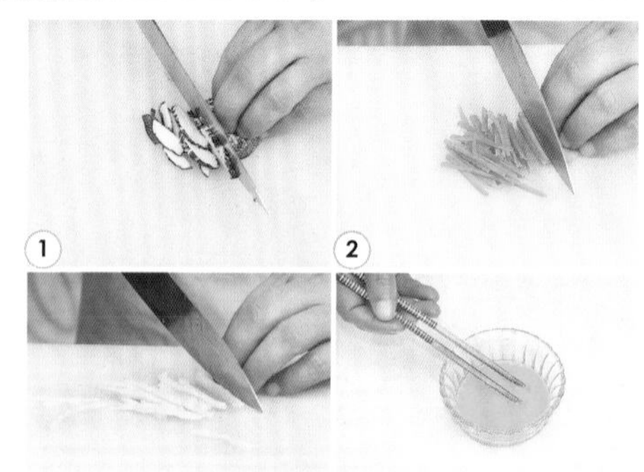

做法

1 将香菇用温水泡好，去蒂切丝。
2 将胡萝卜去皮切丝。
3 将冬笋洗净切丝。
4 将鸡蛋打匀成鸡蛋液。
5 锅内注入花生油烧热，倒入鸡蛋液。
6 用慢火煎成蛋饼，再把蛋饼分成块。
7 添入适量清汤，烧开后煮成奶白色。
8 放入香菇丝、胡萝卜丝、冬笋丝。
9 加入盐、味精调味。
10 烧开后撒上香菜末即可。

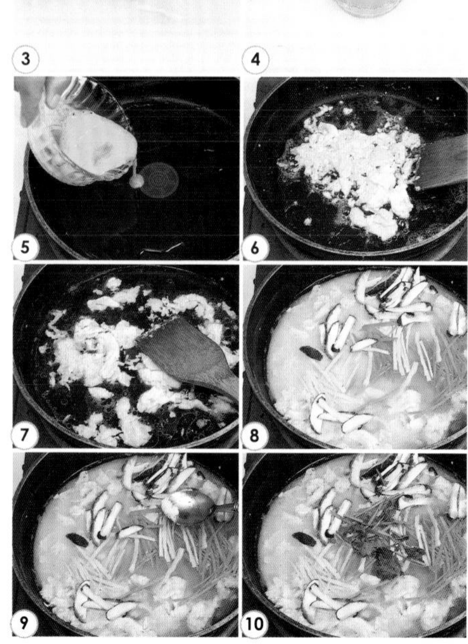

特别提示

香菜末一定要在快出锅时放入。

香菇豆腐汤

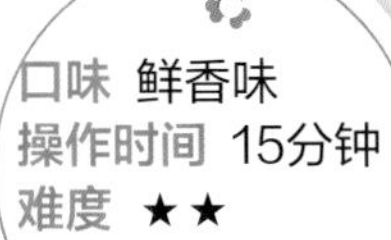

口味 鲜香味
操作时间 15分钟
难度 ★★

失败巧招

外形特别大的鲜香菇不要吃，因为它们多是用激素催肥的，大量食用可对机体造成不良影响。

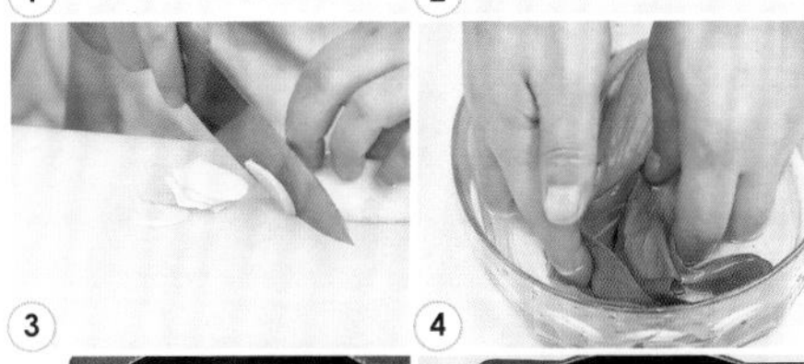

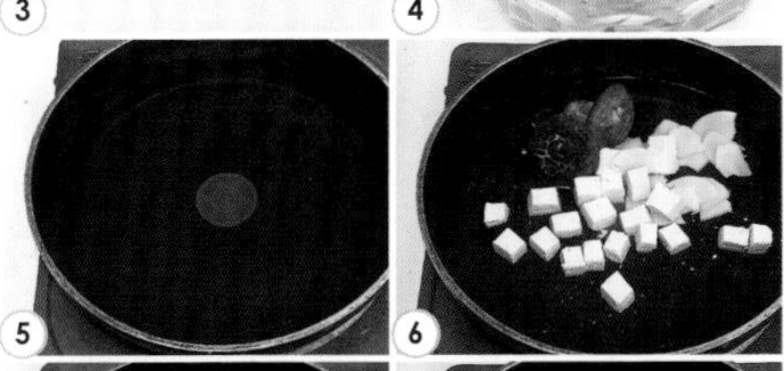

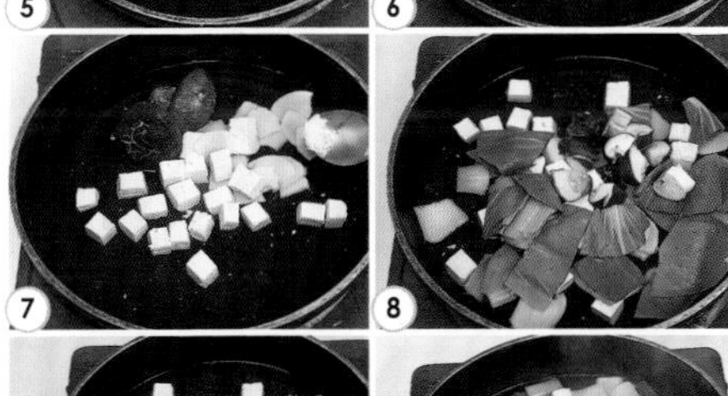

原料

豆腐200克，香菇100克，冬笋50克，油菜25克，盐、味精、胡椒粉、熟鸡油、清汤各适量。

做法

1 将香菇泡发洗净，捞出沥干。
2 将豆腐切小块，入开水锅中略焯，捞出沥干。
3 将冬笋切成薄片。
4 将油菜洗净、切段。
5 汤锅添入清汤烧沸。
6 放入冬笋片、香菇、豆腐块。
7 加盐、味精烧沸。
8 放入油菜段略烧。
9 撒入胡椒粉。
10 淋入熟鸡油即可。

特别提示

此菜汤鲜味香、营养丰富，具有排毒、清肠的功效。

丝瓜香菇汤

口味 鲜香味
操作时间 15分钟
难度 ★

香菇以菇香浓、菇肉厚实、菇面平滑、大小均匀、色泽黄褐或黑褐、菇面稍带白霜、菇褶紧实细白、菇柄短而粗壮、干燥、不霉、不碎的为优良品质。

原 料

丝瓜150克，香菇30克，香菜、盐、胡椒粉、鸡精各适量。

做 法

1 将香菇用温水泡发。
2 将香菇捞出切小片，用水洗净。
3 将丝瓜洗净去皮，切成片。
4 将香菜洗净，切成段备用。
5 锅内添入适量清水，旺火煮沸。
6 倒入香菇片、丝瓜片。
7 加盐、胡椒粉、鸡精再次烧开。
8 盛入汤碗中，撒上香菜段即可。

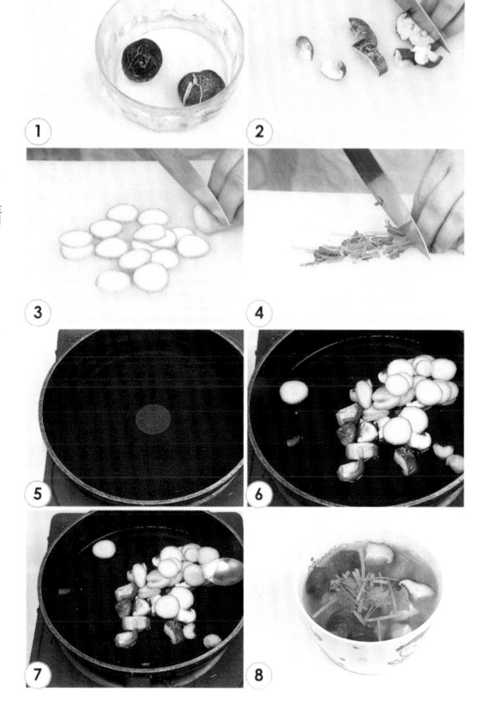

黄豆芽蘑菇汤

口味 咸味
操作时间 30分钟
难度 ★

0失败巧招

在选购豆芽时，要先抓一把闻闻有没有氨味，再看看有没有须根，如果发现有氨味和无须根的，就不要购买。

原料

黄豆芽、蘑菇各100克，盐、味精、香油各适量。

做法

1 将黄豆芽去根洗净。
2 将蘑菇去蒂，洗净。
3 将洗净的蘑菇切成片。
4 锅内添入适量清水。
5 放入洗净的黄豆芽煮20分钟。
6 将蘑菇片放入锅内，和黄豆芽一起煮5分钟。
7 加盐、味精调味。
8 淋入香油，出锅即可。

特别提示

加热豆芽时煮至八成熟即可，以保持豆芽爽脆鲜嫩。

蘑菇豆苗汤

口味 咸鲜味
操作时间 10分钟
难度 ★

0失败巧招

口蘑是直接食用的名贵真菌，它伞盖肥厚、清香适口、独具风味，被人们誉为“素中之肉”，其中以白蘑的色、香、味最佳；新鲜的白蘑，菌盖洁白、褶细、盖大、肉厚、柄短、气味极清香。

原 料

口蘑100克，豆苗、金针菇各50克，姜、盐、鸡汤、香油各适量。

做 法

1 将口蘑洗净。
2 将口蘑去蒂、破开。
3 将豆苗、金针菇分别洗净。
4 将金针菇去蒂，切成段。
5 将姜洗净切片。
6 锅中添入适量鸡汤，加姜片煮开。
7 加入口蘑，添适量清水烧开。
8 加入金针菇段、豆苗，待水再次烧开。
9 撒入盐调味。
10 淋入香油，出锅即可。

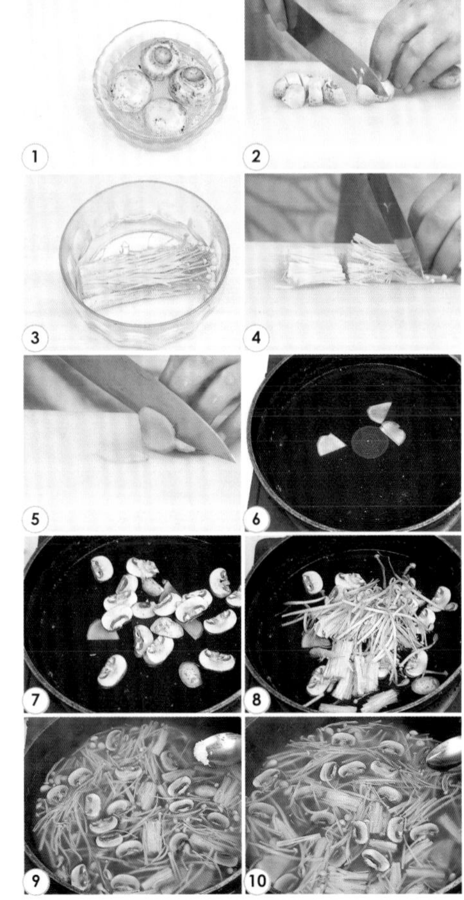

口蘑豆腐汤

口味 咸鲜味
操作时间 15分钟
难度 ★★

失败巧招

市场上有泡在液体中的袋装口蘑，食用前一定要多漂洗几遍，以去掉某些化学物质。

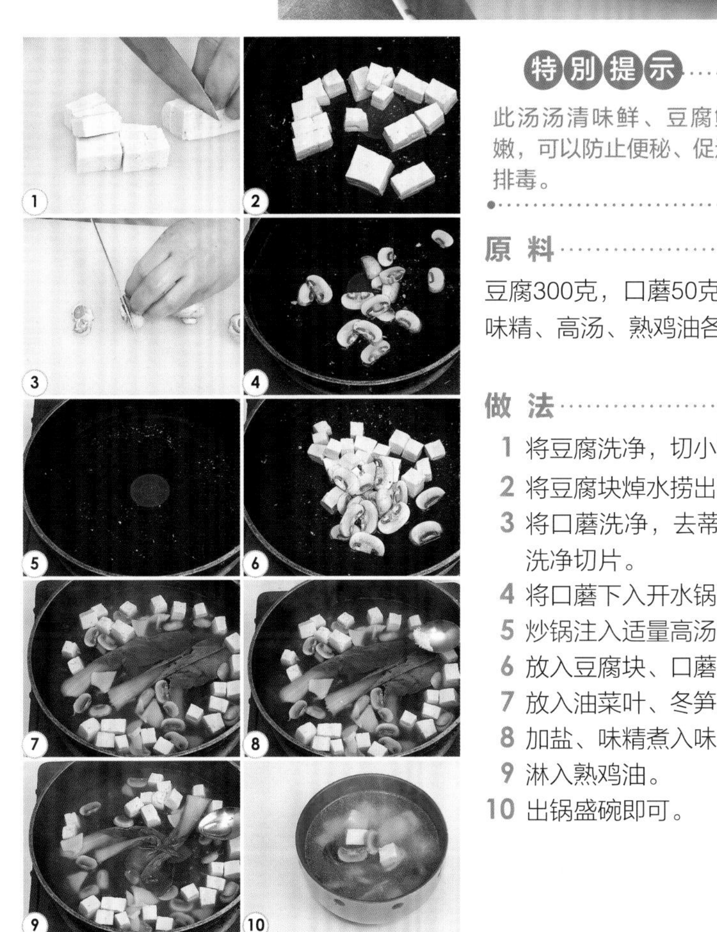

此汤汤清味鲜、豆腐鲜嫩，可以防止便秘、促进排毒。

原 料

豆腐300克，口蘑50克，冬笋、油菜各25克，盐、味精、高汤、熟鸡油各适量。

做 法

1. 将豆腐洗净，切小块。
2. 将豆腐块焯水捞出过凉，控干。
3. 将口蘑洗净，去蒂切片；油菜洗净取叶；冬笋洗净切片。
4. 将口蘑下入开水锅烫后捞出。
5. 炒锅注入适量高汤烧热。
6. 放入豆腐块、口蘑片烧沸，撇去浮沫。
7. 放入油菜叶、冬笋片。
8. 加盐、味精煮入味。
9. 淋入熟鸡油。
10. 出锅盛碗即可。

木耳蛋花汤

口味 咸鲜味
操作时间 15分钟
难度 ★★

优质木耳表面黑而光润，有一面呈灰色，手摸上去感觉干燥、无颗粒感，嘴尝无异味；劣质木耳看上去较厚，分量也较重，手摸时有潮湿或颗粒感，嘴尝有甜或咸味(一般用糖或盐水浸泡过)。

原料

油菜100克，水发木耳50克，鸡蛋4个，盐、味精、浓汤、熟猪油各适量。

做法

1 将鸡蛋打散在碗内，用力调匀。
2 将水发木耳洗净。
3 将油菜洗净。
4 汤锅置火上，放入熟猪油烧热。
5 将鸡蛋液入锅，煎至两面微黄。
6 当蛋质松软时，用勺将鸡蛋块捣散。
7 添入浓汤。
8 放入水发木耳、油菜。
9 加盐、味精煮开。
10 入味后淋上熟猪油，出锅即可。

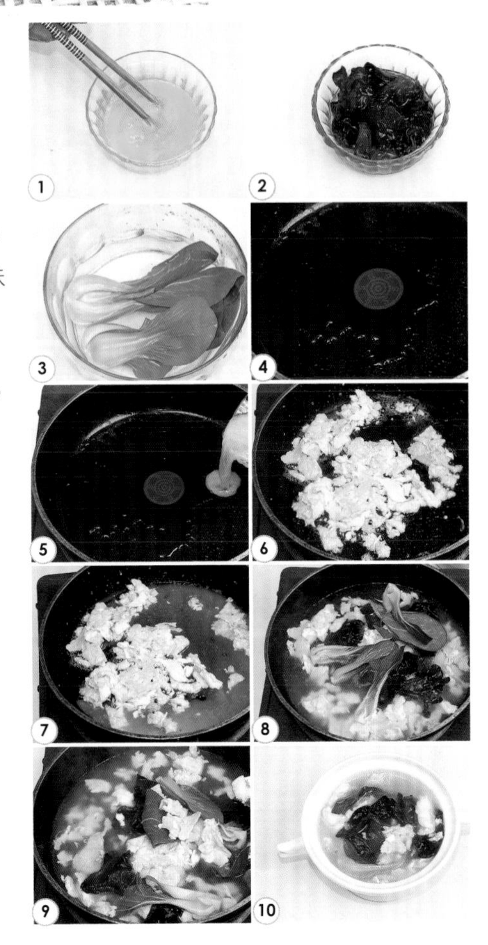

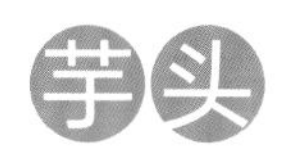

桂花芋头汤

口味 甜味
操作时间 75分钟
难度 ★★

0失败巧招

芋头既可作为主食蒸熟蘸糖食用，又可用来制作菜肴、点心，是人们喜爱的根茎类食品。
芋头的黏液能刺激皮肤发痒，因此生剥芋头时要小心，可以倒点醋在手中，搓一搓再削皮。

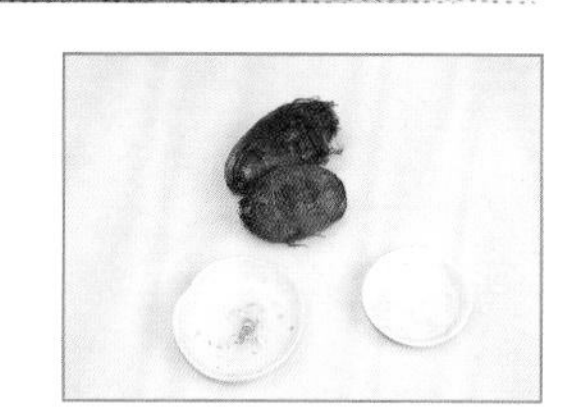

原 料

芋头500克，白糖、糖桂花各适量。

做 法

1 将芋头洗净。
2 锅中添适量清水，将芋头煮沸5分钟左右，捞出。
3 待芋头稍凉，去皮，切成小块。
4 锅中添入适量清水。
5 放入芋头块，旺火煮开。
6 改用小火焖煮1小时以上，至芋头块变软。
7 加白糖调匀，随煮随搅（防止煳底烧焦）。
8 煮开后，停火，加糖桂花搅拌，出锅即可。

芋头烹调时一定要烹熟，否则其中的黏液会刺激咽喉。

蔬菜大酱汤

口味 酱香味
操作时间 25分钟
难度 ★★★

煨汤的要诀是旺火烧沸，小火慢煨。这样才能使原料内的蛋白质浸出物等鲜香物质尽可能地溶解出来，以达到鲜醇味美的目的。只有小火才能使浸出物溶解得更多，使汤味浓醇。

原料

土豆300克，黄豆芽、青椒、红椒各50克，大酱150克，辣椒酱、蜂蜜、香油各适量。

做法

1 将土豆去皮洗净，切成丁。
2 将黄豆芽洗净。
3 将青椒、红椒分别去子、蒂，洗净切片。
4 大酱加入水、辣椒酱、蜂蜜拌匀。
5 炒锅注入香油烧热。
6 放入土豆丁、黄豆芽炒香。
7 放入拌好的大酱烧煮。
8 煮至汤汁浓时，放入青椒片、红椒片即可。

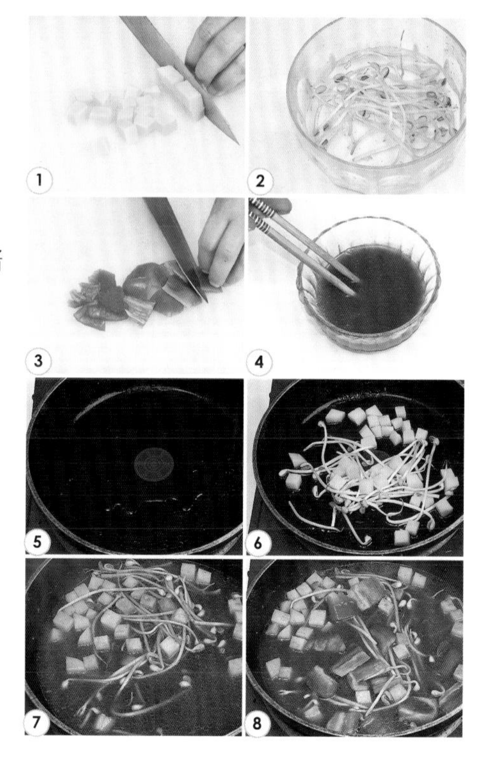

山药排骨汤

口味 鲜香味
操作时间 50分钟
难度 ★★★

0失败巧招

山药去皮时如果怕痒，可戴塑料手套。山药用刀切后或焯烫后，都不宜放置过久，否则易变色，影响质量。

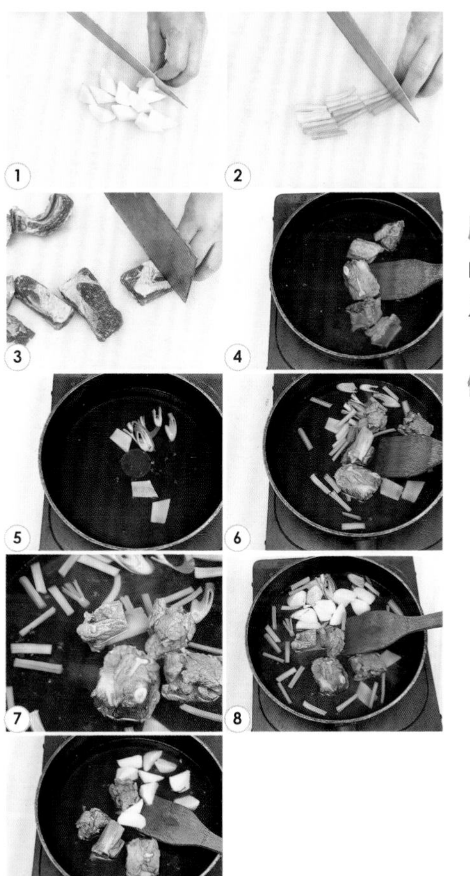

特别提示

中医认为山药具有健脾、补肺、固肾、益精等多种功效。

原料

山药300克，排骨200克，芹菜50克，葱片、姜片、花椒、盐、味精、胡椒粉、料酒各适量。

做法

1 将山药去皮，洗净，切块。
2 将芹菜择洗干净，切段。
3 将排骨切段。
4 锅中注入适量清水烧开，放入排骨段，焯烫，捞出沥干。
5 锅中放入清水、葱片、姜片、花椒。
6 放入排骨段、料酒、芹菜段，大火煮开。
7 改小火炖煮至排骨段五成熟。
8 放入山药块，再炖至排骨段酥烂，拣去葱片、姜片、芹菜段。
9 撒入盐、味精调味，加胡椒粉搅匀，出锅即可。

猪蹄煮丝瓜豆腐

口味 咸鲜味
操作时间 75分钟
难度 ★★

O失败巧招

烹制丝瓜时应注意尽量保持清淡，油要少用，可用稀芡，用味精或胡椒粉提味，这样才能保持丝瓜香嫩爽口的特点。

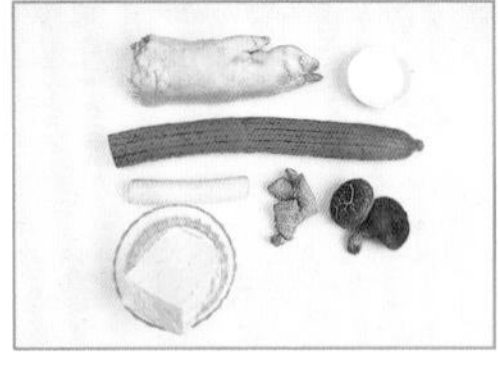

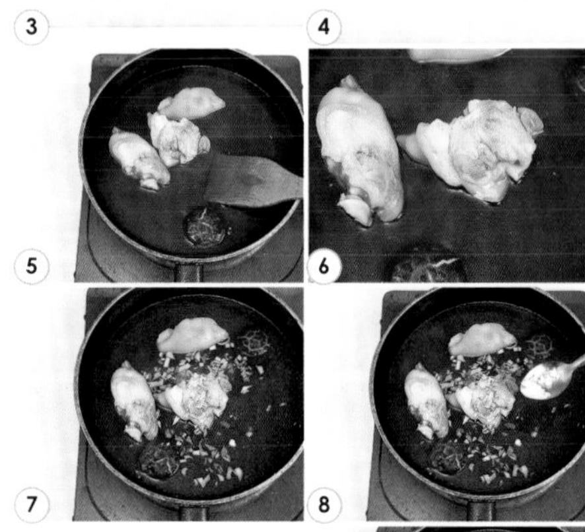

原 料

净猪蹄300克，丝瓜150克，豆腐100克，香菇50克，葱、姜、盐各适量。

做 法

1 将净猪蹄洗净，剁块。
2 将猪蹄块放入沸水锅中，焯烫，捞出沥干。
3 将丝瓜洗净，去皮，切块。
4 将豆腐切块，葱切末，姜切片，香菇洗净。
5 锅添适量清水，放入猪蹄块、香菇大火烧沸。
6 转小火煮至猪蹄块熟烂。
7 加入切好的葱末、姜片。
8 加盐调味。
9 加丝瓜块、豆腐块煮熟即可。

冬瓜瘦肉汤

口味 咸鲜味
操作时间 80分钟
难度 ★★

0失败巧招

选购时以黑皮冬瓜为佳，这种冬瓜果形如炮弹（长棒形），瓜条匀称，无热斑（日光的伤斑）。

原 料

冬瓜300克，猪瘦肉100克，老姜片、香菜、盐各适量。

做 法

1 将冬瓜洗净去皮、瓤，切块。
2 将香菜洗净，切段。
3 将猪瘦肉洗净切丁，放入沸水锅中焯一下。
4 锅中注水烧开，放入冬瓜块、瘦肉丁。
5 加入老姜片，小火煲约1小时。
6 加盐调味，出锅盛碗，撒上香菜段即可。

特别提示

此汤清香味鲜，能健脾胃、祛暑生津。

茭白猪蹄汤

口味 咸鲜味
操作时间 75分钟
难度 ★

茭白以嫩茎肥大、多肉、新鲜柔嫩、肉色洁白、带甜味者为最好，如发生茭白黑心，是品质粗老的表现，不宜食用。

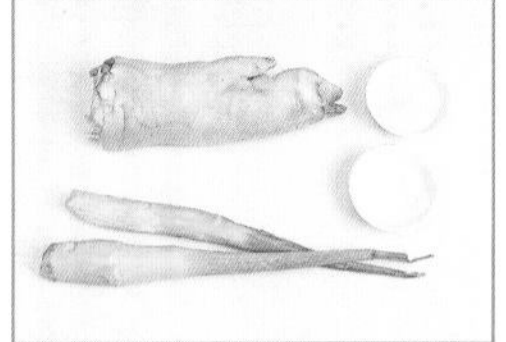

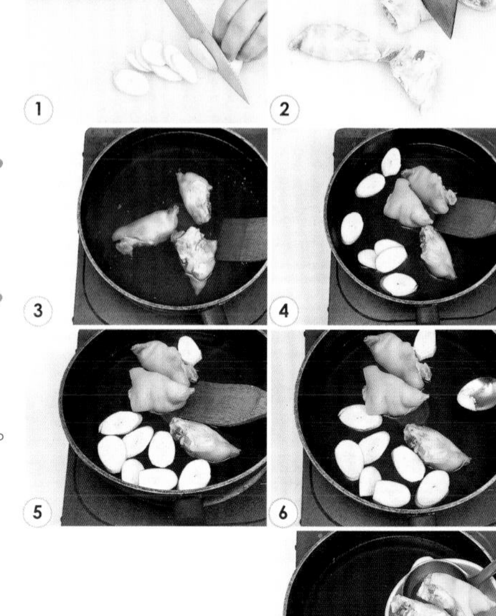

原 料

猪蹄500克，茭白100克，盐、味精各适量。

做 法

1 将茭白洗净，切片。
2 将猪蹄刮洗干净，剁块。
3 锅中注水烧开，放入猪蹄块焯烫至变色，捞出。
4 另起锅，注水，放入茭白片、猪蹄块。
5 大火煮开，转小火煮至猪蹄块烂熟。
6 撒入盐、味精调味，搅匀。
7 盛出即可。

茭白以春夏季的质量最佳，营养素比较丰富。

萝卜排骨汤

口味 咸鲜味
操作时间 150分钟
难度 ★★

失败巧招

白萝卜要选择通体都是白的；而根部发青、带有点辣味的，不算是真正的白萝卜。小火慢煮，可将排骨、白萝卜的营养成分溶解汤中。

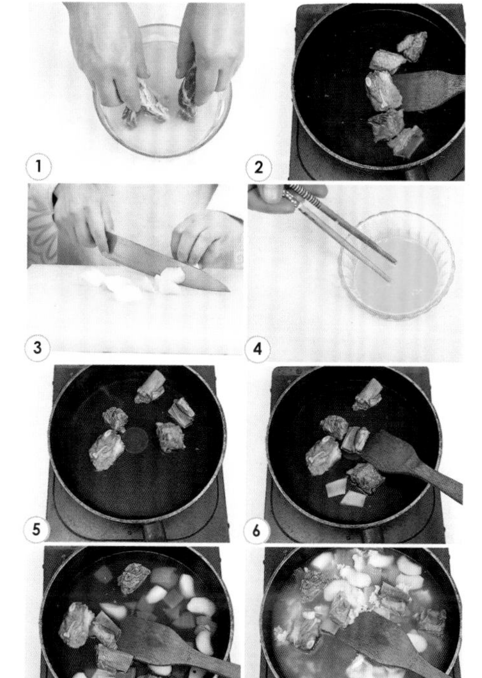

原 料

白萝卜300克，排骨250克，洋葱100克，鸡蛋1个，老姜、香菜、盐、料酒各适量。

做 法

1 将排骨洗净，切均匀的小段。
2 锅中注水烧开，放入排骨段焯烫，捞出沥干。
3 将白萝卜、洋葱洗净，切块。
4 将鸡蛋打成蛋液，老姜切片，香菜切段。
5 锅中放入排骨段、适量水，大火煮沸。
6 加老姜片、料酒，转小火煮30分钟。
7 放入白萝卜块、洋葱块，煮约90分钟。
8 转大火，加入鸡蛋液。
9 加盐调味，最后撒上香菜段即可。

特别提示

此汤鲜美不腻，可增强机体免疫力。

莲藕黄豆排骨汤

口味 鲜香味
操作时间 45分钟
难度 ★★

0失败巧招

表面发黄，断口的地方闻着有一股清香味道的莲藕较好；看起来很白，闻着有酸味的藕不能食用。

原 料

猪肋排200克，莲藕、黄豆各50克，香菜25克，葱、姜、盐、鸡精、胡椒粉各适量。

做 法

1 将猪肋排切段。
2 将猪肋排放入沸水中焯烫，捞出。
3 将莲藕去皮，洗净，切小块。
4 将黄豆洗净，加水泡发。
5 将香菜切末，葱切段，姜切大片。
6 锅内放猪肋排段、葱段、姜片及适量水。
7 用中火煮至熟软，拣去葱段、姜片。
8 放入莲藕块、黄豆，小火煨至熟烂。
9 加盐、鸡精、胡椒粉调味。
10 撒香菜末即可。

特别提示

此汤营养丰富，莲藕、黄豆和排骨可补钙。

蘑菇瘦肉汤

口味 咸鲜味
操作时间 20分钟
难度 ★★

失败巧招

优质的蘑菇外形整齐，完整无损，色泽自然，质地脆嫩而肥厚，清香纯正，无杂味。

原料

蘑菇200克，猪瘦肉150克，小白菜100克，姜、盐、淀粉、酱油、花生油各适量。

做法

1 将小白菜洗净，姜切末。
2 将蘑菇洗净，掰开。
3 将猪瘦肉洗净，切薄片，加盐、淀粉、酱油腌渍10分钟。
4 炒锅注花生油烧热，放入姜末爆锅。
5 加入掰开的蘑菇略炒。
6 添入适量水，煮开。
7 放入小白菜、猪瘦肉片煮熟。
8 撒盐调味，装盘即可。

特别提示

此汤具有改善人体新陈代谢、增强体质等作用。

肉丝豆芽汤

口味 鲜香味
操作时间 20分钟
难度 ★★

正常的绿豆芽略呈黄色，不太粗，水分适中，无异味；不正常的绿豆芽颜色发白，豆粒发蓝，芽茎粗壮，水分较多，有化肥的味道。

特别提示

汤鲜清香，有清肠作用。

原 料

绿豆芽150克，猪瘦肉100克，香菇30克，姜、盐、料酒、色拉油各适量。

做 法

1 将香菇洗净，捞出控干切块。
2 将绿豆芽洗净，沥干备用。
3 将姜切丝。
4 将猪瘦肉切丝，加盐、料酒腌10分钟。
5 炒锅注色拉油烧热，放入姜丝爆香。
6 加入适量水、香菇块煮滚。
7 放入猪瘦肉丝、绿豆芽煮熟，撒盐调味即可。

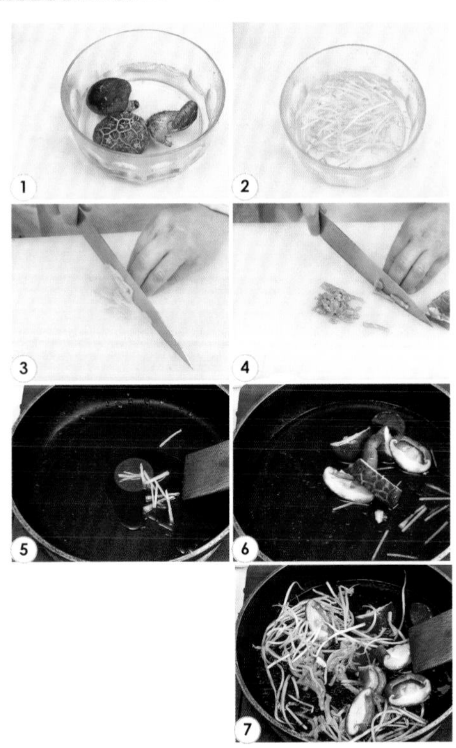

肉丸冬瓜汤

口味 鲜香味
操作时间 20分钟
难度 ★★★

0失败巧招

冬瓜、肉质松散，煮熟后变成“一包水”的口感差，不宜购买。肉丸较嫩，久煮会影响口感。

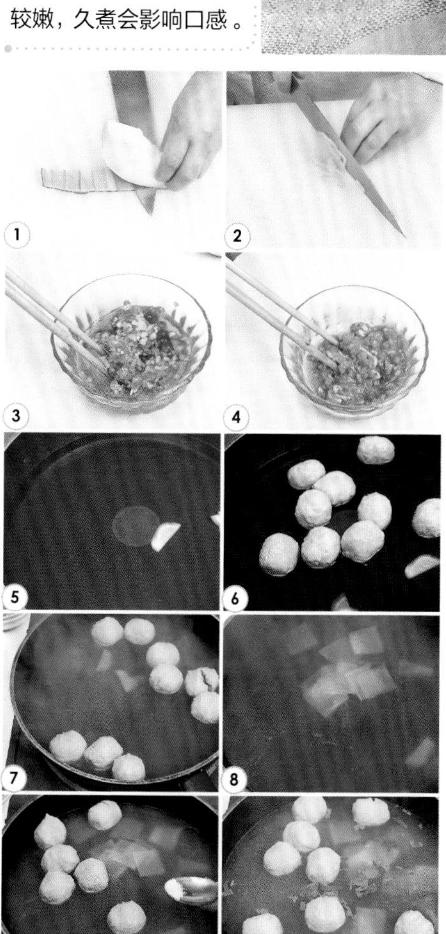

特别提示

此汤清鲜味美，制作简便，具有滋润除燥的养生功效。

原 料

冬瓜、猪肉馅各150克，鸡蛋清1份，香菜、姜、盐、鸡精、料酒、香油各适量。

做 法

1 将冬瓜洗净去皮，切薄片。
2 将香菜洗净切碎，姜一半切末，一半切片。
3 将猪肉馅放入大碗中，加入鸡蛋清、姜末、料酒、盐。
4 将猪肉馅搅拌均匀，制成肉泥。
5 锅中添水烧开，放入姜片，转小火。
6 用小勺将肉泥挖成丸子，放入锅中。
7 待肉丸变色，捞出，汤留用。
8 汤中放入冬瓜片煮至熟软。
9 加入盐、鸡精、肉丸煮开。
10 撒入香菜碎，淋入香油即可。

番茄肉丝汤

口味 鲜香味
操作时间 15分钟
难度 ★★

优质的番茄果形周整，无裂口、虫咬，成熟适度，甜酸适口，果肉厚，心室小。

原 料

番茄1个，猪肉100克，葱、姜、盐、味精、料酒、清汤、香油、花生油各适量。

做 法

1 将猪肉切丝，葱切末，姜切丝。
2 将番茄洗净，顶部划十字刀。
3 锅中注水烧开，放入番茄略烫。
4 捞出番茄去皮，切成小块。
5 炒锅注花生油烧至四成热，放入葱末、姜丝爆锅。
6 放入清汤、猪肉丝，料酒，旺火烧开。
7 加入番茄块煮开。
8 撒入味精调味。
9 淋入香油，盛盘即可。

本菜肉嫩汤鲜，而且能生津止渴、健胃消食、凉血平肝、清热解毒。

西芹茄子瘦肉汤

口味 咸鲜味
操作时间 80分钟
难度 ★

茄子切成块或片后，由于氧化作用会很快由白变褐。如果将切成块的茄子立即放入水中浸泡，就可避免茄子变色。

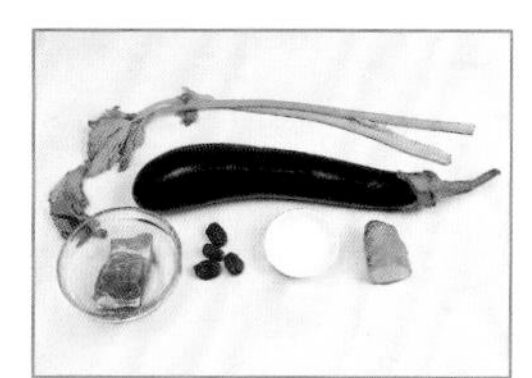

原料

茄子200克，猪瘦肉、西芹各150克，红枣4个，姜、盐各适量。

做法

1 将西芹择洗净，切段。
2 将茄子洗净，去皮，切块。
3 将红枣去核，洗净；姜切片。
4 将猪瘦肉洗净切片。
5 锅中添适量开水，放入西芹段、茄子块。
6 加入红枣、猪瘦肉片、姜片，大火煮沸。
7 转中火煮约1小时。
8 加盐调味，装碗即可。

此汤能悦色养颜，并有防止出血和抗衰老的功能。

排骨南瓜汤

口味 咸鲜味
操作时间 50分钟
难度 ★★

0失败巧招

南瓜的皮含有丰富的维生素，所以最好连皮一起食用，如果皮较硬，就用刀将硬的部分削去再食用。

原 料

南瓜300克，排骨200克，红小豆50克，蜜枣、陈皮、盐各适量。

做 法

1 将排骨洗净，斩段。
2 将排骨放入沸水锅中焯烫，捞出。
3 将南瓜洗净，去皮、瓤，切大片。
4 将红小豆、蜜枣洗净，陈皮浸软洗净。
5 将以上原料放入汤锅。
6 添入适量清水，并用大火煮开。
7 转小火煮至熟烂汤浓。
8 加盐调味即可。

特别提示

应使用鲜味足、血污少的猪排骨。

花生猪蹄汤

口味 咸鲜味
操作时间 60分钟
难度 ★

0失败巧招

花生霉变后含有大量致癌物质黄曲霉素，所以霉变的花生千万不要吃。

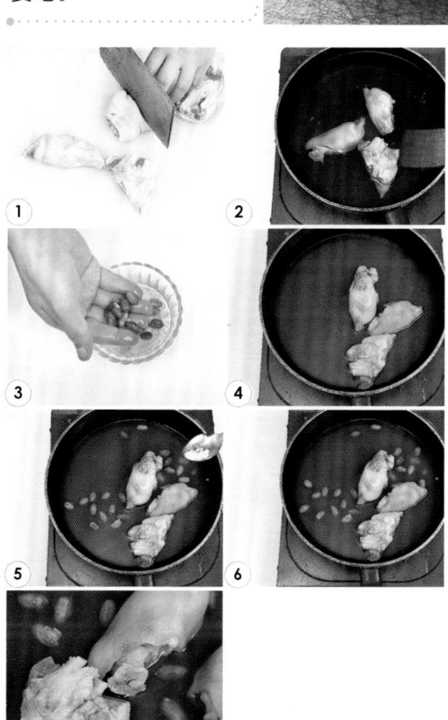

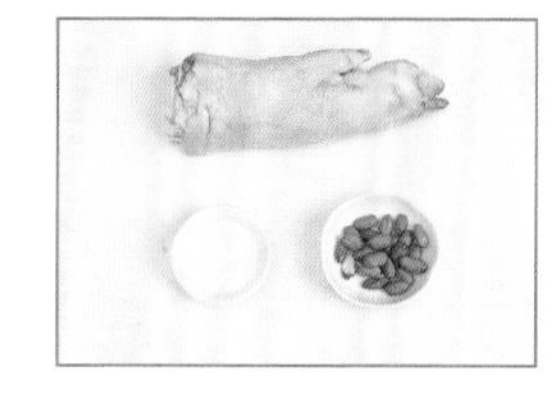

原 料

猪蹄500克，花生仁50克，盐适量。

做 法

1 将猪蹄刮洗干净，斩成块。
2 将猪蹄块放入沸水锅中略烫，捞出。
3 将花生仁洗净。
4 锅内注水烧沸，放入猪蹄块。
5 加花生仁，大火煮沸。
6 改小火煮至猪蹄块熟烂。
7 加盐调味即可。

猪蹄含有胶质，要及时转动，防止煳锅底。

双红排骨汤

口味 咸鲜味
操作时间 200分钟
难度 ★★

0失败巧招

本汤可使用猪小排来制作。小排是指猪腹腔靠近肚腩部分的排骨,小排的肉层比较厚,并带有白色软骨。小火慢煲可以使食材的营养成分充分析入汤中。

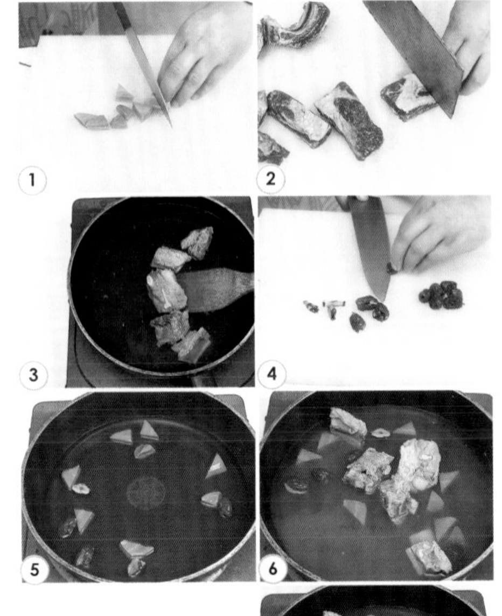

原 料

猪肋排、胡萝卜各200克，红枣50克，盐少许。

做 法

1 将胡萝卜去皮，洗净，切块。
2 将猪肋排洗净，斩成段。
3 将猪肋排段放入开水锅中焯烫，捞出。
4 将红枣去核洗净。
5 锅内添水煮沸，放入胡萝卜块、红枣。
6 加猪肋排段，大火煲滚，转小火煲3小时。
7 撒盐调味即可。

此汤营养丰富，肉香浓郁，色彩鲜明。

黄豆芽排骨豆腐汤

口味 鲜辣味
操作时间 50分钟
难度 ★★

小排骨在食用前不要用热水清洗，避免丧失营养成分。用凉水把排骨洗净，焯烫沥干即可。

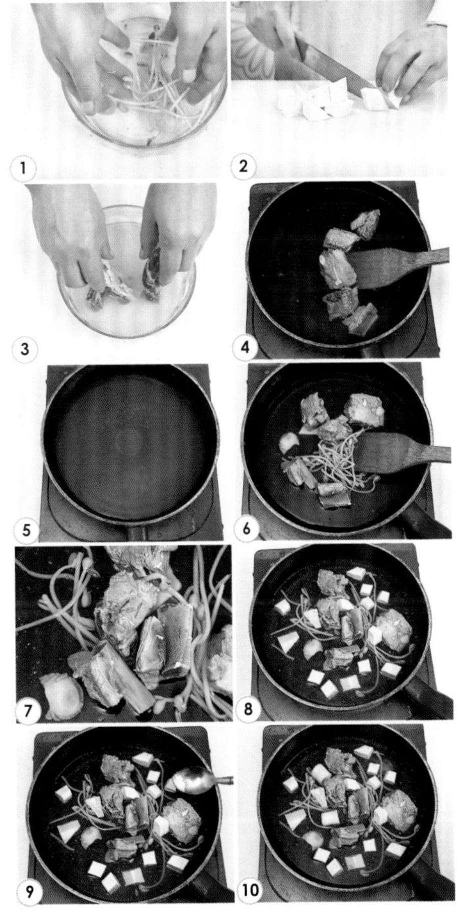

原 料

小排骨300克，嫩豆腐1盒，黄豆芽150克，葱段、姜片、盐、胡椒粉、高汤各适量。

做 法

1 将黄豆芽择洗净。
2 将嫩豆腐切成小方块。
3 将小排骨洗净，切块。
4 将小排骨块放入开水锅中焯烫片刻，捞出沥干。
5 锅中倒入高汤煮开。
6 放入小排骨块、黄豆芽、姜片，煮开。
7 转小火煮30分钟。
8 加入嫩豆腐块煮10分钟。
9 加盐、胡椒粉调味。
10 放入葱段，装碗即可。

此汤鲜辣适口，小排骨提供丰富的钙质可维护骨骼健康。

黄花木耳猪蹄汤

口味 鲜辣味
操作时间 75分钟
难度 ★★

优质的黄花菜颜色亮黄，条长而粗壮，粗细均匀；劣质的黄花菜颜色深黄并略显微红，条形短瘦，不甚均匀。

原 料

猪蹄350克，黄花菜、木耳各25克，姜、盐、味精、胡椒粉各适量。

做 法

1 将猪蹄刮洗干净，斩成块。
2 将猪蹄块放入冷水锅煮沸，捞出，洗净。
3 将黄花菜、木耳洗净，姜切片。
4 在锅内添适量清水，放入姜片。
5 放入猪蹄块，大火煮沸。
6 转小火煨至肉熟骨脱。
7 加入黄花菜、木耳，大火煮沸。
8 煨约10分钟，撒盐、味精、胡椒粉调味即可。

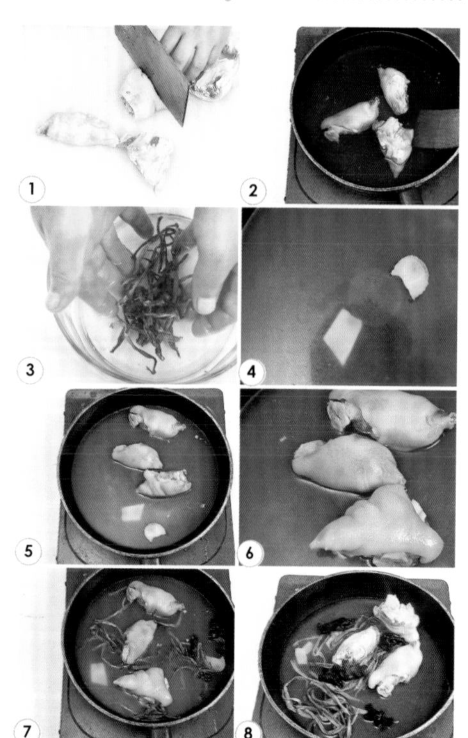

黄花菜要焯后用凉水浸泡2小时以上。

卷心菜瘦肉汤

口味 咸鲜味
操作时间 40分钟
难度 ★★

卷心菜购买时不宜多，以免搁放几天后，大量的维生素C被破坏，降低菜品的营养价值。

原 料

白萝卜300克，卷心菜200克，猪瘦肉150克，姜、盐、香油各适量。

做 法

1 将白萝卜、猪瘦肉洗净切片；卷心菜撕块。
2 将白萝卜切块，将姜切片。
3 锅中放入卷心菜块、白萝卜块、猪瘦肉片。
4 加姜片、清水，大火煮沸。
5 改用小火煲约2小时，加入盐调味。
6 淋入香油即可。

圆卷心菜的营养价值与大白菜相差无几，其中维生素C含量丰富。

葱姜猪蹄豆腐汤

口味 咸鲜味
操作时间 60分钟
难度 ★★★

应尽量购买颜色接近肉色的猪蹄，过白、发黑的及颜色不正的不要购买，还要用鼻子闻一下，新鲜的猪蹄有肉的味道。

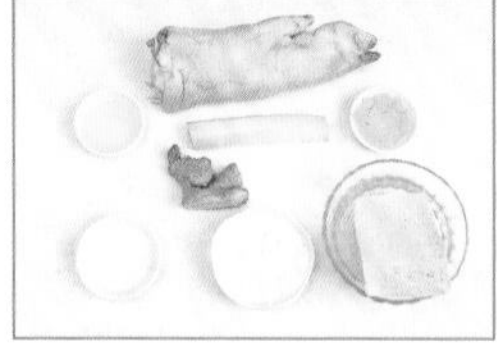

原 料

豆腐400克，猪蹄300克，葱、姜、盐、鸡精、水淀粉、色拉油各适量。

做 法

1 将猪蹄刮洗干净，斩成块。
2 将猪蹄块放入锅中加水焯烫，捞出洗净。
3 将豆腐放入开水锅中煮透，盛出，切块。
4 将葱切段，姜切大片。
5 炒锅注色拉油烧热，下葱段、姜片爆香。
6 放入猪蹄块炒透。
7 加入豆腐块、清水，煮熟烂。
8 用水淀粉勾芡。
9 加盐、鸡精调味，盛出即可。

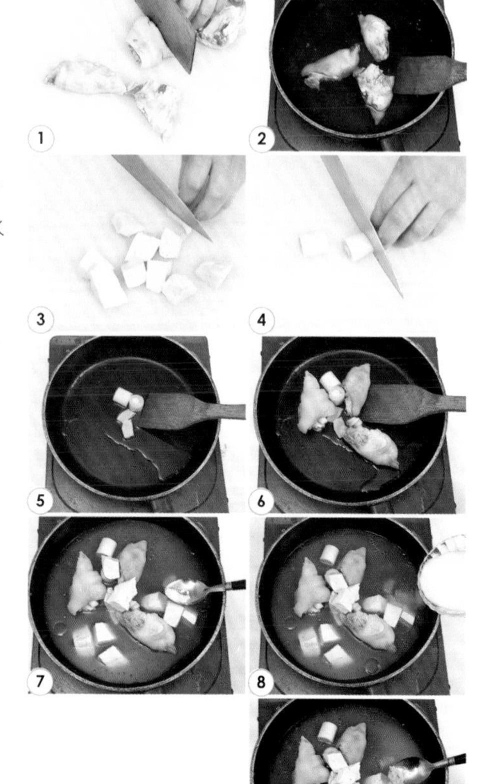

清水煮猪蹄时不要加调味料，煮熟烂即可，以免影响后续菜肴的质量。

海带排骨汤

口味 鲜香味
操作时间 140分钟
难度 ★★

失败巧招

海带的正常颜色是褐绿色或深褐绿色；海带经腌渍或晒干后，具有自然灰绿色。

原 料

海带、排骨各200克，黄豆25克，蜜枣2个，姜片、盐、鸡精、香油各适量。

做 法

1 将排骨洗净，斩成段。
2 将排骨放入开水锅中焯烫，捞出。
3 将海带洗净，切成丝。
4 锅内添适量清水，放入海带丝、排骨段。
5 加入黄豆、蜜枣、姜片，大火煲半小时。
6 转小火煲2小时。
7 加盐、鸡精调味。
8 淋入香油即可。

特别提示

食用海带前，应当先洗净再浸泡。

黄豆猪蹄汤

口味 咸鲜味
操作时间 75分钟
难度 ★★

*0*失败巧招

黄豆如果不熟烂，会影响消化，所以食用黄豆时宜高温煮烂，不宜食用过多，以免影响消化而致腹胀。

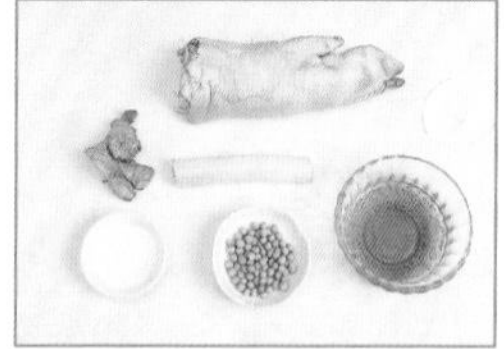

原 料

猪蹄250克，黄豆200克，料酒、葱、姜、味精、盐各适量。

做 法

1 将猪蹄洗净，斩成块。
2 将猪蹄块放入沸水中焯烫，捞出洗净。
3 黄豆加水浸泡1小时，姜切片，葱切段。
4 锅内添适量清水，放入猪蹄块、姜片煮沸。
5 加入料酒、葱段、黄豆。
6 小火焖煮至五成熟。
7 撒盐，再煮1小时。
8 加味精调味即可。

此汤不但味道鲜美，而且具有补脾益胃、养血通乳的功效。

白菜猪肉煲排骨汤

口味 咸鲜味
操作时间 150分钟
难度 ★★

0失败巧招

白菜凡包心结实、无黄叶、无老帮、无灰心、无夹叶菜、无虫蛀，根削平、棵头均匀者，即为合格品。

原料

白菜、猪肋排各300克，猪肉100克，腐竹50克，红枣25克，盐少许。

做法

1 将白菜洗净，切段。
2 将腐竹用清水浸泡10分钟，取出切段。
3 将红枣洗净去核，猪肉切片。
4 将猪肋排切段。
5 将猪肋排段放入沸水中焯烫5分钟，捞出。
6 锅内添水煮沸，放入白菜段、猪肋排段。
7 加猪肉片、去核红枣，大火煲滚。
8 转小火煲2小时，撒盐调味。
9 放腐竹段，再煲半小时即可。

特别提示

此汤味道清鲜味美，白菜有清热润燥的功效。

眉豆煲猪蹄汤

口味 咸鲜味
操作时间 260分钟
难度 ★★

烹调眉豆前应用冷水浸泡(或用沸水稍烫)再炒食。如生食或炒不熟就吃，在食后3~4小时部分人可出现头痛、头昏、恶心、呕吐等中毒反应。

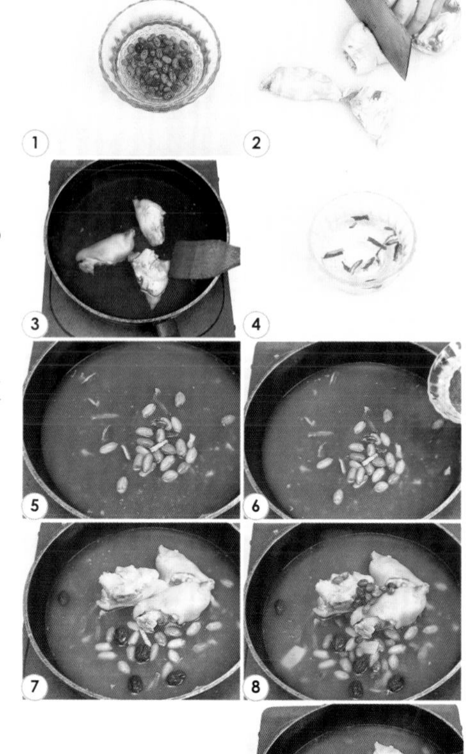

原料

猪蹄300克，眉豆100克，花生仁50克，红枣25克，陈皮、姜、盐各适量。

做法

1 将花生仁、眉豆洗净，用清水浸泡1小时；红枣洗净。
2 将猪蹄刮洗干净，斩成块。
3 将猪蹄块放入沸水锅中煮10分钟，捞出。
4 将陈皮用清水浸软，去瓤洗净，姜切片。
5 将陈皮、花生仁放入锅。
6 添入清水，大火煮沸。
7 放入猪蹄块、红枣。
8 加眉豆、姜片煮沸。
9 慢火煲3小时，撒盐调味即可。

火候要控制好，时间越久猪蹄越易酥烂、入味。

0失败巧招

菜肴中加些香菜段，能起到祛腥膻、增味道的独特功效。

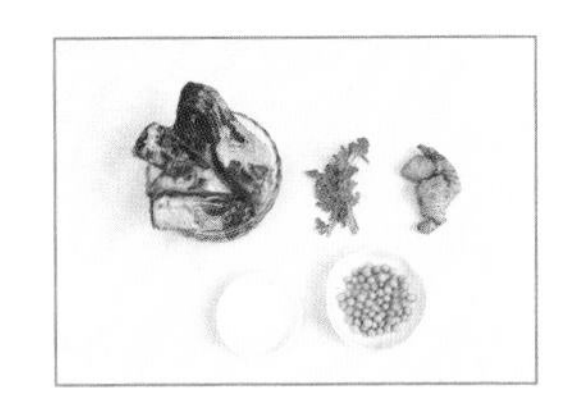

原 料

猪肋排300克，黄豆100克，香菜、姜、盐各适量。

做 法

1 将黄豆用清水浸泡半小时，洗净。
2 将猪肋排切段。
3 将猪肋排放入沸水锅中焯烫5分钟，捞出。
4 将香菜洗净，切段；姜切片。
5 锅内添适量水煮沸，放入黄豆、香菜段、姜片。
6 放入猪肋排段，慢火煲3小时。
7 撒盐调味即可。

此汤健胃，宽中，增食欲，易消化。

木瓜花生排骨汤

口味 咸鲜味
操作时间 200分钟
难度 ★★

0失败巧招

食用木瓜是产于南方的番木瓜，不宜在冰箱中存放太久，以免长斑点或变黑。

原 料

猪肋排、木瓜各300克，花生仁100克，蜜枣25克，盐适量。

做 法

1 将木瓜去皮、核，洗净，切厚块。
2 将花生仁用清水浸1小时，捞出。
3 将猪肋排切段。
4 将猪肋排段放入沸水锅中焯烫，捞出。
5 锅中添适量水，加花生仁。
6 放入猪肋排段、木瓜块、蜜枣，大火煮沸。
7 慢火煲3小时，撒盐调味即可。

此汤营养丰富，香味浓郁，甜香可口。

枸杞子银耳瘦肉汤

口味 咸鲜味
操作时间 40分钟
难度 ★★

O失败巧招

如果银耳呈黄色，一般是下雨或受潮后烘干的。如果银耳色泽呈暗黄，朵形不全，呈残状，蒂间不干净，属于质量差的。

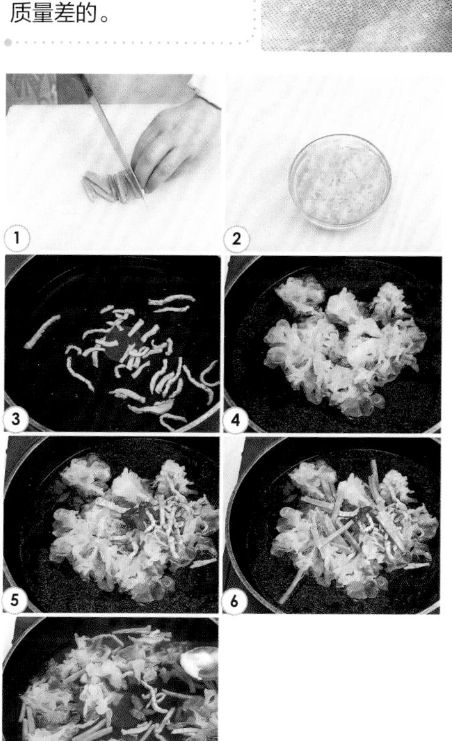

原料

猪瘦肉100克，银耳、枸杞子各50克，火腿25克，盐各适量。

做法

1 将枸杞子洗净，火腿切丝。
2 银耳用水浸1小时，沸水煮5分钟，捞出。
3 将猪瘦肉切丝，放入沸水锅中煮5分钟，捞出。
4 锅内添水煮滚，再放入银耳。
5 加猪瘦肉丝、枸杞子煮沸。
6 放入火腿丝煮沸。
7 转慢火煲15分钟，撒盐调味即可。

特别提示

此汤原料丰富，富含营养，味道鲜美醇厚。

清炖牛肉

口味 鲜香味
操作时间 60分钟
难度 ★★

炖牛肉时要热水下锅，因为热水可以使牛肉表面蛋白质迅速凝固，防止肉中氨基酸流失，保持肉味鲜美。

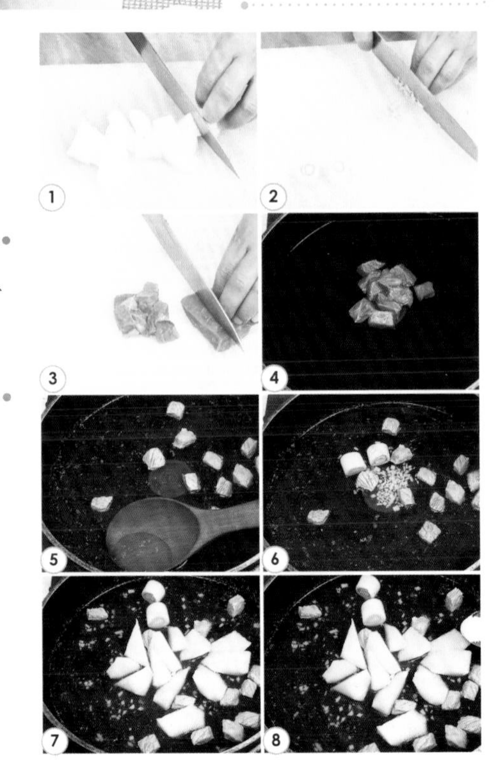

原 料

牛肉500克，白萝卜、花椒、葱、姜、料酒、盐、味精各适量。

做 法

1 将白萝卜洗净，去皮，切滚刀块。
2 将葱切段，姜切末。
3 将牛肉切块，放入凉水中泡30分钟。
4 锅中添入适量水烧开，放入牛肉块。
5 边炖边去除浮沫，直至无沫。
6 加入葱段、姜末、花椒、料酒。
7 小火炖至九成烂，放入白萝卜块炖烂。
8 撒盐、味精调味即可。

本汤清鲜适口、肉软烂、味香，尤其适宜中气下隐、气短体虚、筋骨酸软、贫血久病及面黄目眩的人食用。

番茄土豆牛尾汤

失败巧招

牛尾应该有奶白色的脂肪和深红色的肉；应选购加工好的净牛尾；可先入开水焯烫一下，再入锅煮，以去掉杂质。

原 料

牛尾300克，胡萝卜、土豆、番茄各100克，洋葱25克，姜、盐、白糖、酱油各适量。

做 法

1 将土豆、胡萝卜去皮，洗净，切块。
2 将番茄、洋葱洗净，切块；姜切片。
3 将牛尾洗净斩块，放入开水锅中焯烫，捞出。
4 锅中注水煮开，放入牛尾块煲2小时。
5 加入胡萝卜块、姜片煲30分钟。
6 放入土豆块煲熟。
7 放入番茄块搅匀。
8 加入洋葱块慢慢煲滚。
9 加盐、白糖调味。
10 放入酱油调味即可。

特别提示

此汤滋味浓厚，颇具营养，牛尾具有补气、养血、强筋骨的功效。

萝卜牛腱汤

口味 鲜香味
操作时间 200分钟
难度 ★★

如果用啤酒来炖煮腱子肉，可使肉质变得柔嫩，同时啤酒花的苦味也可消除肉的腥味。

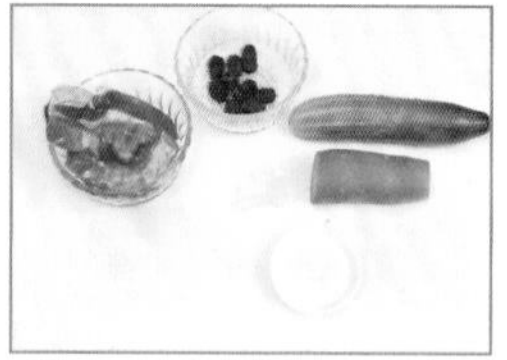

原 料

牛腱子肉250克，黄瓜、胡萝卜各200克，红枣25克，冰糖、盐各适量。

做 法

1 将胡萝卜去皮，洗净，切块。
2 将黄瓜洗净，切块。
3 将红枣去核，洗净。
4 将牛腱子肉放开水锅中焯烫，取出，冲净，切块。
5 锅内添水煮沸，加黄瓜块、胡萝卜块、红枣。
6 加入牛腱子肉，转小火煲3小时。
7 加冰糖略煮，加盐调味即可。

此汤软嫩鲜美、滋味浓厚，具有补脾胃、益气血、强筋骨、消水肿等功效。

冬瓜羊肉汤

口味 咸味
操作时间 30分钟
难度 ★

0失败巧招

新鲜羊肉肉色鲜红而且均匀，有光泽，肉细而紧密，有弹性，外表略干，不粘手，气味新鲜，无其他异味。

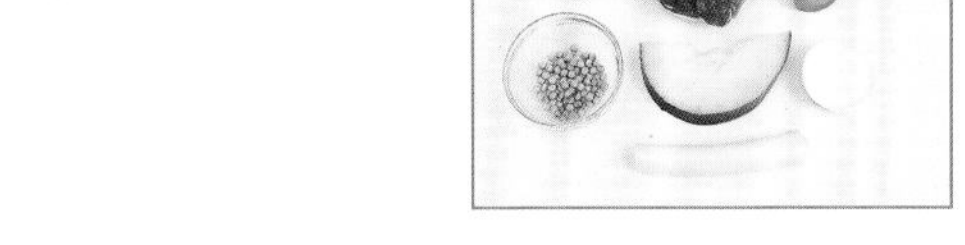

原 料

羊肉500克，冬瓜150克，胡萝卜100克，薏米、葱、豌豆、盐各适量。

做 法

1 将羊肉泡净血沫，切成块。
2 将薏米洗净，放入水中浸泡2小时。
3 将胡萝卜、冬瓜洗净，去皮，去瓤，切块。
4 将豌豆淘洗干净，葱切小段。
5 锅中添适量清水，放入羊肉块、薏米。
6 加胡萝卜块、冬瓜块、豌豆，大火煮开。
7 转小火慢煮至羊肉块熟烂。
8 加葱段、盐调味即可。

特别提示

此汤具有补肾壮阳、补虚温中等作用，尤其适合男士经常食用。

羊蹄萝卜汤

口味 鲜香味
操作时间 200分钟
难度 ★★★

0失败巧招

羊蹄筋又称羊筋，是羊小腿部的韧带，羊筋分前筋（前小腿的筋）、后筋（后小腿的筋），后筋比前筋长，质量较高；羊筋是胶质组织，与海参、鱼翅相比价廉味美，是烹制筵席佳肴的重要原料。

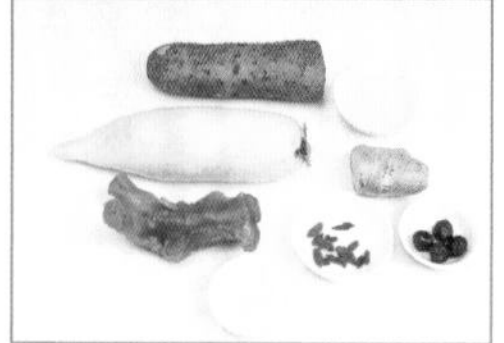

原 料

白萝卜250克，羊蹄筋200克，山药、枸杞子、桂圆肉、姜、盐、植物油各适量。

做 法

1 将羊蹄筋洗净切块，放入开水锅中煮1小时，捞出。
2 将白萝卜、山药去皮，切块；姜洗净，切片。
3 将山药块、枸杞子、桂圆肉洗净。
4 炒锅注植物油烧热，加入姜片炒香。
5 加入白萝卜块、盐翻炒。
6 注入适量清水。
7 放入羊蹄筋块。
8 加山药块、枸杞子、桂圆肉，小火煲3小时。
9 加盐调味。
10 盛碗即可。

粉丝羊排汤

口味 鲜辣味
操作时间 140分钟
难度 ★★★

失败巧招

粉丝要购买知名品牌的，因为很多小作坊的粉丝会使用明矾，从而破坏了粉丝的营养价值，且对人体有害。

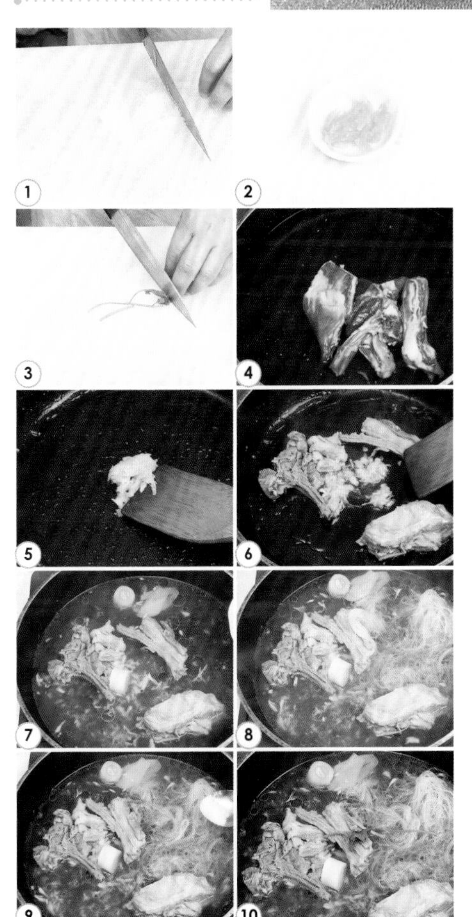

特别提示

此汤汤味鲜香，排骨柔韧酥烂，尤其适合冬季食用。

原 料

羊排骨200克，粉丝150克，香菜25克，葱、姜、蒜、盐、胡椒粉、味精、料酒、米醋、鲜汤、花生油各适量。

做 法

1 将粉丝用清水泡发，切短，用清水洗净。
2 将蒜捣成泥，葱切段，姜切片。
3 将香菜去根，洗净，切段。
4 将羊排骨洗净，剁块，放入开水锅中焯烫，捞出。
5 锅中注花生油烧至八成热，下蒜泥爆香。
6 放入羊排骨块，反复煸炒，炒干水分。
7 加米醋、鲜汤、葱段、姜片等，大火烧开，撇净浮沫。
8 小火煮约2小时，加粉丝烧开。
9 加盐、料酒、味精略煮。
10 放入胡椒粉，撒上香菜段即可。

马蹄萝卜羊肉汤

口味 鲜香味
操作时间 50分钟
难度 ★★★

如果购买的是未去皮的马蹄，要将马蹄的皮去掉，羊肉与马蹄、萝卜搭配，味道不膻不躁，鲜嫩清香。

原 料

羊肉300克，马蹄、白萝卜各100克，当归、蒜、海鲜酱、蚝酱、柱侯酱、色拉油各适量。

做 法

1 将羊肉洗净，切成块。
2 锅中水煮开，放入羊肉块焯烫约20分钟，捞出。
3 将马蹄洗净，白萝卜洗净切块，蒜切末。
4 锅中注色拉油烧热，下入蒜末爆香。
5 加入羊肉块炒香。
6 放入海鲜酱、蚝酱、柱侯酱爆透。
7 加马蹄、白萝卜块、当归。
8 添水，焖煮至羊肉块熟烂即可。

羊肉要逆着纹理切，这样煮熟的羊肉容易嚼烂。

猪杂

玉兰片猪肝汤

口味 咸鲜味
操作时间 30分钟
难度 ★★

0失败巧招

优质的玉兰片表面光洁，颜色呈玉白色或奶白色。劣质的玉兰片表面萎暗，色泽不匀。如玉兰片颜色深黄或有焦斑，系烤焦所致。

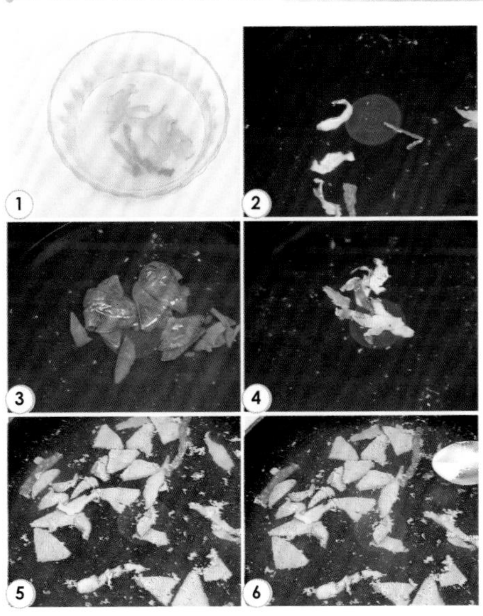

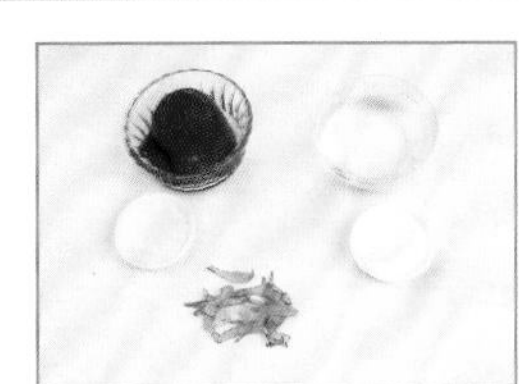

原料

猪肝、玉兰片各100克，味精、盐、清汤各适量。

做法

1 将玉兰片用清水泡发，切成小片。
2 将玉兰片放入开水锅中，煮软，捞出。
3 将猪肝放入锅中，加清水煮熟，捞出切片。
4 锅中加入清汤，放入玉兰片煮开。
5 放入猪肝片煮沸。
6 加盐、味精调味即可。

特别提示

此汤清鲜可口，营养丰富。

猪肚黄芪汤

口味 咸鲜味
操作时间 65分钟
难度 ★★

新鲜猪肚的颜色是乳白色或淡黄褐色，黏膜清晰，有较强的韧性；要在起锅之前放盐，注意不能先放盐，否则猪肚就会紧缩。

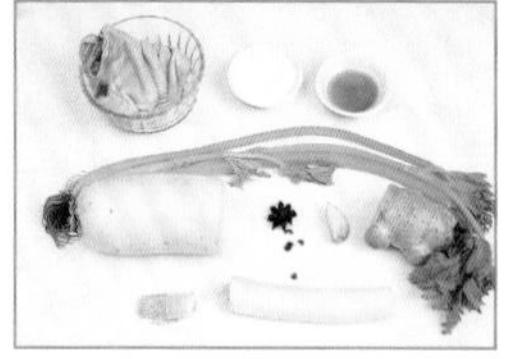

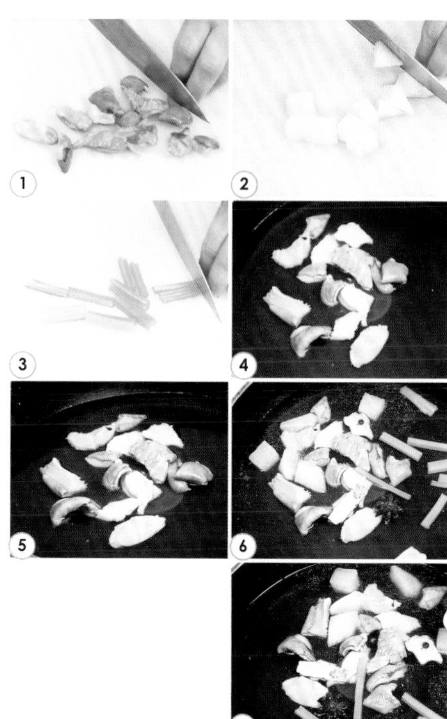

原 料

猪肚300克，白萝卜150克，芹菜30克，黄芪、葱、姜、蒜、花椒、八角、盐、香油各适量。

做 法

1. 将猪肚洗擦干净，放入开水锅中焯烫，捞出切块。
2. 将白萝卜洗净，切块。
3. 将芹菜、葱洗净，切段；姜、蒜捣碎。
4. 锅内添适量水，放入猪肚块煮开。
5. 撇除浮油和泡沫。
6. 加白萝卜块、芹菜段、葱段、姜碎、蒜碎、黄芪、花椒、八角。
7. 煮至猪肚块变软，加盐、香油调味即可。

此汤健脾胃，益元气。

腰花核桃仁汤

口味 咸鲜味
操作时间 200分钟
难度 ★★

新鲜猪腰呈浅红色，表面有一层薄膜，有光泽、柔润，具有弹性。猪腰切片后，为去臊味，用葱姜汁泡约2小时，换两次清水，泡至腰片发白膨胀即可。

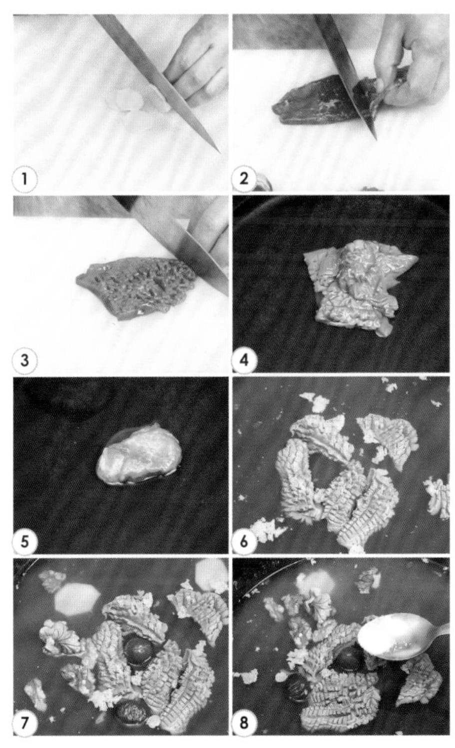

原 料

猪腰250克，核桃仁150克，栗子、猪瘦肉、姜、盐各适量。

做 法

1 将栗子去壳、皮，取仁；姜切片。
2 将猪腰剖开，片去腰臊。
3 将猪腰剞花刀，切块。
4 锅中注水煮开，放入猪腰块焯水，捞出。
5 将猪瘦肉切成大块，汆水，捞出，洗净。
6 锅中注水煮沸，放入猪腰块、瘦肉块。
7 加栗子仁、核桃仁、姜片，大火煮沸。
8 转小火煮约3小时，加盐调味即可。

此汤可健脾肾、固精缩尿、益气强心。

番茄猪肝猪肉汤

口味 鲜辣味
操作时间 30分钟
难度 ★★★

正常的猪肝表面有光泽，颜色紫红均匀，用手触摸，感觉有弹性。猪肝一定要洗去血浆。

特别提示

猪肝能补肝、养血、明目；猪肉能补肌润燥；番茄能止渴生津。

原 料

番茄1个，甘薯150克，猪肝、猪肉各100克，鸡蛋清、姜、盐、淀粉、胡椒粉、酱油、醋、花生油各适量。

做 法

1 将甘薯去皮洗净，切块。
2 将番茄洗净，切块；姜切末。
3 将猪肉、猪肝切薄片，洗净。
4 将猪肝片抹干，淋入醋腌10分钟，洗净，抹干水。
5 将猪肉片、猪肝片加鸡蛋清、盐、淀粉、胡椒粉、酱油腌10分钟。
6 锅中注水煮开，放入猪肉片、猪肝片，焯烫至半熟，捞出。
7 炒锅注花生油烧热，然后放入姜末爆香。
8 添入适量清水，放甘薯块、番茄块煲至熟烂。
9 放入猪肝片、猪肉片煮熟。
10 撒盐调味即可。

猪心滋补汤

口味 咸鲜味
操作时间 35分钟
难度 ★★

O失败巧招

猪心切开后，要用清水不断冲洗，洗去猪心内残存的血块等杂质，这样处理过的猪心口感比较好。

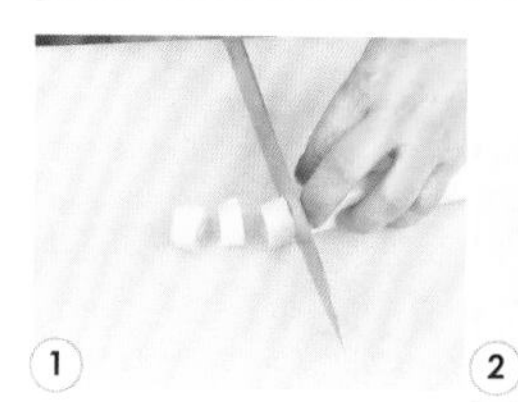

特别提示

当归甘辛、温，能补血和血、调经止痛、润燥滑肠，并有镇静心脏作用；猪心能补心，对心脏病患者有益。

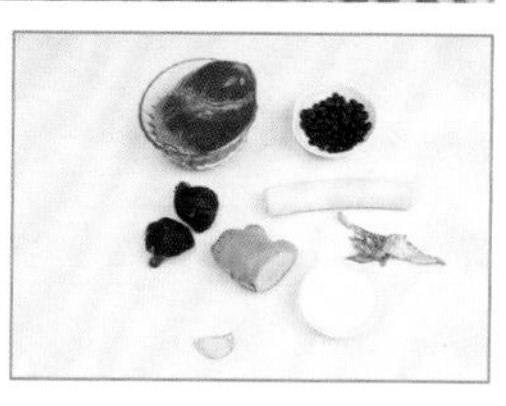

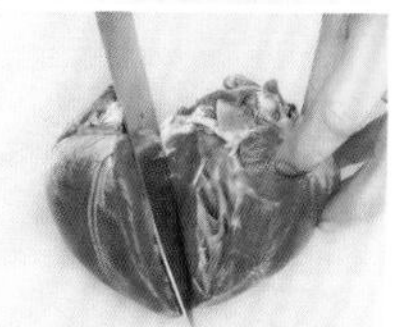

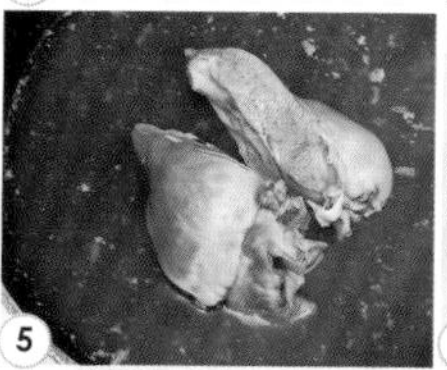

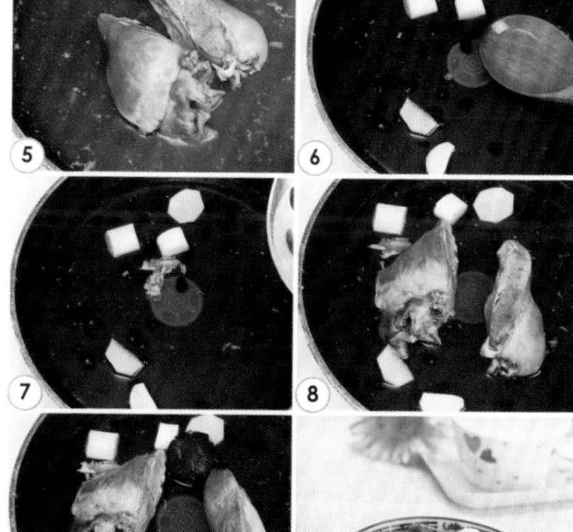

原料

猪心1个，黑豆200克，当归10克，香菇、葱、姜、蒜、盐各适量。

做法

1 将葱切段，姜切片，蒜掰成瓣。
2 将黑豆洗净，用冷水浸泡。
3 将香菇洗净泡发，当归洗净。
4 将猪心切成两半，洗净，放入沸水锅焯烫，捞出。
5 锅中加适量清水、猪心，大火煮沸，撇净浮沫。
6 锅中加葱段、姜片、蒜瓣、黑豆，小火煮约1小时。
7 另起锅添适量水，加入当归。
8 煮至当归汤汁剩一半时，连汁倒入猪心汤内。
9 放入泡好的香菇，中火煮半小时。
10 加盐调味，出锅盛碗即可。

杏仁猪肺汤

口味 咸鲜味
操作时间 45分钟
难度 ★★

失败巧招

清洗猪肺时将猪肺管套在水龙头上，充满水后再倒出，反复几次便可冲洗干净。

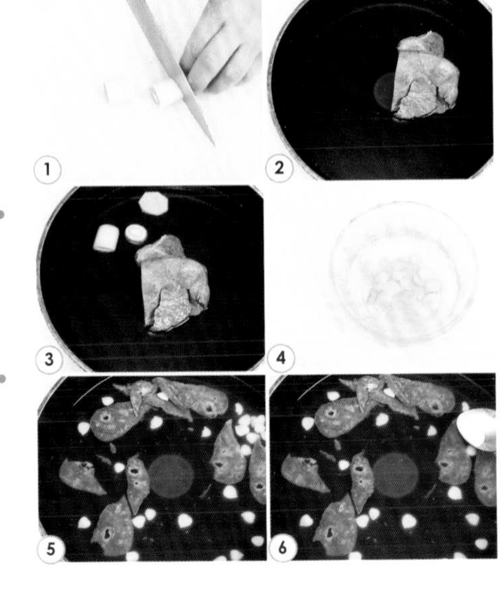

原 料

猪肺300克，甜杏仁100克，葱、姜、盐、味精、胡椒粉、料酒、高汤各适量。

做 法

1 将葱切段，姜切块。
2 将猪肺洗净，沥干，放入锅中。
3 加开水、料酒、葱段、姜块烧开，小火炖熟，猪肺捞出切片。
4 甜杏仁用开水泡涨，去皮，装碗，加水上锅，大火蒸熟。
5 锅中添入适量高汤，放入猪肺片、甜杏仁，蒸杏仁汁。
6 加料酒、盐、味精、胡椒粉煮开，撇去浮沫即可。

特别提示

此汤营养滋补，口味别致。

猪肝大枣汤

口味 咸鲜味
操作时间 120分钟
难度 ★★

肝是毒物中转站和解毒器官，所以买回的鲜肝不要急于烹调，应用自来水把肝冲洗10分钟，然后放在水中浸泡30分钟。

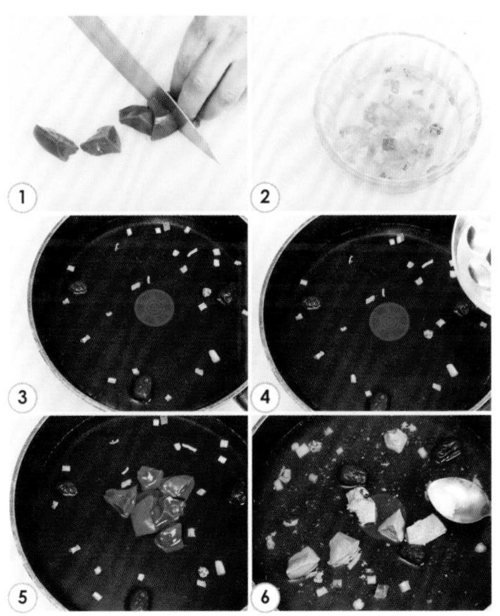

原 料

猪肝250克，大枣100克，党参、盐各适量。

做 法

1 将猪肝切块，放入清水中泡净血水。
2 将党参、大枣洗净，用温水浸泡30分钟。
3 锅中添水，放入党参、大枣，小火煮30分钟。
4 再加刚才一半量的水，继续煮15分钟。
5 放入猪肝块煮30分钟。
6 加盐调味即可。

此汤具有健脾、益气、养血的功效，有助于促进血液的再生。

雪菜黄鱼汤

口味 咸鲜
操作时间 30分钟
难度 ★★★

0失败巧招

新鲜的黄鱼嘴里比较干净，次品鱼嘴里会比较脏，选购时可捏开嘴看一下；另外，不新鲜的黄鱼尽量不要食用。

特别提示

油量需多一些，以免将黄鱼肉煎散；煎的时间也不宜过长，以免将鱼肉煎老。

原 料

黄鱼1条，雪菜100克，葱、盐、料酒、色拉油各适量。

做 法

1 将黄鱼去鳞，剖开，去内脏，洗净。
2 在黄鱼身两侧剞上波浪花刀。
3 将雪菜切成细末，葱切段。
4 炒锅注色拉油烧热。
5 放入黄鱼，煎至两面金黄。
6 烹入料酒，加盖略焖。
7 加入清水，用旺火煮沸，加盖用小火焖10分钟，至汤呈乳白色。
8 加入雪菜末。
9 加入盐、葱段，再用旺火煮沸。
10 起锅盛碗即可。

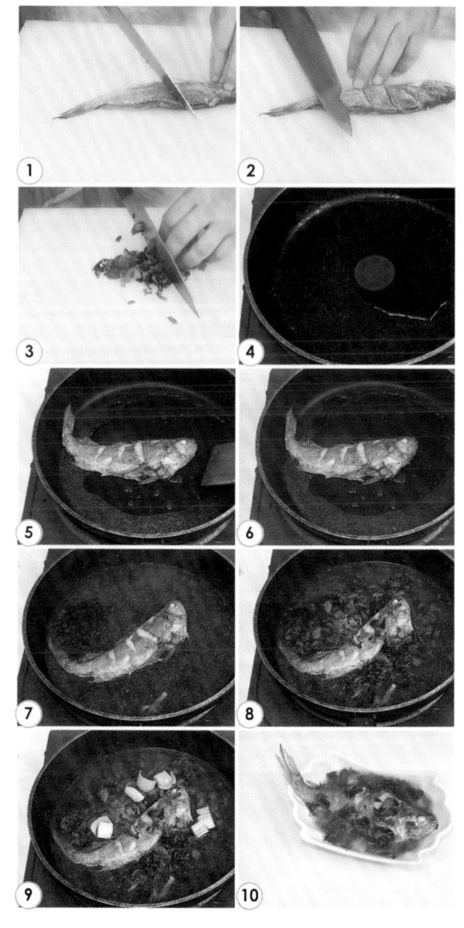

草鱼苹果瘦肉汤

口味 鲜辣味
操作时间 50分钟
难度 ★★★

0失败巧招

制作这道汤时，加入料酒、瘦肉片、红枣，添入清汤，用中火炖煮；火候不能太大，以免把鱼肉煮散。

特别提示

此汤清鲜，能补心养气、补肾益肝，经常食用有抗衰老、养颜的功效。

原料

苹果2个，猪瘦肉150克，草鱼100克，红枣、生姜、盐、胡椒粉、料酒、清汤、色拉油各适量。

做法

1 将苹果去核、皮，切成瓣，放入清水中略泡。
2 将草鱼宰杀，去内脏，洗净，切成块。
3 将猪瘦肉切成大片。
4 将红枣用水泡洗干净。
5 将生姜去皮切片。
6 炒锅注色拉油烧热。
7 放入姜片、草鱼块，用小火煎至两面稍黄。
8 加入料酒、猪瘦肉片、红枣，添入清汤，用中火炖煮。
9 加入苹果瓣。
10 撒入盐、胡椒粉，再炖20分钟即可。

苦瓜鲫鱼汤

口味 咸鲜味
操作时间 25分钟
难度 ★

活鱼不能立背游动，身上有伤残、缺鳞或外形不正常的均为次品。鲫鱼剖开洗净，在牛奶中泡一会儿既可除腥，又能增加鲜味。

原 料

鲫鱼1条，苦瓜250克，白糖、盐、醋各适量。

做 法

1 将鲫鱼去鳞、内脏，洗净。
2 将苦瓜洗净，一切两半，去瓤、籽，切片。
3 将苦瓜片置于开水锅中烫一下，捞出。
4 汤锅添入适量清水。
5 放入鲫鱼及苦瓜片。
6 加入醋。
7 撒白糖、盐调味。
8 用小火煮至熟烂，盛盘即可。

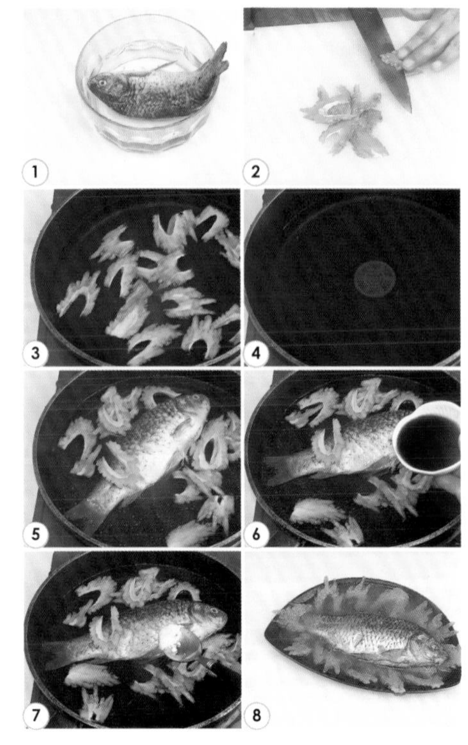

此汤鲜咸适口，具有健脾利湿、消热解毒的养生功效。

蛤蜊鲫鱼汤

口味 咸味
操作时间 30分钟
难度 ★

蛤蜊具有高蛋白、高微量元素、高铁、高钙、少脂肪的营养特点，买回家后最好提前用盐水浸泡，使其吐净泥沙。

此汤鲜香味浓，滋补清火。

原 料

鲫鱼1条（约300克），蛤蜊、黄豆、花生仁各50克，生姜、盐各适量。

做 法

1 将鲫鱼去鳞及内脏，洗净；生姜洗净切片。
2 将蛤蜊洗净，放入锅中煮开，捞出取肉。
3 将黄豆、花生仁用清水洗净，加水浸泡2小时。
4 将生姜洗净切片。
5 锅中放入鲫鱼、蛤蜊肉、黄豆、花生仁、生姜片。
6 加适量清水。
7 撒入盐，大火煮沸。
8 改用小火煲煮约2小时，盛出即可。

陈皮黄鱼汤

口味 鲜香味
操作时间 30分钟
难度 ★★

失败巧招

煎大黄鱼的油量需多一些，以免将黄鱼肉煎散，煎的时间也不宜过长。皮色灰暗、无光泽、体表不整洁、鳞体不完整的黄鱼不新鲜，不能食用。

原料

大黄鱼300克，猪瘦肉150克，枸杞子25克，红枣、陈皮、姜、盐、花生油各适量。

做法

1 将大黄鱼去鳞、鳃、内脏，洗净。
2 将猪瘦肉洗净，切片。
3 将红枣洗净，去核。
4 将姜去皮切片。
5 炒锅注花生油烧至七成热。
6 放入大黄鱼，两面均煎成微黄色，取出备用。
7 锅内添适量水。
8 放入大黄鱼、猪瘦肉片、姜片、陈皮、枸杞子、去核红枣。
9 大火煮开，转小火煮至肉片熟烂，撒盐调味即可。

特别提示

对体质虚弱和中老年人来说，食用黄鱼会收到很好的食疗效果。

鲫鱼赤小豆汤

口味 咸鲜味
操作时间 30分钟
难度 ★★

0失败巧招

皮薄的赤小豆品质较好，皮越薄其含铁量越高，营养也越丰富。

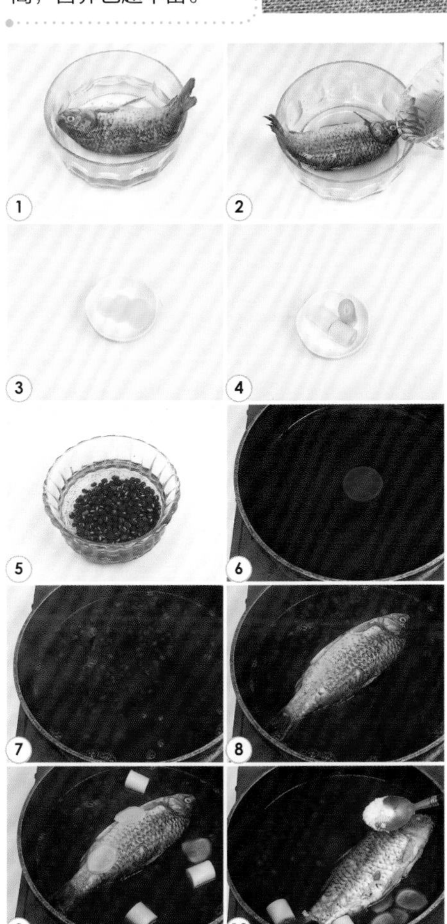

原料

鲫鱼250克，赤小豆100克，料酒25克，大葱、姜、盐各适量。

做法

1 将鲫鱼去鳞、内脏，洗净。
2 将鲫鱼放入碗中，加入料酒腌渍片刻。
3 将姜洗净切片。
4 将大葱洗净切成段。
5 将赤小豆洗净。
6 锅内添适量清水。
7 放入赤小豆，用小火慢煮至六七成熟。
8 放入腌入味的鲫鱼。
9 加入姜片、葱段，大火煮开。
10 转小火煮成汤，加盐调味，装盘即可。

特别提示

此汤鲜浓味美，小豆软烂。

芦笋西瓜皮鲤鱼汤

口味 咸鲜味

操作时间 140分钟

难度 ★★

失败巧招

芦笋虽好，但不宜生吃，也不宜存放1周以上才吃，而且应低温避光保存。煲汤过程中，小火煲制可以避免鱼肉散乱。

1

2

3

4

5

6

9

10

原 料

鲤鱼300克，芦笋、西瓜皮各150克，眉豆50克，红枣、生姜、盐各适量。

做 法

1 将芦笋洗净，斜切成片。

2 将鲤鱼去鳃、内脏、鳞，洗净，鱼身两面划花刀。

3 将眉豆洗净。

4 将西瓜皮洗净，去表皮，切块。

5 将生姜洗净切片。

6 将红枣去核洗净。

7 锅内放入鲤鱼、芦笋片、西瓜皮块。

8 放入眉豆、生姜片、去核红枣。

9 添入适量水，大火煮沸，小火煲2小时。

10 撒盐调味，盛出即可。

特别提示

西瓜皮也可以带表皮切块，加入汤中。

萝卜丝鲫鱼汤

口味 咸鲜味
操作时间 25分钟
难度 ★★

失败巧招

新鲜的鱼用手指按压鱼体，有硬度及弹性，手抬起后，肌肉迅速复原；不新鲜的鱼按压后凹陷深而缺乏弹性。

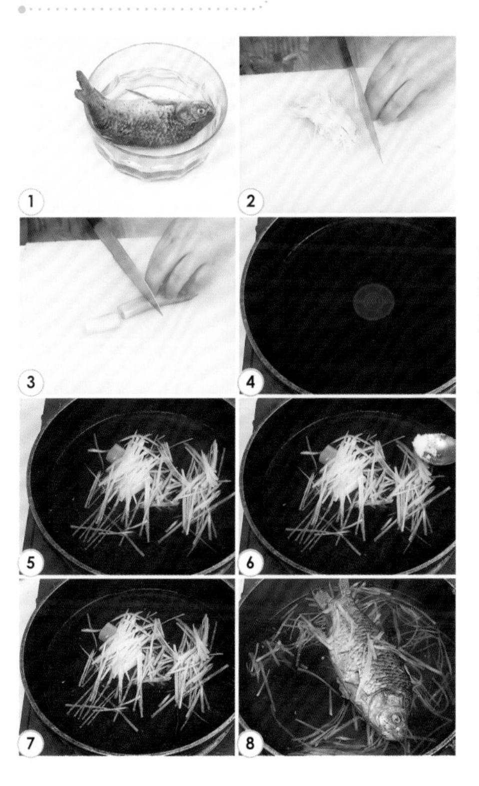

原料

鲫鱼300克，白萝卜150克，大葱、姜、味精、盐、料酒各适量。

做法

1 将鲫鱼洗净，去鳞、鳃及内脏，鱼身划花刀。
2 将白萝卜去皮，切成细丝；姜洗净切细丝。
3 将大葱切长段。
4 锅内添入适量清水。
5 放入大葱段、姜丝、白萝卜丝。
6 撒入味精、盐。
7 烹入料酒，放入鲫鱼，用小火煮熟。
8 拣出大葱段，将鲫鱼连汤盛于汤碗中即可。

特别提示

此汤营养丰富，滋味美妙。鲫鱼汤不但味香汤鲜，而且具有较强的滋补作用。

油菜鱼头汤

口味 咸鲜味
操作时间 50分钟
难度 ★★

0失败巧招

购买油菜时要挑选新鲜、油亮、无虫、无黄叶的嫩油菜，用两指轻轻一掐即断者为嫩油菜，还要仔细观察菜叶的背面有无虫迹和药痕。

原料

鲢鱼头500克，油菜200克，蜜枣、盐、料酒各适量。

做法

1 将鲢鱼头去掉喉管、腮，洗净。
2 锅中添入适量水。
3 放入鲢鱼头、料酒，煮开，捞出鲢鱼头。
4 将蜜枣洗净。
5 将油菜洗净切段。
6 锅里放入鲢鱼头、蜜枣。
7 添适量清水，大火煮沸片刻。
8 放入油菜段，用小火煲1小时，撒盐调味即可。

鲢鱼头上如果有鳞片残留，需要刮去。

蒜味豆腐鱼头汤

口味 鲜香味
操作时间 45分钟
难度 ★★★

0失败巧招

头大、身瘦、尾小的畸形鱼，眼睛浑浊、向外鼓起的鱼，变质鱼以及死了太久的鱼，其鱼头都不要吃。

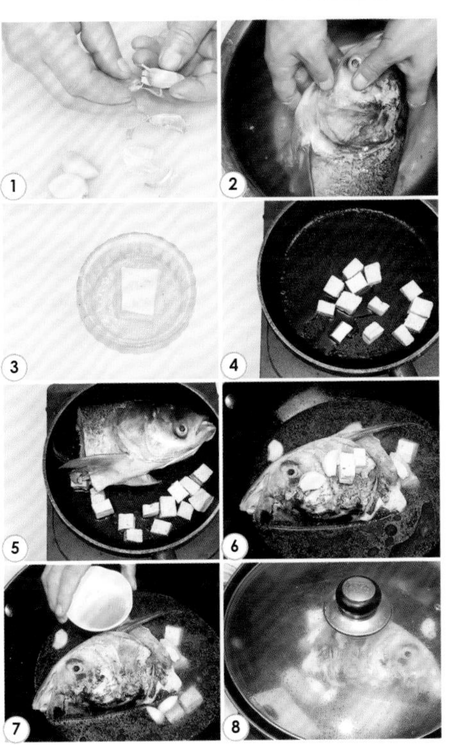

原料

鲢鱼头500克，豆腐200克，大蒜100克，盐、料酒、色拉油各适量。

做法

1 将大蒜去掉蒜衣洗净。
2 将鲢鱼头去掉喉管、腮腺，洗净。
3 将豆腐洗净，切块。
4 炒锅注色拉油烧热，放入豆腐块略煎，铲出。
5 放入鲢鱼头煎香，铲起。
6 锅内添适量清水，放入豆腐块、鱼头、大蒜。
7 烹入料酒。
8 大火煮开，用小火煲半小时，撒盐调味即可。

特别提示

鲢鱼头洗净后入淡盐水中泡一下，可去土腥味。

葱豉豆腐鱼头汤

口味 鲜香味
操作时间 45分钟
难度 ★★★

0失败巧招

购买鱼头时，以头型浑圆者为佳，最好选用黑鲢鱼头；加工鱼头时，一定要将鱼鳃择净，用清水冲洗干净，否则会影响汤的质量。

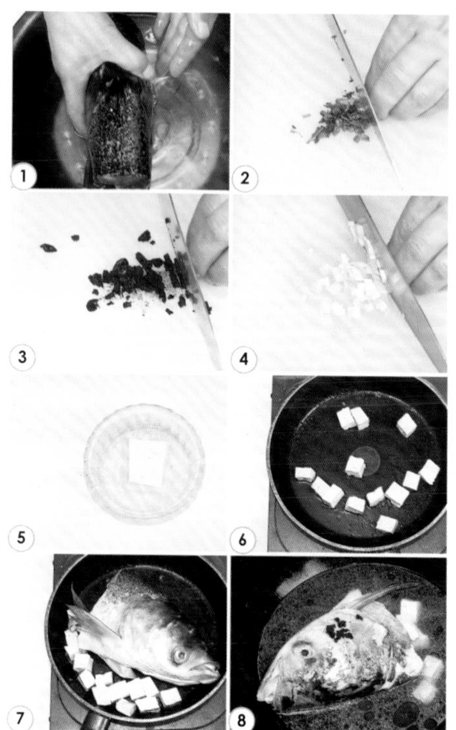

原 料

鲢鱼头500克，豆腐300克，香菜、淡豆豉、葱白、盐、味精、色拉油各适量。

做 法

1 将鲢鱼头去掉喉管、腮腺，洗净，切开两边。
2 将香菜择洗净，切碎。
3 将淡豆豉洗净，切碎。
4 将葱白洗净，切碎。
5 将豆腐略洗切块，沥干水分。
6 炒锅注色拉油烧热，放入豆腐块略煎，铲出。
7 放入鲢鱼头煎香，加淡豆豉碎，添水，大火煮沸。
8 转小火煲半小时，加香菜碎、葱白碎、盐、味精调味即可。

特别提示

此汤清香适口、健脾和胃，豆腐和鱼头相配，具有营养互补的作用。

黄花鱼瘦肉汤

口味 鲜辣味
操作时间 30分钟
难度 ★★★

0失败巧招

黄花鱼的鳃、鳞、内脏要去除干净，然后根据鱼身大小切块；将黄花鱼提前煎透再熬汤，可以使汤色浓厚，口感更佳。

此汤鲜美，肉细嫩，开胃爽口，并能改善缺铁性贫血。

原 料

黄花鱼300克，猪瘦肉150克，香菜、葱白、生姜、盐、酱油、味精、料酒、胡椒粉、花生油各适量。

做 法

1 将香菜择洗净，切段。
2 将葱白切丝。
3 将生姜去皮洗净，切细丝。
4 将猪瘦肉洗净，切成片。
5 将黄花鱼去鳃、鳞、内脏，洗净，切成块。
6 锅内注花生油烧热，放入黄花鱼块煎透，取出。
7 锅内留底油烧热，放入葱白丝、生姜丝爆香。
8 放入猪瘦肉片略炒。
9 添入水，加入酱油、盐、料酒、胡椒粉煮开。
10 放入黄花鱼块煮至熟烂，撒入味精、香菜段即可。

清汤鱼丸

口味 鲜香味
操作时间 30分钟
难度 ★★★

0失败巧招

鱼泥要刮得细腻，所用鱼肉料最好是在剖杀后经半天冷藏的鲜鱼。剖时刀口要放平，刀面倾斜60°左右，用力得当。

原 料

鲢鱼肉200克，火腿、绿豆芽各25克，熟香菇1朵，盐、味精、香油各适量。

做 法

1 将绿豆芽择洗干净，火腿切片。
2 将鲢鱼肉洗净，去掉鱼骨。
3 将鲢鱼肉剁成鱼泥，至起黏性。
4 鱼泥加清水、盐，顺同一方向搅拌至有黏性。
5 加入味精和适量水搅匀，挤成鱼肉丸。
6 锅内添清水烧热，放入鱼肉丸汆熟。
7 加入绿豆芽略煮，加盐调味后盛出装碗。
8 将火腿片与绿豆芽置于鱼肉丸上面，交叉成三角形。
9 中间放熟香菇，淋上香油即可。

特别提示

此汤色白、肉嫩、滑润，味鲜。

鲢鱼丝瓜汤

口味 咸味
操作时间 30分钟
难度 ★

0失败巧招

购买鲢鱼要注意：第一，要鲜活；第二鱼体要光滑、整洁、无病斑、无鱼鳞脱落。清洗鲢鱼的时候，要将鱼肝清除掉，因为其中含有毒素。

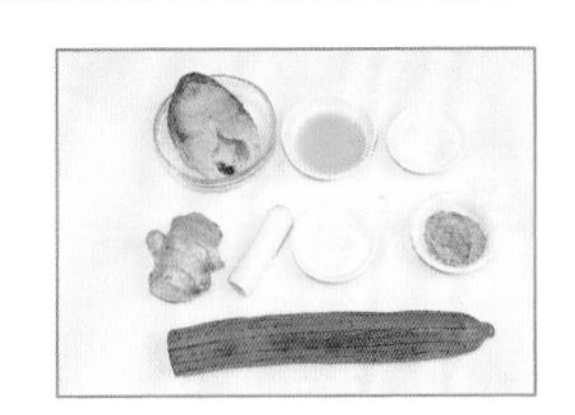

原料

鲢鱼肉250克，丝瓜100克，料酒、大葱、姜、盐、白糖、胡椒粉各适量。

做法

1 将丝瓜去皮洗净，切成条；大葱切段；姜切片。
2 将鲢鱼肉洗净，斩成几段。
3 锅中放入鲢鱼段。
4 添入适量水。
5 烹入料酒。
6 加入大葱段、姜片。
7 撒入盐、白糖，大火煮开。
8 放入丝瓜条煮熟，拣去大葱段、姜片，撒胡椒粉调味即可。

此汤鲜美味浓、营养丰富，是有助于女性美容的佳肴。

菜心鱼片汤

口味 鲜香味
操作时间 40分钟
难度 ★★

大黄鱼头部、眼睛较大，尾巴较长，嘴略尖，鳞片较小。黄鱼含有丰富的微量元素硒，能清除人体的自由基，延缓衰老。

原 料

大黄鱼300克，油菜心200克，姜片、淀粉、盐、白糖、色拉油各适量。

做 法

1 将大黄鱼去骨取肉切片，改刀成蝴蝶形。
2 将鱼片用淀粉、盐、白糖、色拉油拌匀。
3 将鱼头和鱼骨用盐略腌。
4 将油菜心洗净，切段。
5 炒锅注色拉油烧热，鱼骨稍煎，加水、姜片煮20分钟。
6 炒锅注色拉油烧热，放入盐、油菜心段、姜片翻炒。
7 添入适量清水。
8 放入鱼片煮熟即可。

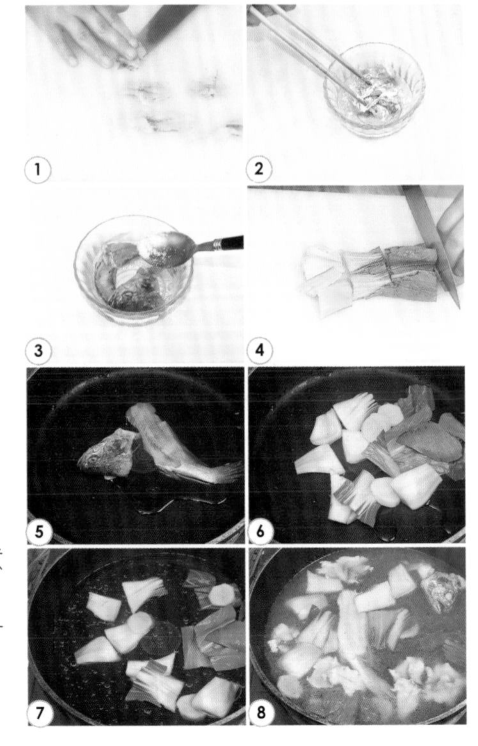

三色鱼丸汤

0失败巧招

鱼肉做肉泥时，可以使用刀背砸，这样制成的肉泥会比较细腻；汆鱼丸时要慢慢加热，避免将鱼丸汆烂。

原料

黄鱼300克，菠菜150克，番茄酱50克，鸡蛋3个，葱、姜、盐、胡椒粉、料酒、清汤、色拉油各适量。

做法

1. 将黄鱼洗净，去皮、骨、刺，砸成细鱼泥；鸡蛋取蛋清。
2. 把葱、姜分别洗净，切成末。
3. 鱼泥加葱末、姜末、水、盐、料酒，搅至发亮。
4. 加胡椒粉、色拉油、蛋清搅匀，分成三份。
5. 将菠菜洗净，捣碎后挤出菠菜汁备用。
6. 将一份加鱼肉泥和菠菜汁搅成绿色。
7. 一份加番茄酱搅成红色，一份原色。
8. 把三色肉泥挤成丸子，放入清汤内煮熟即可。

特别提示

鱼丸绵软、鲜嫩，汤清香、爽口。

蒜香鳝鱼汤

口味 甜味
操作时间 30分钟
难度 ★

死鳝鱼不能吃，因为鳝鱼死后，体内会产生毒素，食用后容易引起食物中毒；此外凡病属虚热者也不宜食用鳝鱼。

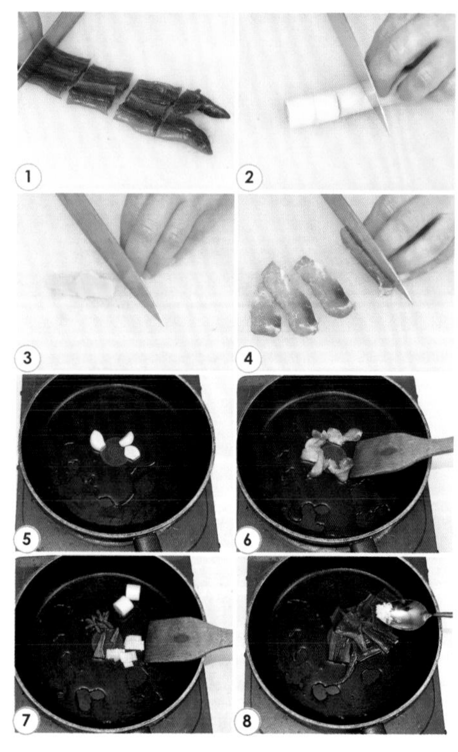

原 料

鳝鱼300克，猪肉100克，蒜50克，桂皮、八角、葱、姜、盐、白糖、酱油、料酒、高汤、色拉油各适量。

做 法

1 将鳝鱼去骨，洗净，切长段，入开水锅中焯去血污。
2 将蒜去皮，切去两端；葱洗净切段。
3 将姜洗净，切成片。
4 将猪肉切长3厘米的片。
5 蒜入色拉油锅炸黄捞出，熟油倒入碗中备用。
6 色拉油烧六成热，放入猪肉片、盐、料酒、酱油炒好，取出。
7 再放入色拉油烧七成热，加八角、桂皮、葱段、姜片炒香，盛出。
8 加白糖、鳝鱼段煸炒，加熟猪肉片、高汤、炸好的蒜、第7步炒好的调料烧入味即可。

此汤蒜香浓郁、鳝鱼明亮、酱香味浓。

海鲜汤

口味 酸辣味
操作时间 25分钟
难度 ★★

0失败巧招

优质虾仁摸起来有弹性，无腥臭味。香油使用时注意控制用量，香油味浓就会掩盖海鲜的美味。

特别提示

此汤口味咸鲜，酸辣可口，营养丰富且开胃醒酒。

原料

虾仁、蛤蜊、鱿鱼、蟹肉、豆腐各50克，香菜末、葱粒、盐、淀粉、鸡蛋清、白胡椒粉、白醋、香油各适量。

做法

1 将虾仁洗净切粒。
2 将蛤蜊洗净煮熟，取肉切粒。
3 将鱿鱼、蟹肉、豆腐分别切粒。
4 将豆腐粒下锅焯水捞出。
5 锅中添入适量水。
6 放入虾仁粒、蛤蜊粒、鱿鱼粒、蟹肉粒、豆腐粒。
7 撒盐、白胡椒粉，加入白醋调好味。
8 用淀粉勾芡，淋入鸡蛋清。
9 滴入香油出锅。
10 撒上葱粒、香菜末即可。

海米冬瓜汤

口味 鲜香味
操作时间 20分钟
难度 ★

0失败巧招

将海米洗净，用温水泡发，最好不要用凉水或热水替代。选购冬瓜时，种子已成熟、颜色呈黄褐色的冬瓜口感好。

原料

冬瓜300克，海米25克，葱花、盐、味精、鲜汤、香油、色拉油各适量。

做法

1 将冬瓜洗净去皮、瓤，切成片。
2 将海米洗净，用温水泡发。
3 锅中放入适量鲜汤、色拉油烧开。
4 加入冬瓜片、海米。
5 撒入盐，煮至冬瓜片熟透。
6 加入葱花。
7 撒入味精拌匀。
8 淋入香油。
9 盛入汤碗中即可。

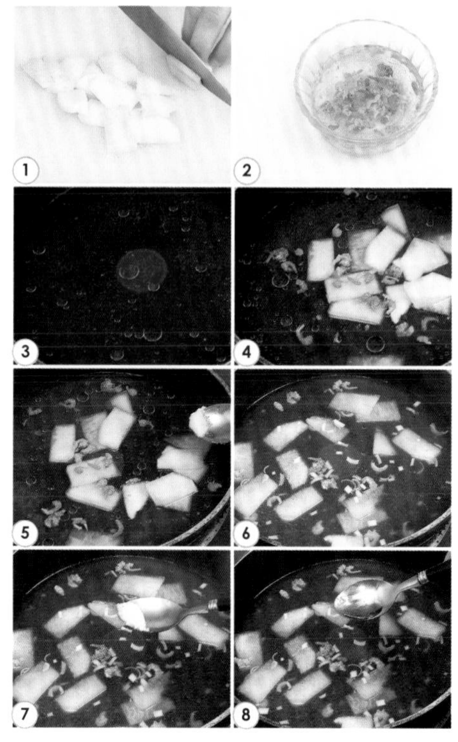

9

虾仁三鲜汤

口味 鲜辣味
操作时间 25分钟
难度 ★★

失败巧招

在用滚水汤煮虾仁时，在水中放一根肉桂棒，既可以去虾仁腥味，又不影响虾仁的鲜味。

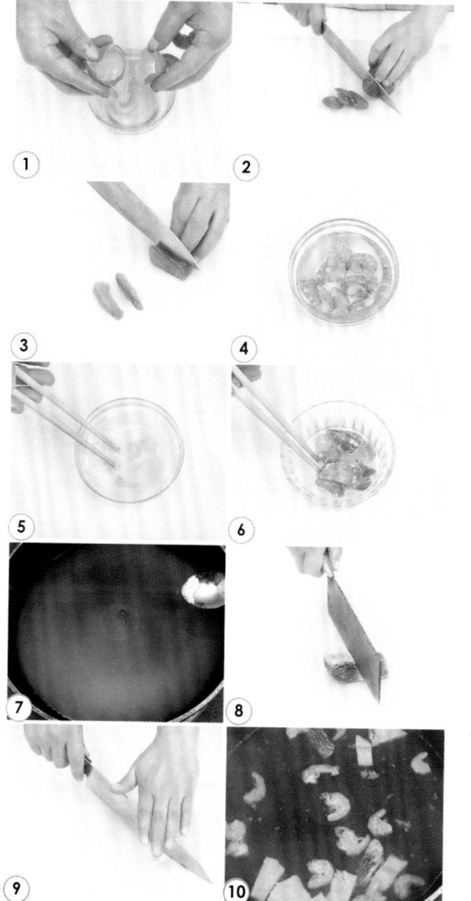

原料

虾150克，猪肉、鱼肉各100克，肉汤500毫升，鸡蛋1个，料酒、盐、胡椒粉、淀粉各适量。

做法

1 将鸡蛋打碎取蛋清。
2 将猪肉洗净，切片。
3 将鱼肉洗净，切片。
4 将虾去皮取虾仁，洗净。
5 将蛋清、淀粉、料酒、盐调匀，制成浆。
6 将猪肉片、鱼肉片、虾仁分别上浆。
7 锅中加肉汤、盐，旺火煮沸。
8 放入猪肉片、鱼肉片略煮。
9 放入虾仁煮沸。
10 加入料酒，撇去浮沫，撒上胡椒粉即可。

特别提示

此汤微辣爽口，具有补血益气的养生功效。

虾皮白菜汤

口味 鲜香味
操作时间 20分钟
难度 ★

白菜易熟，不可久烧，若白菜太烂，则影响口感；香菇可以换成干香菇，使用前用清水洗净，然后用温水泡发。

原 料

白菜心250克，香菇50克，虾皮25克，火腿、盐、味精、高汤、鸡油各适量。

做 法

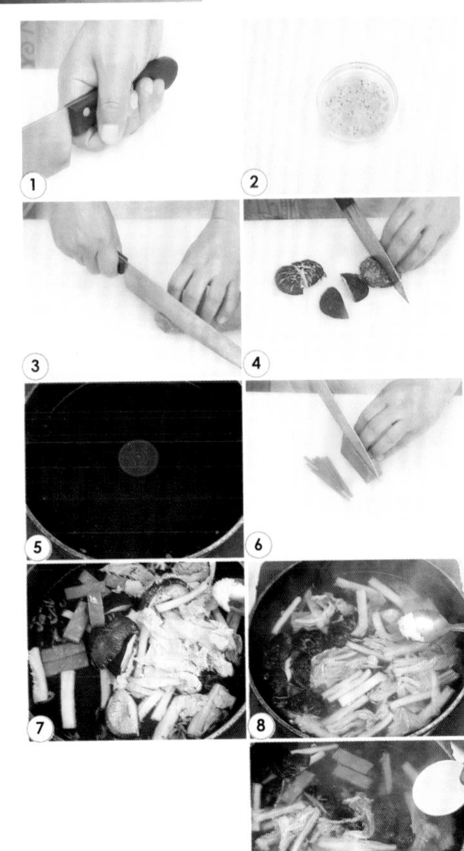

1 将白菜心洗净切条，用开水稍烫，捞出控净。
2 将虾皮用清水洗净。
3 将火腿切片。
4 将香菇洗净挤干水，每朵切成两瓣。
5 汤锅添入适量高汤。
6 放火腿片、香菇瓣、虾皮、白菜心条。
7 撒入盐，煮开，撇去浮沫。
8 待白菜心条熟烂时，撒入味精。
9 淋入鸡油，起锅盛汤碗内即可。

此汤鲜香解腻，美味适口，清热利尿。

紫菜虾皮汤

口味 咸味
操作时间 30分钟
难度 ★

失败巧招

优质虾皮干燥适度，选购时用手紧握一把，松手虾皮个体即散开；次质虾皮松手不散，且碎末多或发黏。

原 料

鸡蛋1个，紫菜、虾皮各25克，花生油、料酒、醋、酱油、香油各适量。

做 法

1 将紫菜洗净、撕开。
2 将鸡蛋打散成鸡蛋液，搅匀。
3 将虾皮洗净，用料酒浸泡10分钟。
4 炒锅注花生油烧热，倒入酱油炝锅。
5 添入适量清水。
6 放入紫菜、虾皮煮开，再倒入蛋液。
7 加入醋，略搅匀。
8 待蛋熟起锅盛碗，淋入香油即可。

炒锅注花生油烧热，倒入酱油炝锅，添水1碗，时间要把握好。

萝卜丝虾汤

口味 咸鲜味
操作时间 20分钟
难度 ★★

优质的虾虾体完整、甲壳密集、外壳清晰鲜明、肌肉紧实、身体有弹性。

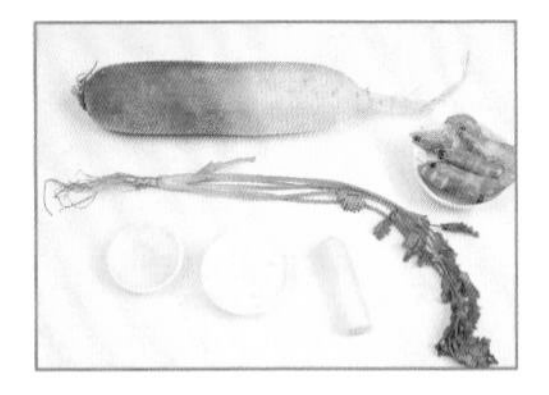

原 料

虾300克，青萝卜150克，香菜、葱、盐、色拉油各适量。

做 法

1 将虾去须、虾线，洗净。
2 将青萝卜洗净，去皮，切成丝。
3 将葱洗净，切葱花。
4 将香菜洗净切碎。
5 炒锅注色拉油烧热，下葱花爆香。
6 锅内添入适量清水，放入虾用大火煮沸，转入中火再煮5分钟。
7 放入青萝卜丝煮沸，改小火煮至青萝卜丝软烂。
8 加适量盐调味，撒入香菜段出锅即可。

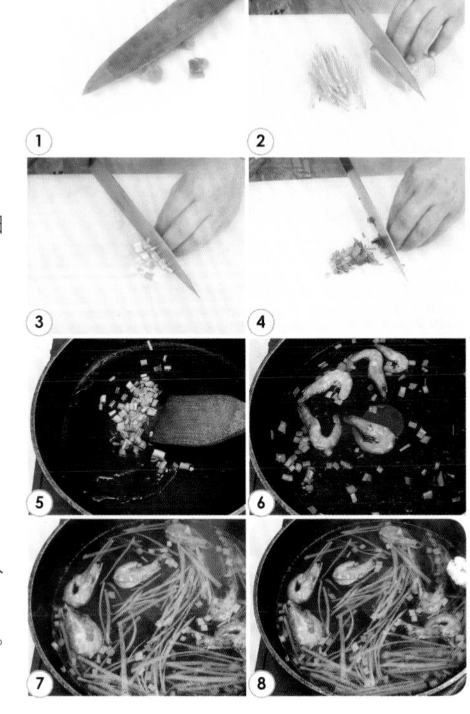

Part 4 禽蛋类

鸡

金针菇鸡丝汤

口味 鲜香味
操作时间 20分钟
难度 ★★

把新鲜的金针菇放在一张干净的白纸上卷紧，然后用保鲜膜包紧放入冷藏柜，即可存放一周不变色。

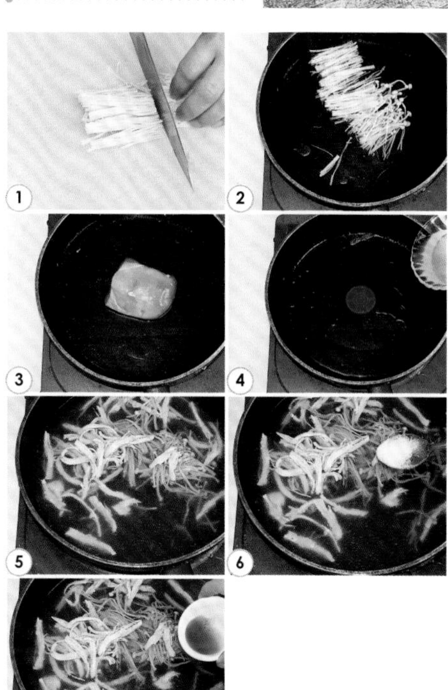

鲜金针菇200克，鸡肉50克，盐、味精、高汤、香油各适量。

做法

1 将鲜金针菇洗净，切成长段。
2 将鲜金针菇段放入沸水锅中烫片刻，捞出过凉。
3 将鸡肉洗净，下入开水锅中焯熟，捞出撕成丝。
4 锅中添入高汤。
5 放入金针菇段、熟鸡丝，煮沸。
6 撒入盐、味精调味。
7 淋入香油，起锅倒入汤碗中即可。

将鲜金针菇切成长段，放入沸水锅中烫片刻，不可过久。

双菇辣汤鸡

口味 鲜辣味
操作时间 30分钟
难度 ★★

优质的鸡毛色油亮、精神饱满、体格健硕、昂首挺胸、具有攻击性，食用时肉质紧凑、口感鲜而不腻。

特别提示

锅中添水烧开，倒鸡块煮沸，时间不可过长。

原 料

乌鸡1只，香菇、口蘑各100克，葱、姜、尖椒、干椒、八角、甜面酱、盐、糖、鸡精、鲜汤、料酒、老抽、花生油各适量。

做 法

1 将乌鸡洗净剁成小块，放入开水锅焯烫，捞出沥干。
2 将香菇洗净，切成块；口蘑洗净。
3 将尖椒洗净，切条；葱切葱花，姜切丝。
4 炒锅注花生油烧热。
5 放入八角、葱花、姜丝、干椒、甜面酱。
6 放入乌鸡块炒香。
7 烹入料酒、加鲜汤、盐、老抽、糖、香菇块、口蘑。
8 盖上盖，大火煮开，转小火炖至熟烂。
9 撒入鸡精调味，放入尖椒条煮开即可。

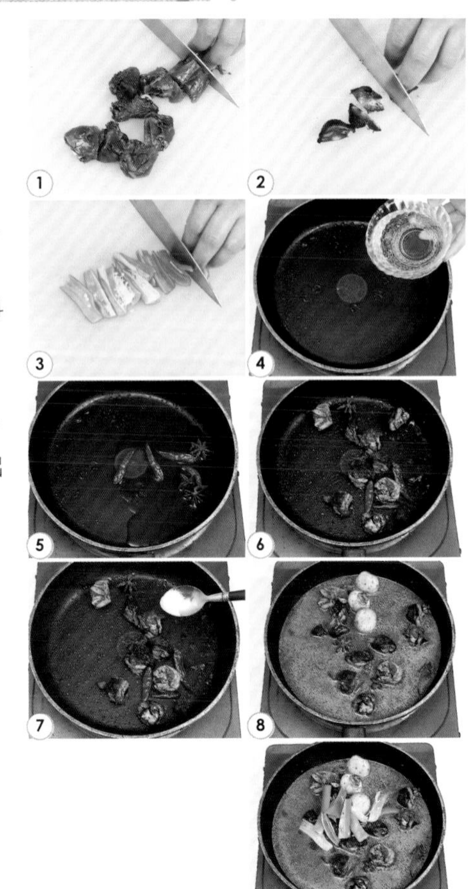

小鸡炖蘑菇

口味 鲜辣味
操作时间 60分钟
难度 ★★

失败巧招

使用新鲜的仔鸡可以使汤的味道更鲜香。现代所讲的鲜，是指鱼、畜禽杀死后3~5小时，鱼或畜禽肉的各种酶使蛋白质、脂肪等分解为氨基酸、脂肪酸等人体易于吸收的物质，此时不但营养最丰富，味道也最好。

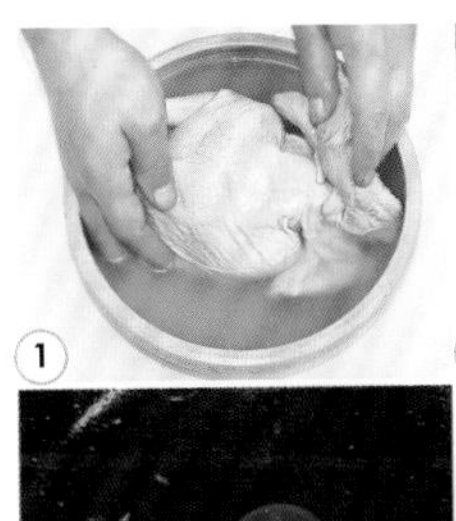

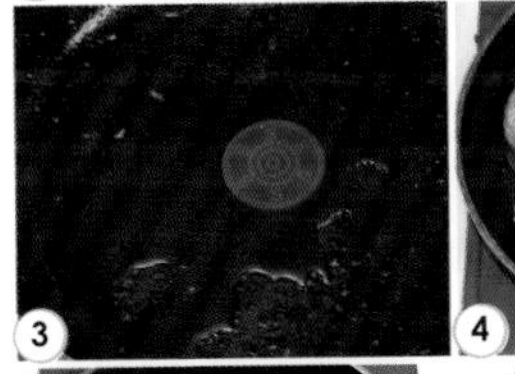

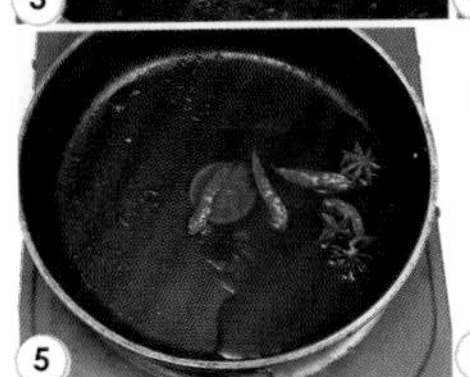

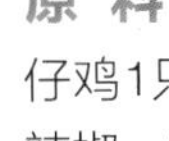

原 料

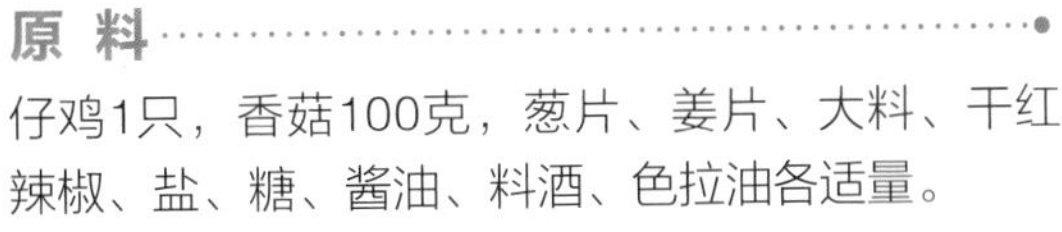

仔鸡1只，香菇100克，葱片、姜片、大料、干红辣椒、盐、糖、酱油、料酒、色拉油各适量。

做 法

1 将仔鸡洗净，剁成小块。
2 将香菇洗净，切成片。
3 炒锅注色拉油烧热。
4 放入仔鸡块翻炒至变色。
5 加入葱片、姜片、大料、干红辣椒爆香。
6 撒入盐、糖。
7 烹入酱油、料酒炒匀。
8 添入适量水，大火煮开。
9 放入香菇片，中火炖40分钟，盛出即可。

栗香鸡汤

口味 鲜香味
操作时间 60分钟
难度 ★★★

0失败巧招

用刀将栗子切成两半，去掉外壳后放入盆里，加上开水浸泡一会儿后用筷子搅拌，栗皮就会脱去。

特别提示

此汤可补胃健脾、强筋骨、增强体力。栗子含有丰富的维生素C，能够维持牙齿、骨骼、血管肌肉的正常功能。

原 料

鸡300克，栗子150克，冬笋、冬菇各25克，葱段、姜片、盐、糖、料酒、酱油、香油、高汤、色拉油各适量。

做 法

1 将鸡洗净，斩成块。
2 将鸡块放入沸水锅中烫片刻，捞出洗净。
3 将栗子去外壳，煮熟去内皮。
4 将冬菇洗净，切成丝。
5 将冬笋洗净，切成丝。
6 锅中注色拉油烧热。
7 放入鸡块、栗子，炒至鸡肉变色。
8 加葱段、姜片、料酒、酱油、糖翻炒。
9 添高汤煮沸，撇去浮沫，转小火焖40分钟，加冬菇丝、冬笋丝焖2分钟。
10 撒盐调味，淋入香油即可。

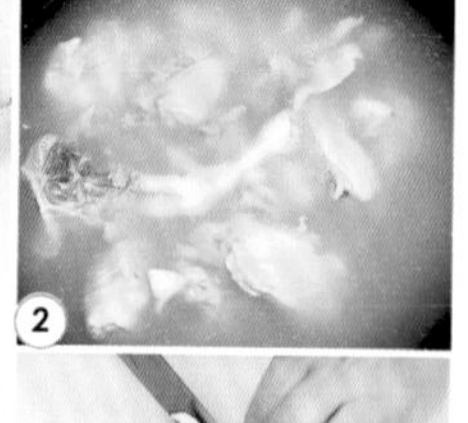

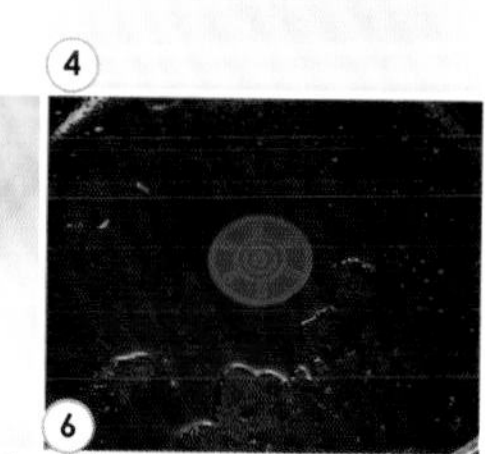

香菇凤爪汤

0失败巧招

火腿片可适当地放得晚些，因为它不如香菇片那么经得起煮；干香菇保存时要密封，放于避风阴凉处，注意防潮。

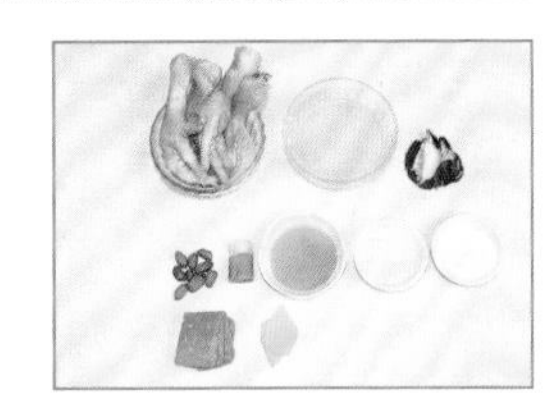

原 料

鸡爪200克，香菇片50克，花生仁25克，鸡清汤、葱段、姜片、火腿片、盐、料酒、味精各适量。

做 法

1 将花生仁用水略泡后，去皮。
2 将鸡爪洗净，放入沸水锅焯水，捞出沥干。
3 砂锅中添入鸡清汤，放入鸡爪煮沸。
4 加入香菇片、火腿片、花生仁。
5 放入盐、葱段、姜片、料酒。
6 盖上盖，煮至鸡爪熟烂。
7 拣去葱段、姜片，撒入味精。
8 盛出即可。

特别提示

此汤汤质鲜香、鸡爪酥烂，可活血养颜、强筋壮骨。

小麦白果竹丝鸡汤

口味 咸鲜味
操作时间 45分钟
难度 ★

失败巧招

选择体型较大、骨色深的乌鸡，注意乌鸡的羽毛是白色的。煲汤加盐调味要放在将离火出锅时，不可提前，否则影响口味质量。

原 料

竹丝鸡（乌骨鸡）300克，小麦100克，白果、芡实各25克，生姜、干枣、盐各适量。

做 法

1 将小麦淘洗净。
2 将芡实淘洗净。
3 将生姜洗净。
4 将干枣去核洗净。
5 将白果去壳取肉。
6 将竹丝鸡洗净剁块。
7 锅内添适量清水。
8 放入以上材料煮沸，转小火煲至熟烂，加盐调味即可。

特别提示

此汤可清热祛湿、健脾止带。

墨鱼炖鸡汤

口味 鲜辣味
操作时间 140分钟
难度 ★★

优质的墨鱼背面全白或骨上皮稍有紫色；次质的墨鱼背面全部呈深紫色或稍有红色。

原料

鸡500克，墨鱼150克，葱末、姜片、盐、清汤、胡椒粉、料酒、色拉油各适量。

做法

1 将鸡洗净，剁块。
2 将墨鱼洗净，去筋、皮，切成块。
3 炒锅注色拉油烧热。
4 放入姜片、葱末爆香。
5 放入鸡块，烹入料酒翻炒。
6 添入适量清汤。
7 放入墨鱼块，用小火炖约2小时。
8 撒入盐、胡椒粉调味，出锅即可。

本菜汤汁醇厚、风味独特，而且墨鱼含丰富的蛋白质等营养成分。

鸡爪猪骨奶白汤

口味 鲜辣味
操作时间 140分钟
难度 ★★

荸荠的外皮和内部都有可能附着较多的细菌和寄生虫，所以一定要洗净煮透后方可食用。

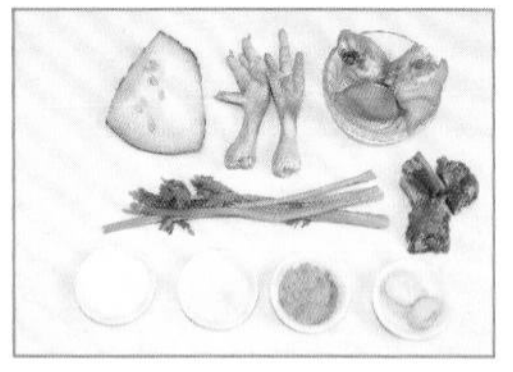

原 料

猪排骨300克，猪蹄200克，鸡爪150克，荸荠、冬瓜各100克，芹菜、盐、白糖、白胡椒粉各适量。

做 法

1 将荸荠洗净，去皮。
2 将冬瓜洗净，去皮，切片。
3 将芹菜洗净，切段。
4 将猪排骨、猪蹄、鸡爪分别洗净。
5 将猪排骨、猪蹄、鸡爪依次放入沸水锅中焯烫。
6 添水，加猪排骨、猪蹄、鸡爪大火煮开，转中火慢炖2小时。
7 加入荸荠、冬瓜片、芹菜段，炖至熟烂。
8 加入白糖、盐及白胡椒粉调味即可。

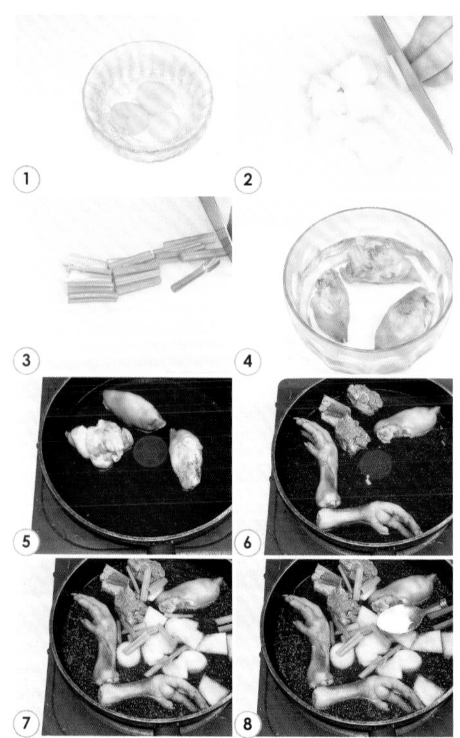

此汤汤色奶白，醇香味浓，食材丰富，含有各种不同的营养成分。

黄芪莲子鸡汤

口味 咸鲜味
操作时间 150分钟
难度 ★

O失败巧招

选购黄芪以条粗长、皱纹少、质坚而绵、断面色黄白、粉性足、味甜者为佳。鸡切块，下油锅加姜片爆香，淋入料酒味道最佳，白酒、黄酒也可。

原 料

鸡300克，莲子50克，黄芪25克，姜、盐、味精、料酒、色拉油各适量。

做 法

1 将鸡洗净，切成块。
2 将黄芪洗净。
3 将莲子去皮洗净。
4 将姜洗净切片。
5 锅中注色拉油烧热。
6 加入姜片爆香。
7 放入鸡块略炒。
8 烹入少许料酒。
9 添适量水，加黄芪、莲子肉，大火煮沸，改小火煲2小时。
10 撒入盐、味精调味即可。

特别提示

此汤不但味道鲜美，而且营养丰富，可补气健脾。

枣杏煲鸡汤

口味 咸鲜味
操作时间 200分钟
难度 ★★

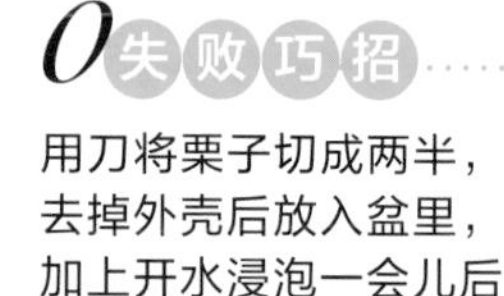

用刀将栗子切成两半，去掉外壳后放入盆里，加上开水浸泡一会儿后用筷子搅拌，栗皮就会脱去。

原 料

鸡500克，栗子200克，红枣150克，核桃100克，杏仁、姜、盐各适量。

做 法

1 将杏仁煮5分钟，去衣洗净。
2 将栗子煮5～10分钟，去壳洗净，浸于清水中。
3 将核桃去壳放入滚水中煮5分钟，捞起用清水洗净。
4 将红枣洗净去核。
5 将鸡切去脚洗净，放入滚水中煮熟，取出洗净。
6 锅内添入适量水。
7 放入鸡、红枣、杏仁、姜煲滚，慢火煲2小时。
8 加入核桃、栗子肉煲滚，再煲1小时。
9 撒盐调味，盛出即可。

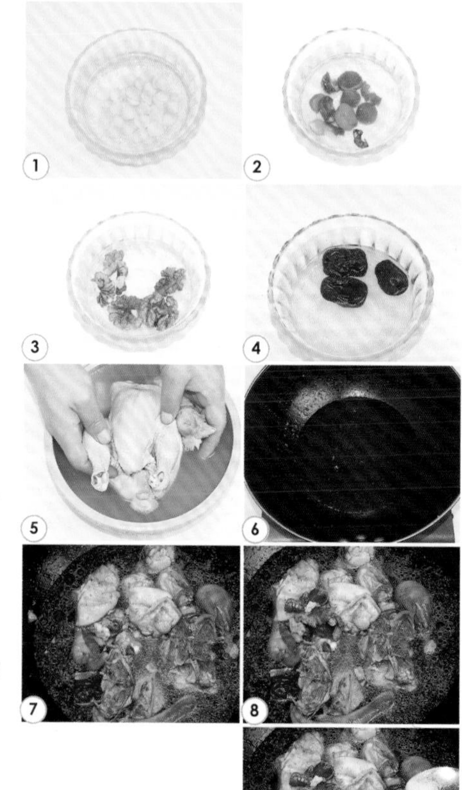

此汤可益肾、强筋骨。

清鸡汤

口味 咸鲜味
操作时间 110分钟
难度 ★

0失败巧招

母鸡肉蛋白质的含量较高，种类多，而且消化率高，很容易被人体吸收利用，有增强体力、强身壮体的作用。

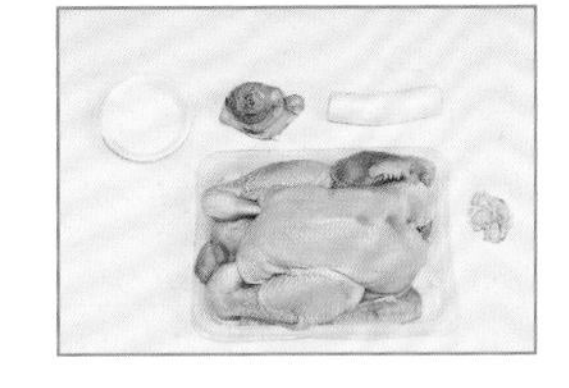

原料

母鸡1只，西洋参10克，葱、姜、盐各适量。

做法

1 将母鸡撕掉鸡皮，斩大块。
2 将葱洗净切段。
3 将姜去皮切片。
4 将西洋参略洗，切片。
5 锅中添入适量水，加入葱段、姜片。
6 加鸡块，大火煮开，捞出鸡块。
7 锅中添入适量水。
8 放入鸡块、西洋参片。
9 盖上盖，大火煮开，转小火煲1.5小时。
10 撒入盐调味即可。

特别提示

此汤口味清鲜，营养丰富。

醋椒鸭汤

口味 酸辣味
操作时间 40分钟
难度 ★★

可使用新鲜的鸭，也可使用熟鸭，如北京烤鸭；汤锅中的汤开后应将浮沫撇去，以去油去腻。

原 料

鸭骨200克，黄瓜75克，鸭肉50克，香菜25克，盐、味精、胡椒粉、醋、香油、色拉油、料酒各适量。

做 法

1 将黄瓜洗净切成片，香菜洗净切末。
2 锅内注入色拉油烧热。
3 放入胡椒粉煸炒。
4 加入料酒。
5 放入黄瓜片、鸭骨、鸭肉。
6 撒入盐，汤烧开后撇去浮沫。
7 加入味精。
8 加入醋，淋入香油，撒香菜末即可。

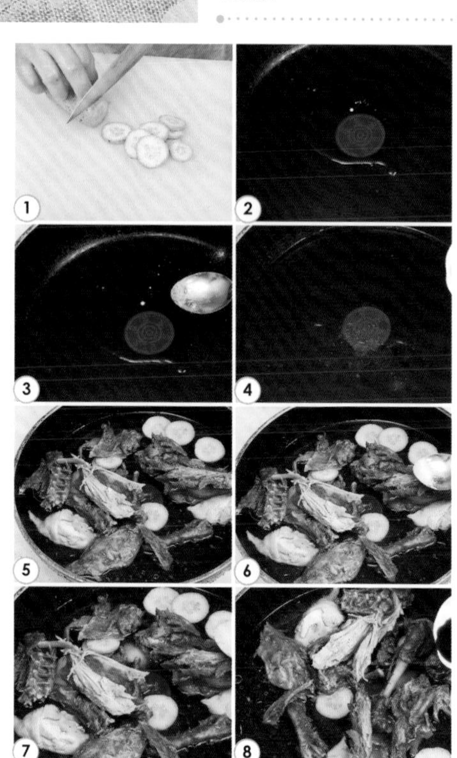

此汤香鲜酸辣，可消暑、解燥。

鸭血豆腐汤

口味 鲜辣味
操作时间 20分钟
难度 ★

真鸭血呈暗红色，而假鸭血则一般呈咖啡色；真鸭血在加工过程中经过了高温脱气脱味处理，没有血腥味，而是飘着一股鸭香。

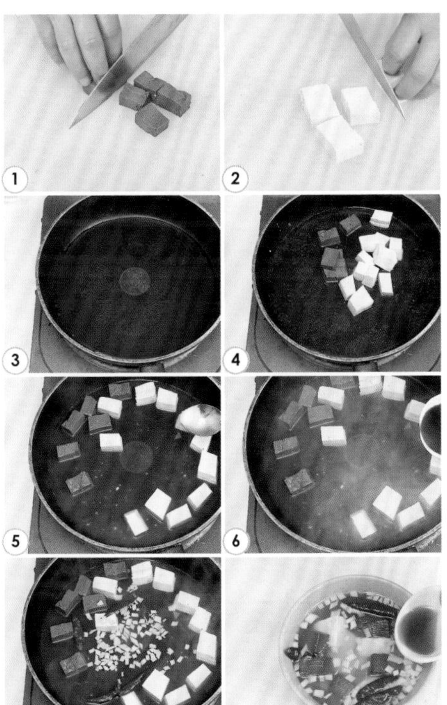

原 料

豆腐300克，鸭血250克，红辣椒、大葱、盐、味精、酱油、香油、高汤各适量。

做 法

1 将鸭血洗净，切块；大葱切末。
2 将豆腐切块，入开水锅中焯一下，捞出控干。
3 汤锅添适量高汤烧开。
4 放鸭血块、豆腐块，煮至漂起。
5 撒入盐、味精。
6 淋入酱油。
7 放入大葱末、红辣椒。
8 待汤再开，起锅盛入汤碗内，淋入香油即可。

烹调鸭血时应配有葱、姜、辣椒等作料用以去味，不宜单独烹饪。

青萝卜煲鸭汤

口味 咸鲜味
操作时间 200分钟
难度 ★★

变质鸭的体表有许多油脂，色呈深红或深黄色，肌肉切面为灰白色、浅绿色或浅红色。

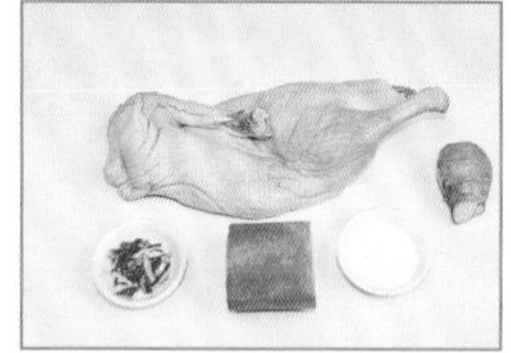

原 料

鸭500克，青萝卜200克，陈皮、姜、盐各适量。

做 法

1 将青萝卜去皮，洗净切块。
2 将陈皮用清水浸软，刮去瓤，洗净。
3 将鸭洗净，剁成块。
4 将鸭块放入开水锅中焯烫，捞出沥干。
5 锅内放入鸭肉，添入适量水。
6 放入青萝卜块、鸭肉、陈皮、姜煲滚。
7 盖上盖，慢火煲3小时。
8 撒盐调味即可。

烹调时加入少量胡椒粉，肉汤微微带有辣味，口感会更美味。

桂圆煲鸭汤

口味 咸鲜味
操作时间 200分钟
难度 ★

优质的鸭子香味四溢；质量一般的鸭子可以从其腹腔内闻到腥霉味；若闻到较浓的异味，则说明鸭已变质。

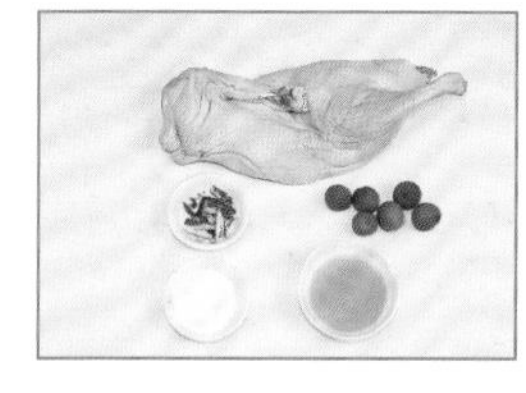

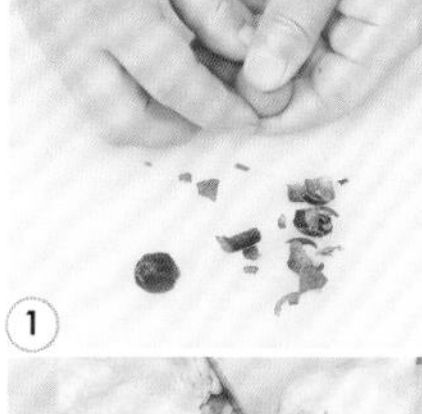

原料

鸭500克，桂圆25克，陈皮、盐、料酒各适量。

做法

1 将桂圆去壳、去核。
2 将陈皮浸软，刮去瓤洗净。
3 将鸭洗净，切成大块。
4 将鸭块放入开水锅中焯烫，取出洗净。
5 锅内添水烧滚。
6 放入陈皮、料酒、鸭块、桂圆肉。
7 盖上盖煲滚，慢火煲3小时。
8 撒入适量盐调味即可。

特别提示

如忌肥油，可将鸭子撕去一部分鸭皮再进行焯烫，能有效去油。

萝卜鸭胗汤

口味 咸鲜味
操作时间 140分钟
难度 ★

失败巧招

小火慢煮是制作此汤的关键，这样才能使原料内的蛋白质浸出物等鲜香物质尽可能地溶解出来。

原料

鸭胗200克，白萝卜1根，老姜、香菜、盐各适量。

做法

1 将鸭胗剖开洗净，切均匀块。
2 将老姜切片。
3 将香菜洗净切段。
4 将白萝卜洗净切块。
5 锅内放入鸭胗块。
6 加入萝卜块，盖上盖，大火煮开。
7 加入老姜片，用小火煮约2小时。
8 撒入盐，香菜段即可。

特别提示

鲜鸭胗清洗时要剥去内壁黄皮。

鸭架汤泡肚

口味 鲜辣味
操作时间 60分钟
难度 ★★★

新鲜猪肚呈黄白色，黏液多，肚内无块和硬粒，弹性较足；猪肚买回家后需要多冲洗几次，确保卫生。

原 料

鸭架1个，猪肚尖、豆苗各200克，口蘑20克，清鸡汤、料酒、鸡油、盐、味精、葱白、胡椒粉、碱各适量。

做 法

1 将猪肚尖切片，加碱腌30分钟，漂去碱味，加料酒、盐焯一下。
2 将鸭架切块。
3 将口蘑用水泡发，片成片。
4 将豆苗择洗净，葱白切段。
5 锅内添入清鸡汤。
6 放入鸭架块、口蘑片。
7 撒入盐、味精，煮开调好味，撇去泡沫。
8 放入豆苗、猪肚尖片，放胡椒粉、鸡油即可。

猪肚具有补虚损、健脾胃的功效，适合气血虚损、身体瘦弱者食用。

山药老鸭汤

口味 鲜辣味
操作时间 90分钟
难度 ★★

失败巧招

广东人煲汤偏爱用老鸭，俗话说“嫩鸭湿毒，老鸭滋阴”，普遍认为老鸭的滋阴效果较强，是家常滋补、煲汤的美味材料。

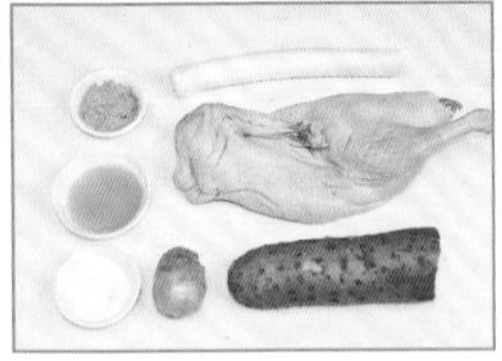

原 料

鸭400克，山药200克，姜1块，葱1根，胡椒粉、盐、料酒各适量。

做 法

1 将鸭洗净，斩成块。
2 将山药洗净刮去外皮，切滚刀块状，用清水浸泡备用。
3 将姜分成两份，用刀背拍松。
4 将葱切段。
5 锅中添入适量水，加入1份姜和葱段，放入鸭块。
6 加入料酒，大火煮开，捞出鸭块。
7 另起一锅，锅中放入鸭块，一次性加入足量清水。
8 锅中投入另一份姜、葱段，大火煮开，撇清浮沫。
9 加山药块煮开，转小火煲至山药块软糯，撒盐、胡椒粉搅匀即可。

爽口马蹄鸭汤

口味 咸鲜味
操作时间 90分钟
难度 ★★

0失败巧招

荸荠皮色紫黑，肉质洁白，味甜多汁，清脆可口，自古有“地下雪梨”的美誉，北方人视其为“江南人参”；荸荠既可作为水果，又可算作蔬菜，是大众喜爱的时令之品。

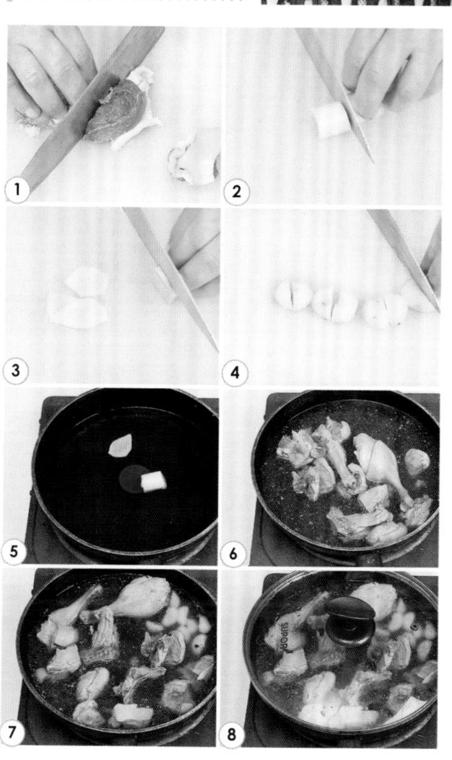

原 料

马蹄 (荸荠)100克，鸭1只，葱20克、姜15克，料酒、盐各适量。

做 法

1 将鸭斩块，洗净。
2 将葱切段。
3 将姜洗净切片。
4 将马蹄去皮洗净，切成两半。
5 锅中添入适量水，放入葱段、姜片、料酒。
6 加入鸭块，大火煮开，捞出鸭块。
7 锅内添入足量水，放入马蹄、鸭块。
8 盖上盖，大火煮开，慢火炖至熟烂，加盐即可。

玉竹沙参老鸭汤

口味 咸鲜味
操作时间 30分钟
难度 ★★

沙参本身带有甜味，再加上玉米、马蹄、蜜枣，对人体滋补效果较佳。

原 料

鸭1只，沙参30克，蜜枣20克，陈皮10克，玉竹5克，玉米粒、盐、姜、葱各适量。

做 法

1 将鸭斩块，洗净。
2 将葱切段。
3 将姜切片。
4 锅中添入适量水，放入葱段、姜片。
5 加入鸭块，大火煮开，捞出鸭块。
6 在锅内添入足量水，放入鸭块、蜜枣。
7 加入陈皮、玉竹、玉米粒、沙参。
8 盖上盖，大火煮开，转小火煮至熟烂，撒盐即可。

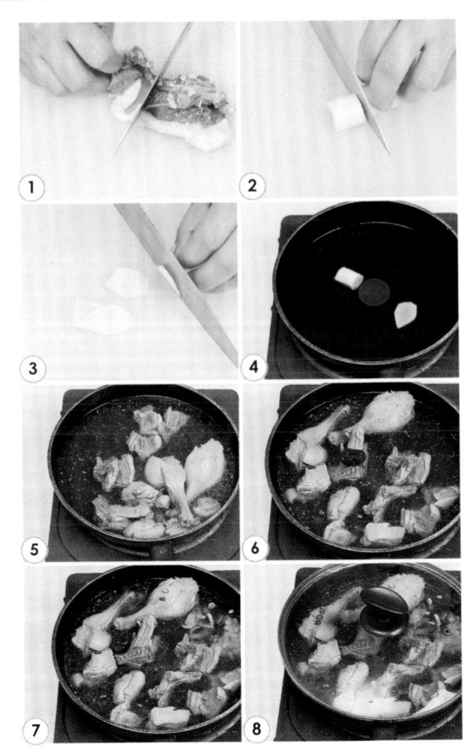

将沙参、玉竹两味合用滋补力大，此汤滋阴润肺，是养颜佳品。

排骨乳鸽汤

口味 清香味
操作时间 200分钟
难度 ★★

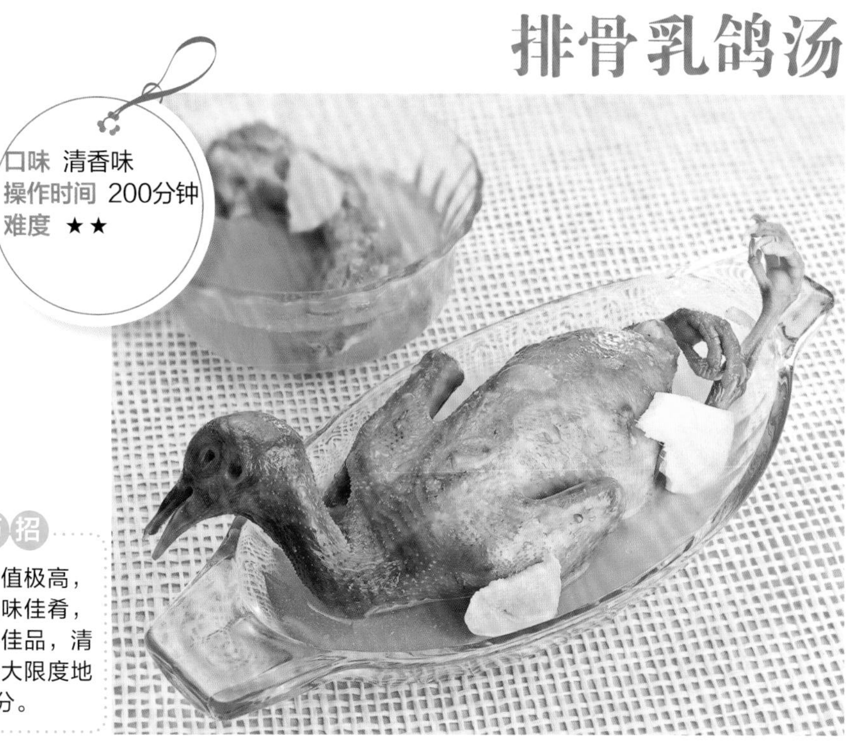

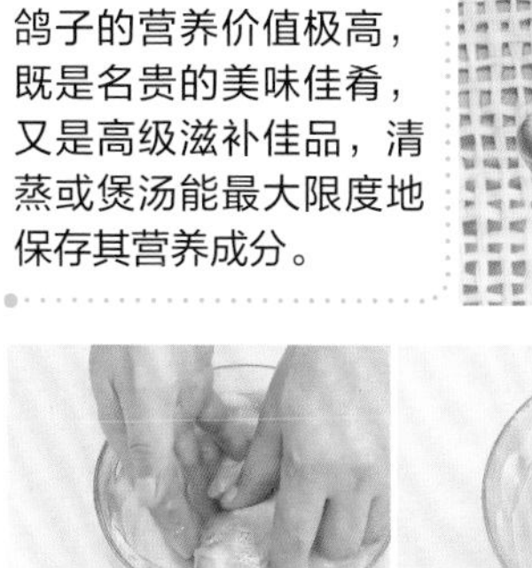

0失败巧招

鸽子的营养价值极高，既是名贵的美味佳肴，又是高级滋补佳品，清蒸或煲汤能最大限度地保存其营养成分。

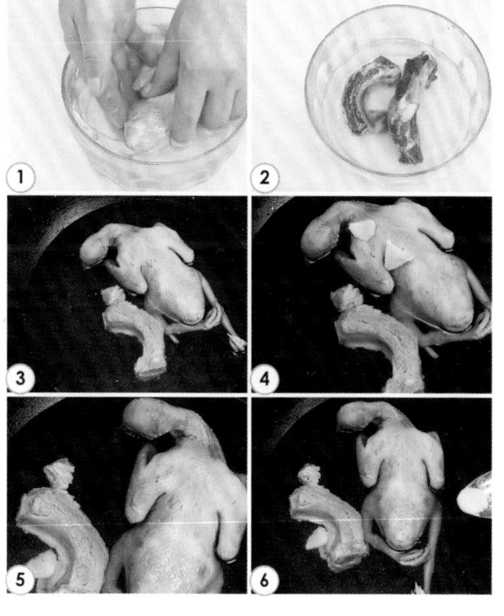

原 料

乳鸽1只，猪排骨200克，姜、盐各适量。

做 法

1 将乳鸽切去脚，洗净。
2 将猪排骨洗净。
3 将乳鸽、猪排骨同放入滚水锅中煮5分钟，再取出洗净。
4 锅内添水煮沸，放入乳鸽、猪排骨、姜煲滚。
5 慢火煲3小时。
6 撒盐调味即成。

特别提示

此汤营养丰富，可补虚益精、祛暑生津、开胃。

枸杞子炖乳鸽

口味 清香味
操作时间 75分钟
难度 ★

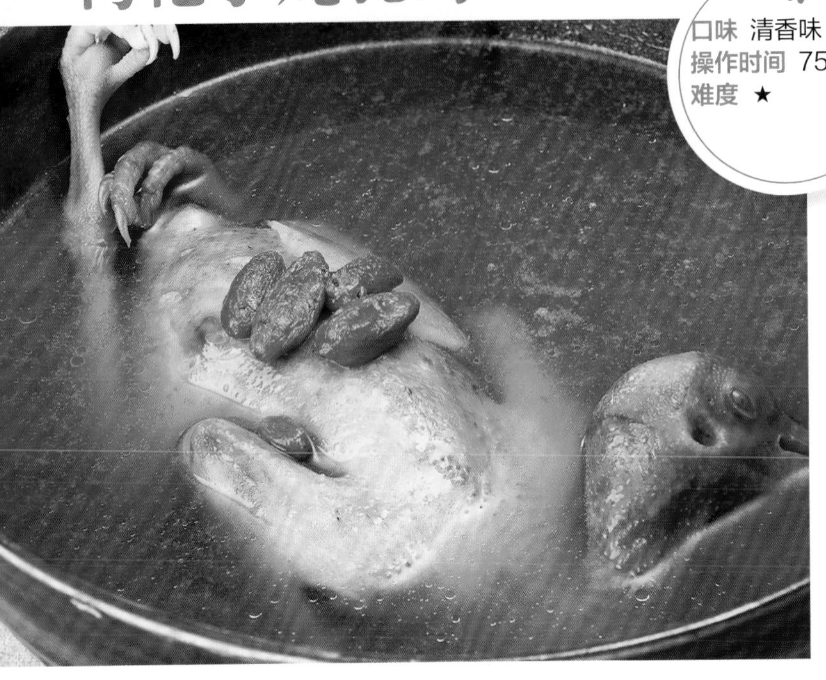

选购乳鸽时以皮肤无红色充血痕迹，肌肉有弹性，经指压后凹陷部位立即恢复原位，表皮和肌肉切面有光泽，无异味者为佳。

原 料

乳鸽1只，枸杞子25克，姜片、盐、料酒各适量。

做 法

1 将乳鸽洗净，放入沸水锅焯一下，捞出。
2 将乳鸽放入锅中。
3 添入清水，放入枸杞子，旺火煮开。
4 撇去浮沫。
5 加入料酒、姜片。
6 撒入适量盐。
7 用小火炖至熟烂即可。

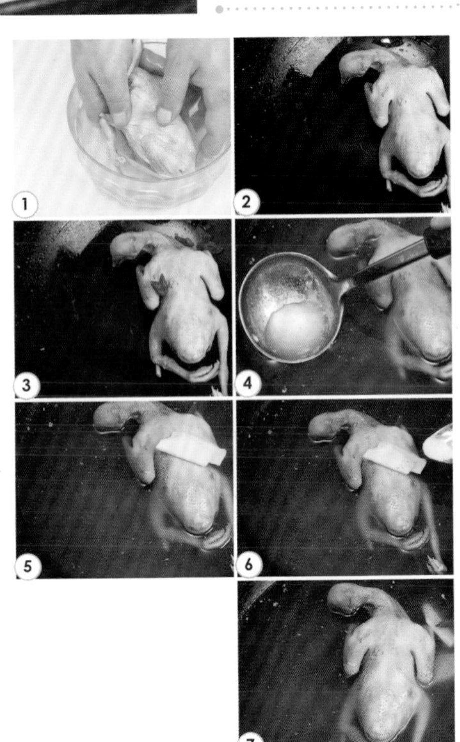

此汤可补益气血、强身健体。

椰子银耳煲鸽汤

口味 清香味
操作时间 200分钟
难度 ★★

失败巧招

乳鸽是指孵出不久的小鸽子，即未换毛又未会飞翔者，肉厚而嫩，滋养作用较强，鸽肉滋味鲜美，肉质细嫩，富含粗蛋白质和少量无机盐等营养成分。

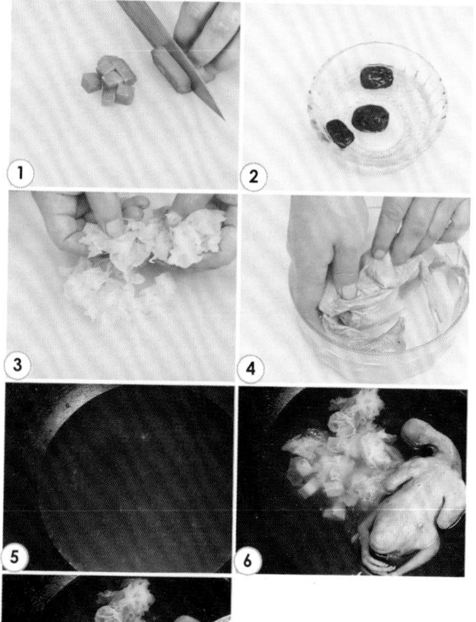

原料

乳鸽200克，椰奶、银耳干、火腿、蜜枣、盐各适量。

做法

1 将火腿切丁。
2 将蜜枣洗净。
3 将银耳干浸发，撕成小朵，煮5分钟，捞起洗净。
4 将乳鸽切去脚洗净，放入滚水中煮10分钟，取出洗净。
5 锅内添适量水煮沸。
6 放入乳鸽、火腿丁、蜜枣、椰奶、银耳煮沸。
7 转慢火煲3小时，撒盐调味。

莲藕乳鸽汤

口味 咸鲜味

操作时间 200分钟

难度 ★★

0失败巧招

没切过的莲藕可在室温下放置一周。但因莲藕容易变黑，切面容易腐烂，所以切过的莲藕要在切口处覆以保鲜膜，冷藏保鲜一周左右。

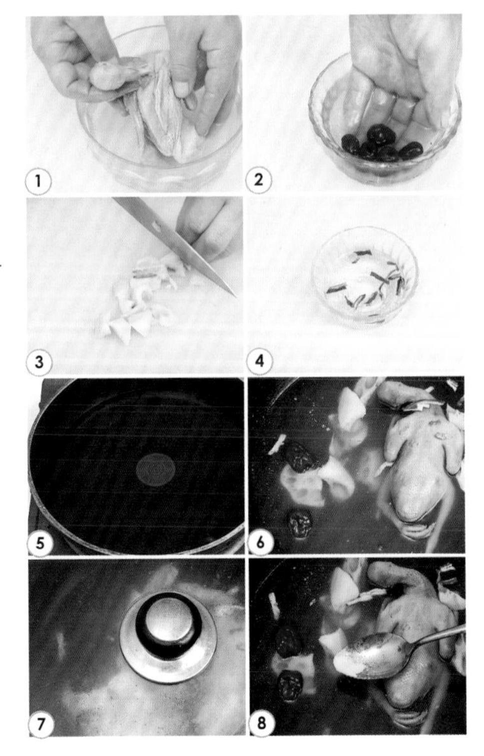

原 料

乳鸽1只，莲藕片50克，红枣6粒，陈皮、盐各适量。

做 法

1 将乳鸽洗净。
2 将红枣洗净去核。
3 将莲藕洗净切成片。
4 将陈皮洗净。
5 锅中添入适量清水
6 放入乳鸽、去核红枣、莲藕片、陈皮。
7 盖上盖，大火煮开，慢火煲3小时左右。
8 加盐调味即可。

此汤可养血健脾、开胃行气。

萝卜蛋花汤

口味 咸鲜味
操作时间 15分钟
难度 ★

0失败巧招

萝卜种类繁多，生吃以汁多辣味少者为好，平时不爱吃凉性食物者以熟食为宜；萝卜适用于烧、拌、做汤，也可做配料和点缀。

原 料

白萝卜250克，鸡蛋2个，清汤、大蒜、盐、香油、色拉油各适量。

做 法

1 将鸡蛋打入碗内搅匀成鸡蛋液。
2 将大蒜去皮切末。
3 将白萝卜洗净，切细丝。
4 炒锅注色拉油烧热。
5 放入大蒜末爆香。
6 加入白萝卜丝翻炒。
7 添入清汤烧开。
8 淋入鸡蛋液煮开。
9 淋入香油。
10 加盐调味即成。

特别提示

萝卜最好能带泥储放，若室内气温不是太高，置于阴凉通风处即可。

丝瓜蛋汤

口味 咸鲜味
操作时间 20分钟
难度 ★★

丝瓜中含有丰富的B族维生素等营养成分，有利于小儿大脑发育及中老年人大脑健康；烹制丝瓜时应注意保持清淡，油要少用，可勾稀芡，以保持菜肴香嫩爽口。

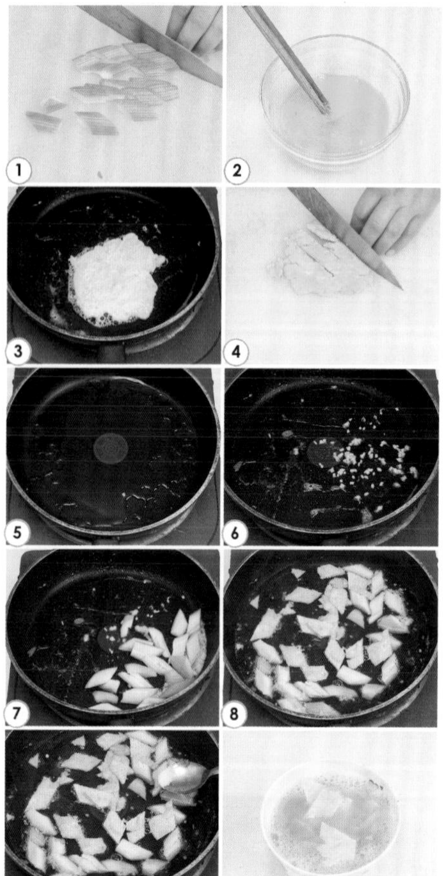

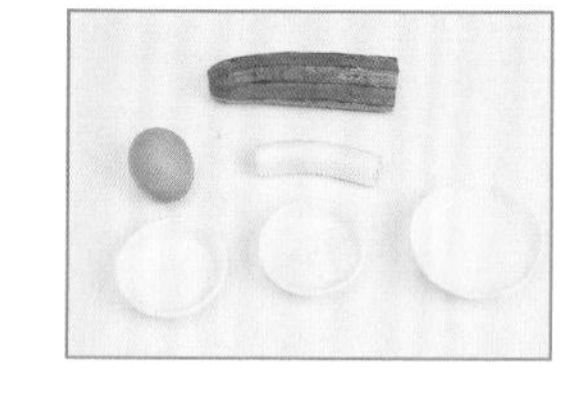

原 料

丝瓜200克，鸡蛋1个，葱、盐、味精、色拉油各适量。

做 法

1 将丝瓜刮去外皮，切成菱形块；葱切末。
2 将鸡蛋磕入碗内，加盐打匀成鸡蛋液。
3 将蛋液入油锅煎成金黄色。
4 将鸡蛋取出切块。
5 炒锅注色拉油烧热。
6 下入葱末炸出香味。
7 放入丝瓜块炒至发软。
8 添入适量开水煮沸，放入蛋块。
9 旺火煮3分钟，撒入盐、味精。
10 起锅装入碗中即可。

此汤可清热凉血、养心宁神。

松花蛋淡菜汤

O失败巧招

将松花蛋放在手掌中轻轻地掂一掂，品质好的松花蛋颤动大，品质较差的松花蛋无颤动；松花蛋最好蒸煮后食用，不宜存放于冰箱。

原 料

番茄、甘薯各150克，淡菜100克，松花蛋75克，葱花、姜片、盐、色拉油各适量。

做 法

1 将番茄洗净切块。
2 将甘薯去皮，洗净，切滚刀块。
3 将松花蛋去壳，洗净切块。
4 淡菜用清水浸30分钟后洗净。
5 炒锅注色拉油烧热，放入姜片、葱花、淡菜略炒。
6 添入浸过淡菜的水，煮片刻捞出淡菜。
7 原汤煮沸，加姜片、甘薯块、番茄块煲40分钟。
8 加松花蛋块、淡菜煲10分钟，撒盐调味即可。

特别提示

此汤滋补消火，有益身体健康。

韭菜咸蛋肉片汤

口味 咸鲜味
操作时间 25分钟
难度 ★★

品质好的咸鸭蛋外壳干净，摇动有微颤感，剥开蛋壳后，咸味适中，油多味佳，用筷子一挑，便有黄油冒出，蛋黄分为一层一层的，越往里越红。

原 料

咸鸭蛋150克，韭菜200克，猪瘦肉100克，姜、花生油、盐各适量。

做 法

1 将韭菜洗净切段，沥干；姜洗净切末。
2 将咸鸭蛋洗净，取出蛋黄和蛋白。
3 将猪瘦肉切薄片，加入盐腌10分钟。
4 锅内注花生油烧热。
5 放入姜末爆香。
6 放入韭菜段、咸鸭蛋黄、猪瘦肉片，添适量水煲熟。
7 放咸鸭蛋白拌匀，盛入汤碗内即可。

Part 1 米香醉人

米饭 什锦炒饭

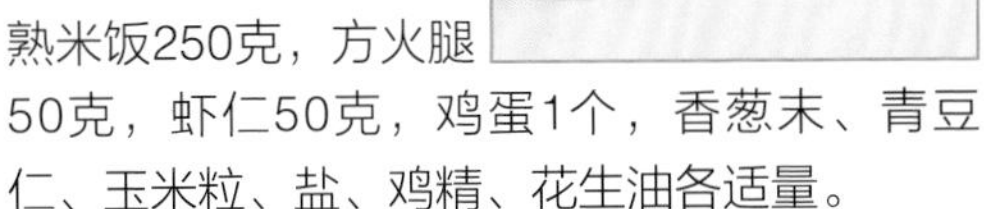

原料

熟米饭250克，方火腿50克，虾仁50克，鸡蛋1个，香葱末、青豆仁、玉米粒、盐、鸡精、花生油各适量。

操作时间 20分钟
难度 ★★

做法

1 将方火腿切丁。
2 将鸡蛋打散。
3 将虾仁改刀切段，焯水；青豆仁、玉米粒煮熟。
4 将花生油加入锅中烧热，倒入鸡蛋液炒熟取出。
5 另起锅加入花生油烧热，下入香葱末爆锅。
6 放入熟米饭、火腿丁、虾仁段炒香。
7 放入青豆仁、玉米粒、盐、鸡精调味。
8 翻炒均匀，盛盘即可。

特别提示 青豆仁、玉米粒、盐、鸡精要最后放。

0失败巧招

购买火腿时注意其生产日期；虾仁最好购买鲜虾自己剥取，避免变质，影响健康。

大虾炒饭

操作时间 25分钟
难度 ★★

原料

米饭200克，大虾、黄瓜各50克，鸡蛋1个，葱、盐、味精、胡椒粉、色拉油各适量。

做法

1 将鸡蛋在碗中打散。
2 将葱洗净，切成葱花。
3 将黄瓜洗净，切成丁。
4 将大虾洗净，去肠线。
5 炒锅注入色拉油烧热，倒入鸡蛋液炒散成凝固的鸡蛋块。
6 下入葱花爆香。
7 放入米饭、黄瓜丁、大虾翻炒。
8 加盐、胡椒粉、味精调味。
9 翻炒均匀，盛盘即可。

0失败巧招

炒饭用的米饭煮之前需用水淘洗干净，略浸后下锅煮至熟透，以无硬心、粒粒松散、松硬有度为宜。

特别提示 此饭材料丰富，蛋花金黄，色香具备。

鸡丝蛋炒饭

操作时间 30分钟
难度 ★★★

0失败巧招

如使用熟鸡肉则不易入味，口感不如生鸡肉进行腌制后再烹炒；加入米饭后要慢火炒透，炒不透的米饭食用时口感较硬。

原料

鸡蛋1个，米饭250克，虾仁、鸡肉各50克，大葱、盐、味精、白糖、淀粉、料酒、花生油各适量。

做法

1 将鸡蛋摊成蛋皮，切丝。
2 将鸡肉洗净，切细丝。
3 将鸡肉丝用淀粉、盐、白糖拌匀。
4 将大葱洗净，切成葱花。
5 向锅内注花生油烧热，放鸡肉丝、虾仁和料酒炒熟。
6 加入米饭。
7 加入葱花、味精、盐，不断翻炒。
8 撒入鸡蛋丝炒透，出锅即可。

特别提示

此饭炒好后干香松软，爽滑柔嫩。

盖浇饭

原 料

大米500克，猪肉、小白菜各100克，冬笋50克，大葱、盐、味精、肉汤、淀粉、酱油、花生油各适量。

做 法

1 将猪肉洗净切片。
2 将小白菜洗净沥水，切段。
3 将冬笋煮熟切片。
4 将大葱洗净切段。
5 将大米淘洗干净，做成米饭。
6 炒锅注入花生油烧热，爆香大葱段。
7 放猪肉片、冬笋片、小白菜段、酱油、盐、味精翻炒。
8 倒入适量肉汤烧沸，用淀粉勾芡后浇在米饭上即可。

特别提示 此饭色泽悦目，味道醇厚。

0失败巧招

如使用剩米饭时，可在热饭时加少量食盐，能有效除去饭中的异味；炒菜时应大火快炒，这样菜、肉易入味。

酸辣橙子饭

原 料

米饭250克，黄瓜50克，橙子100克，白糖、酱油、葱花、辣椒粉、色拉油各适量。

做 法

1 将黄瓜洗净切成丁。
2 取1/3个橙子去皮、籽，切成丁。
3 将余下的橙子去皮、籽，榨成汁备用。
4 锅中注入色拉油烧热，下入葱花、辣椒粉爆香。
5 加入酱油略炒。
6 放入橙子丁、橙汁、白糖大火煮沸，小火煮至汤汁收浓。
7 倒入米饭、黄瓜丁。
8 拌炒均匀。
9 盛入盘中即可。

特别提示 家常做法，葱香味浓，松软可口。

0失败巧招

购买橙子特别是脐橙要选正常成色，看表皮的皮孔。优质的橙子表皮皮孔较多，摸起来比较粗糙，而质量不好的橙子表皮皮孔较少，摸起来相对光滑。橙子去皮、籽，榨成汁备用，最好用榨汁机来操作。

扬州炒饭

操作时间 20分钟
难度 ★★

原料

米饭200克，火腿75克，青豆、黄瓜、虾各50克，鸡蛋1个，盐、味精、葱、色拉油各适量。

做法

1 将鸡蛋在碗中打散。
2 将葱洗净，切成葱花。
3 将火腿切成丁；青豆煮熟。
4 将黄瓜洗净，切成丁。
5 将虾洗净，切成丁。
6 炒锅注色拉油烧热，倒鸡蛋液炒散成鸡蛋块。
7 炒锅加色拉油烧热，放入葱花、火腿丁、青豆、虾丁炒匀。
8 加入米饭、鸡蛋块、黄瓜丁翻炒。
9 加盐、味精，翻炒均匀。
10 盛盘即可。

0失败巧招

做扬州炒饭的过程中，不能加水，油一定要少放。

特别提示

营养丰富，色泽亮丽，诱发食欲。

香菇糯米饭

操作时间 25分钟
难度 ★★

原料

糯米300克，猪里脊肉100克，鲜香菇50克，紫菜、虾米、姜、盐、料酒、酱油、色拉油各适量。

做法

1 将糯米淘洗干净，浸泡一晚，上笼蒸熟。
2 将紫菜和虾米泡软，紫菜切细末。
3 将鲜香菇去蒂切丝，略焯，捞出沥干。
4 将姜切细末。
5 将猪里脊肉切丝。
6 锅内注色拉油烧热，加入姜末和猪里脊肉丝炒散。
7 放虾米、鲜香菇丝、紫菜末、料酒、酱油、盐炒匀。
8 放入糯米饭炒熟，出锅即可。

0失败巧招

鲜香菇味道比较浓厚，准备时，应先入开水中略烫后再使用；将糯米淘洗后可放入清水中稍浸泡，但浸泡时间不宜太长，以免吸水太足，影响米饭质量。

青椒醋油饭

操作时间 25分钟
难度 ★★

在挑选香菇时，首先应先鉴别其香味如何，可用手指压住菇伞，然后闻一闻，香味纯正的为上品。

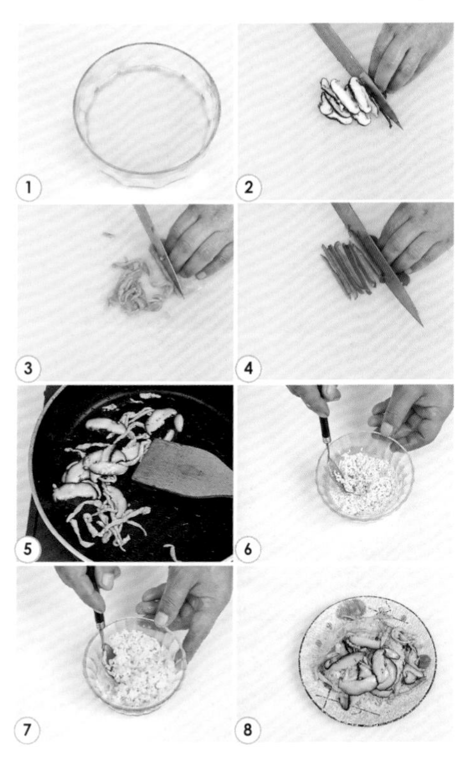

原 料

糯米、鲜香菇、猪肉各100克，青椒、盐、醋、色拉油各适量。

做 法

1 将糯米用水泡好。
2 将鲜香菇洗净，切丝。
3 将猪肉洗净，切丝。
4 将青椒去蒂，洗净切丝。
5 将猪肉丝、鲜香菇丝下色拉油锅炒熟，放入青椒丝略炒。
6 糯米加盐、醋、色拉油拌匀。
7 将拌好的糯米加适量水，用微波炉加热，取出搅匀，再加热至熟。
8 盛盘，盖上炒熟的香菇丝、猪肉丝、青椒丝即可。

特别提示

糯米加少许盐、色拉油、醋煮，色泽明亮，口感香。

茄汁肉丁盖浇饭

操作时间 20分钟
难度 ★★

胡萝卜以质细味甜、脆嫩多汁、表皮光滑、形状整齐、心柱小、肉厚、不糠、无裂口和病虫伤害的为佳。

原 料

米饭300克，猪瘦肉200克，胡萝卜50克，葱、姜、盐、味精、番茄酱、料酒、色拉油各适量。

做 法

1 将猪瘦肉洗净拍松，切丁。
2 将胡萝卜洗净切丁。
3 将葱、姜洗净，葱切葱花，姜切姜末。
4 炒锅注入色拉油烧热。
5 放葱花、姜末、胡萝卜丁、猪瘦肉丁炒散变色。
6 放盐、料酒翻炒。
7 加入番茄酱、味精炒匀。
8 出锅，浇在米饭上即可。

胡萝卜素有助于增强机体的免疫功能。

香菇薏米饭

操作时间 20分钟
难度 ★

0失败巧招

薏米较难熟透，在煮之前需以温水浸泡2～3个小时，让其充分吸收水分，而挑选薏米以灰白色的为好。

原料

大米300克，薏米100克，香菇50克，油豆腐、青豆、盐、色拉油各适量。

做法

1 将薏米洗净，浸透心。
2 将香菇泡于温水中，20分钟后捞出沥干，泡香菇的水留下备用。
3 将香菇切成小块。
4 将油豆腐切成小块。
5 将大米、薏米、香菇块、油豆腐块加水搅拌均匀。
6 加入盐、色拉油。
7 撒上青豆。
8 上笼蒸熟，取出盛盘即可。

特别提示

薏米是一种美容食品，常食可使肌肤细腻。

洋葱牛肉包

操作时间 40分钟
难度 ★★

原料

面粉500克，牛肉、洋葱各250克， 葱汁、姜汁各50克，碱、酵母、盐、味精、白糖、酱油、香油各适量。

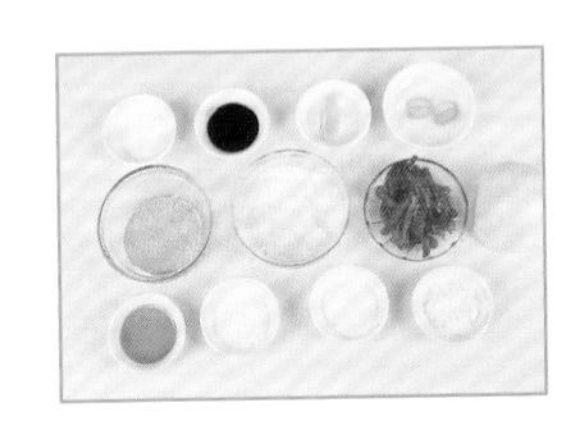

做法

1 将面粉、酵母、碱、白糖放盛器内混合均匀，加水揉成面团。
2 将牛肉洗净，剁成肉馅。
3 牛肉馅加盐、味精、酱油、香油拌匀，加入葱汁、姜汁。
4 将牛肉馅以顺时针方向搅拌上劲，直至牛绞肉完全吃足水上劲。
5 将洋葱切末，放入盛器。
6 加入牛肉馅，搅拌均匀，放盛器中备用。
7 将发好的面团分小块，再擀成面皮。
8 包入馅，捏好，放入锅中蒸熟，取出即可。

0失败巧招

要选用新鲜细嫩的牛肉，这样的牛肉纤维细嫩，味道鲜美，容易消化吸收；搅拌牛肉馅时加入足量的葱汁、姜汁，味道更鲜美。

特别提示

成品牛肉软嫩、葱香酱甜、爽口有劲。

牛肉芹菜包

操作时间 40分钟
难度 ★★

0失败巧招

购买芹菜时选用鲜嫩、菜梗细的芹菜，这样的芹菜无老筋、口感好。芹菜做馅时不要焯水，保持原汁原味较好。

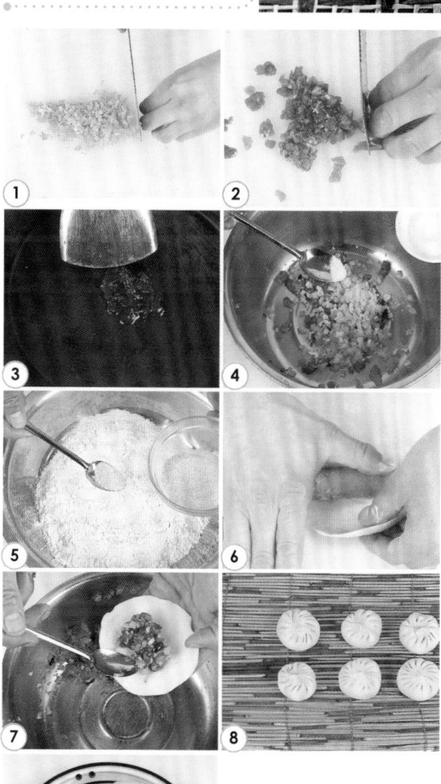

特别提示

成品皮薄色白，馅鲜细嫩，味咸微辣。

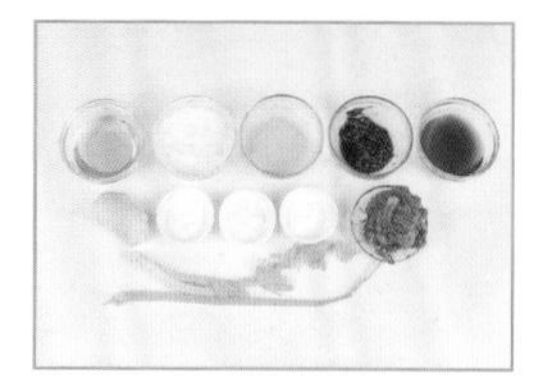

原 料

面粉500克，牛肉200克，芹菜150克，姜、碱、酵母、盐、白糖、豆瓣酱、江米酒、花生油各适量。

做 法

1 将姜切末、芹菜切成细末。
2 将牛肉洗净，切细备用。
3 锅内注花生油烧热，放入豆瓣酱，炒酥后起锅。
4 在牛肉、姜末、芹菜末中放入盐、白糖、豆瓣酱、江米酒，搅拌均匀，制成馅料。
5 面粉加酵母、温水，揉匀。
6 待面团发起，兑入适量碱揉匀，擀成大小均匀圆皮。
7 将馅料放入圆皮的中间，收边捏紧，制成包子生坯。
8 将包子生坯摆入屉中。
9 用旺火沸水蒸熟，取出装盘即可。

冬瓜肉包

操作时间 45分钟
难度 ★

选用的猪肉最好肥瘦兼有，肥三瘦七，这样制成的肉馅味道鲜美；冬瓜肉比较鲜嫩，所以剁碎即可，不宜剁得太细。

特别提示

成品滋味浓郁，营养丰富。

原料

面粉500克，去皮冬瓜300克，猪瘦肉100克，酵母、葱、姜、碱、盐、味精、酱油、香油各适量。

做法

1. 面粉加酵母、温水适量，揉匀，待发酵后加碱揉匀，除去酸味。
2. 将猪瘦肉洗净，剁成泥。
3. 将葱、姜洗净切末。
4. 猪瘦肉泥加酱油、味精、香油、葱末、姜末搅匀待用。
5. 将去皮冬瓜洗净，剁成细粒，再加少量盐拌匀，包入纱布中，挤去水分。
6. 将冬瓜粒加入肉馅内调拌成馅。
7. 将面团揪成大小均匀的剂子，擀成包子皮。
8. 将馅放在皮上，把包子捏好。
9. 将捏好的包子放入蒸笼。
10. 用旺火蒸2分钟，取出装盘即可。

香菇油菜包

操作时间 45分钟
难度 ★★

可以将干香菇泡发后使用，也可以使用鲜香菇，但是鲜香菇需要放入开水中焯烫一下，捞出沥干后切碎使用。

原 料

面粉500克，油菜300克，香菇、豆腐各100克，粉丝50克，葱、姜、碱、酵母、盐、糖、香油、色拉油各适量。

做 法

1 将面粉加水、碱、酵母，揉成面团。
2 将香菇泡发，洗净切碎；豆腐切碎；葱、姜分别洗净切末。
3 将粉丝煮熟后用凉水冲洗，剁碎。
4 将油菜烫软后用凉水冲洗后剁碎，沥干水分。
5 将所有的馅料放入盆中。
6 加葱末、姜末、盐、糖、香油、色拉油拌匀成馅。
7 将发好的面团切小段，擀成包子皮。
8 包入调好的馅，放入蒸锅蒸20分钟即可。

成品香鲜适口，带有香菇的独特香味和油菜的清甜。

三鲜蒸饺 饺子

原 料

面粉500克，鸡肉250克，八爪鱼、大虾各100克，笋50克，葱花、姜末、盐、味精、花椒粉、淀粉、酱油、香油、色拉油各适量。

做 法

1 将鸡肉洗净，剁成碎丁。
2 将八爪鱼、笋分别洗净，切丁。
3 将大虾去皮、虾线，洗净切成丁。
4 将上述材料加入所有调料，拌匀成馅。
5 把面粉放在案板上，用开水烫好，揉成面团。
6 将面团揉匀搓成长条，揪成剂，擀成圆形薄皮。
7 包入馅，捏合成月牙形的饺子。
8 把饺子放入蒸锅，蒸熟，取出即可。

0失败巧招

将鸡肉、八爪鱼、大虾先加入酱油腌渍入味，可以提升馅料的口感；包饺子过程中如果不易捏口，可以蘸一点水再捏。

特别提示 成品味香腴嫩，口感滑美。

香菇冬瓜蒸饺

原 料

面粉500克，去皮冬瓜、泡发香菇、猪肉、火腿各100克，葱、姜、盐、味精、胡椒粉、淀粉、猪油、香油、花生油各适量。

做 法

1 将葱、姜洗净切末。将猪肉、香菇洗净，切丁。将火腿切细丁。将去皮冬瓜洗净切细丁，焯烫后沥干。
2 锅内注花生油烧热，放猪肉丁、香菇丁、火腿丁、冬瓜丁煸炒。
3 放葱末、姜末、盐、味精、胡椒粉、香油、猪油翻炒，最后用水淀粉勾芡制成馅料。
4 面粉加水揉成面团，擀成合适的饺子皮。
5 包上馅，捏成蒸饺生坯。将蒸饺上屉，用旺火沸水蒸熟，取出即可。

特别提示 揉成面团后可以饧一会儿。

0失败巧招

煸炒猪肉丁、香菇丁、火腿丁、冬瓜丁时，要用旺火，时间要短，略炒即可，炒得过熟会影响馅料的味道。

白萝卜水饺

操作时间 30分钟
难度 ★

原 料

面粉500克，白萝卜600克，香菇80克，虾米50克，葱、姜、盐、味精、白糖、胡椒粉、香油、猪油各适量。

做 法

1 将葱、姜洗净切末。
2 将白萝卜洗净，切丝，焯一下，过凉剁碎，挤干。
3 将香菇洗净沥干，切碎。
4 将虾米泡好，剁碎。
5 将白萝卜碎、葱末、姜末、盐、味精、白糖、胡椒粉、香油、猪油拌匀，制成馅料。
6 面粉加水和成面团，醒好，搓成长条。
7 将长条切成剂子，擀成大小均匀、边缘较薄，中间略厚的饺子皮。
8 包入馅料，捏成饺子生坯。
9 锅内注水烧热，放入饺子生坯煮熟。
10 煮熟后取出，盛盘即可。

0失败巧招

白萝卜水分大，味道鲜美，放入开水中焯烫时间短一些可以保持萝卜的鲜美；香菇放入开水中焯烫一下，以清爽的口味与萝卜一起入馅。

荸荠鸡肉饺

操作时间 35分钟
难度 ★

原 料

面粉、鸡肉各300克，荸荠150克，枸杞子、卷心菜、盐、酱油、白糖、香油、胡椒粉、色拉油各适量。

做 法

1 将鸡肉冲洗净，和卷心菜、荸荠都切碎粒。
2 将枸杞子洗净，蒸熟。
3 将上述材料加盐、酱油、白糖、香油、胡椒粉、色拉油搅匀成馅。
4 面粉加水揉成面团。
5 将面团揪成大小均匀的剂子，擀成饺子皮。
6 饺子皮包入适量馅，捏成饺子生坯。
7 将饺子生坯放入蒸笼。
8 用大火蒸熟，取出装盘即可。

特别提示 枸杞子要适量。

0失败巧招

建议选用鸡胸肉，这部分肉细嫩味美，无筋，适合做成馅料；荸荠去皮后放入开水中焯烫一下，切碎加入馅料中。

素馅锅贴

操作时间 35分钟
难度 ★★

原料

面粉300克，韭菜、粉丝、虾皮各100克，鸡蛋3个，葱、盐、糖、胡椒粉、酱油、香油、色拉油各适量。

做法

1 将面粉先加热水搅一搅，再加冷水揉成面团。
2 鸡蛋打散搅成蛋液，入热油锅炒熟捣碎。
3 将韭菜、葱分别洗净切末。
4 将粉丝在热水中泡软，捞出控水切碎。
5 将韭菜末、葱末、粉丝碎、鸡蛋碎和虾皮放入盆中。
6 加入盐、糖、胡椒粉、酱油、香油拌成馅。
7 面团切成段，制成薄面皮，包入馅，捏成褶纹锅贴。
8 煎锅注入色拉油烧热，将锅贴慢煎，加入面粉水到锅贴的一半，煎熟即可。

0失败巧招

炒鸡蛋时鸡蛋成型即可铲出，火候不宜太大；粉丝要多泡一会儿，直至没有白心；虾皮使用前最好放入清水中洗一下。

特别提示

此锅贴口味素淡清香，适合任何人群食用。

猪肉锅贴

操作时间 35分钟
难度 ★★

猪肉馅分次缓慢加入清水，并且要不断地顺一个方向搅拌，才能让肉馅吸入水分，口感更鲜嫩；煎锅贴的火候不宜太大。

此锅贴色泽金黄，外脆里嫩，馅鲜味美，葱味香浓。

原料

猪肉500克，面粉300克，葱、姜、盐、白糖、味精、酱油、料酒、色拉油各适量。

做法

1 将葱洗净切葱花，姜洗净切末。
2 将猪肉洗净剁成肉泥。
3 加酱油、白糖、葱末、姜末、料酒、盐搅拌入味。
4 分两次注入适量清水搅拌。
5 上劲后加味精，冷藏后成馅。
6 面粉中加入热水，放凉，揉成面团。
7 将面团切成均匀小段，擀成面皮。
8 包入馅，捏成褶纹锅贴。
9 煎锅放色拉油烧热，下入锅贴慢煎。
10 加入面粉水到锅贴的一半，盖上锅盖煎至水干底部焦黄，取出即可。

京味馄饨

操作时间 40分钟
难度 ★★

0失败巧招

选用猪胫骨熬汤，要大火炖煮至汤浓色白，加入馄饨中，能提升其口感；使用虾皮前放入清水中洗一下，捞出沥干备用。

特别提示

馄饨皮薄，馅鲜汤醇，色味俱佳。

原 料

面粉300克，猪肉、猪胫骨各250克，虾皮25克，熟粉丝、香菜、紫菜、葱、姜、盐、胡椒粉、酱油、香油各适量。

做 法

1 将葱、姜分别洗净，切末。
2 将猪肉洗净剁泥。
3 将香菜洗净切小段。
4 将紫菜洗净切小块。
5 将猪胫骨洗净，煮成馄饨汤。
6 将猪肉泥加酱油、盐、熟粉丝、葱末、姜末、香油，适量水搅匀，制成馅料。
7 面粉加水揉成面团，擀成薄皮，制成合适的馄饨皮。
8 将馅包入馄饨皮中，放入馄饨汤中煮熟。
9 盛入碗中，加入酱油、虾皮、紫菜块、香菜段、胡椒粉即可。

荠菜馄饨

操作时间 40分钟
难度 ★★

失败巧招

荠菜一般会从田野中挖来，所以一定要择洗干净；荠菜细嫩，所以入水焯烫的时间要短，动作要快，以免影响荠菜的味道。

原料

面粉200克，猪肉馅250克，荠菜100克，鸡蛋1个，葱、盐、米酒、清鸡汤、味精、香油各适量。

做法

1 猪肉馅加入打散的鸡蛋搅拌均匀，葱切成葱花。
2 加入米酒、盐、味精入味，制成馅。
3 将荠菜洗净切碎，拌入馅中。
4 面粉加水揉成面团。
5 把面团制成馄饨皮。
6 包上馅，制成馄饨。
7 锅内加水烧开，放入馄饨。
8 待馄饨浮起，加入清鸡汤。
9 撒上葱花、香油，将馄饨装碗即可。

特别提示

荠菜经焯烫后缩水严重，所以材料要准备得多一些。

炸酱面

面条

操作时间 30分钟
难度 ★★

原 料

手擀面250克，猪五花肉150克，黄酱、黄瓜、葱末、料酒、香油、色拉油、白糖、味精各适量。

做 法

1 将黄瓜洗净切丝。
2 将猪五花肉切丁。
3 炒锅注色拉油烧热，放葱末、猪五花肉丁煸炒。
4 加黄酱、水、料酒、白糖炒熟，加味精、香油调匀，制成炸酱卤。
5 锅中注入水烧开。
6 下面条煮熟。
7 捞入大汤碗内。
8 放上黄瓜丝。
9 浇入炸酱卤即可。

做炸酱面的酱很重要，要选择优质黄酱。

0失败巧招

手擀面若一次吃不完的话，拍上足够的面粉以后，用食品袋扎紧后放进冰箱里冷藏，下次抖散面粉即可入锅煮食。

肉丝荞麦面

原 料

荞麦面条250克，黄瓜100克，猪肉、木耳各50克，葱丝、盐、味精、酱油、香油、色拉油、鲜汤各适量。

做 法

1 锅内注水烧开。
2 放入荞麦面条煮熟，过凉，盛于碗内。
3 将猪肉洗净切丝。
4 将黄瓜洗净切丝；木耳泡发洗净，切丝。
5 炒锅注色拉油烧热，放葱丝、猪肉丝翻炒。
6 加黄瓜丝、木耳丝、盐、味精、酱油、香油炒熟。
7 炒锅添鲜汤烧滚。
8 将鲜汤和黄瓜肉丝浇面条上即可。

浇面的汤头要清淡，原料搭配要既营养又美观。

0失败巧招

黄瓜适宜的贮藏温度为12～13℃，空气相对湿度为95%左右，贮藏多用塑料膜包装。

杂菜拌荞麦面

操作时间 30分钟
难度 ★

O失败巧招

好的青菜，叶瓣完整，菜梗饱满；油菜心焯烫的时间不宜过长。

特别提示

用青菜制作菜肴，炒、熬时间不宜过长，以免损失营养。

原 料

荞麦面条200克，鲜香菇50克，青菜心50克，胡萝卜50克，盐、味精、酱油、香油、花生油各适量。

做 法

1. 将鲜香菇去蒂，洗净切片。
2. 将青菜心洗净，放入开水中烫熟。
3. 将胡萝卜洗净去皮，切粗丝，用沸水焯出。
4. 汤锅加清水烧开。
5. 下荞麦面条煮熟，捞出过凉，沥去水分备用。
6. 炒锅加花生油烧热，下鲜香菇片、青菜心、胡萝卜丝煸炒。
7. 加入盐、味精、酱油调味。
8. 放入荞麦面条拌炒均匀。
9. 淋上香油。
10. 盛盘即可。

清炖牛腩面

原 料

面条200克，熟牛腩250克，白萝卜、胡萝卜各100克，香菜、姜、清汤各适量。

做 法

1 将胡萝卜洗净，切滚刀块，姜切丝。
2 将白萝卜洗净，切滚刀块。
3 将熟牛腩切块。
4 将熟牛腩块、白萝卜块、胡萝卜块、清汤一起放入锅中，炖煮约40分钟。
5 锅内注水烧沸。
6 放入面条煮熟。
7 面条捞入碗中，倒入炖好的材料。
8 加香菜和姜丝即可。

0失败巧招

牛腩即牛腹部及靠近牛肋处的松软肌肉，以新鲜黄牛的牛腩为好，牛腩含有牛肉所含的各种营养成分，滋补养生。

特别提示

此面色泽美观，口味鲜美，营养丰富。

三鲜面

原 料

面条200克，熟虾100克，韭菜、火腿丁、盐、鸡精、胡椒粉、酱油、香油、色拉油各适量。

做 法

1 锅内注水烧开。
2 放入面条煮熟，捞出过凉。
3 将面条沥干水分，盛入碗中。
4 将韭菜洗净切末。
5 将熟虾去头尾，切段。
6 锅内注色拉油烧热，加盐、鸡精、胡椒粉、酱油、香油，放虾段稍煮。
7 撒韭菜末、火腿丁制成汤卤。
8 将汤卤浇在面条上即可。

特别提示

汤卤要现吃现做，不可提前做好存放使用。

0失败巧招

煮面条时一要多加些水，因为面条有个“涨发”过程，要吸收一些水分；色发红、身软的虾尽量不吃。

翡翠凉面

O失败巧招

面条剩了不妨用凉水过一下，然后放上一些香油拌一下，放在冰箱里就不会黏在一起，再吃时，加些作料，即可做凉面。

特别提示

此面色泽翠绿，凉中透着清香，最宜夏天食用。

原 料

面条500克，火腿、黄瓜、虾米、鸡肉、榨菜各50克，盐、味精、香油、色拉油、酱油、辣椒油、腐乳汁、醋、姜、蒜各适量。

做 法

1 锅内注水烧开。
2 放入面条煮熟，捞出沥干水分。
3 面条加盐、味精、香油、酱油、色拉油拌匀，冷藏。
4 鸡肉煮熟切末。
5 虾米用温水浸泡，切碎。
6 将榨菜切末。
7 将火腿、黄瓜切丝。
8 将姜切末。
9 将蒜去皮洗净，切泥。
10 将处理好的材料搅匀盛碟，和面拌匀食用。

四川冷面

原 料

挂面200克，火腿、黄瓜、水发木耳、胡萝卜各50克，葱油、青椒、盐、鸡精、辣椒油各适量。

做 法

1 锅内注水烧开。
2 放入挂面煮熟，捞出过凉水。
3 挂面拌入少许葱油。
4 将青椒、火腿、黄瓜、水发木耳分别切丝。
5 胡萝卜去皮切丝，放入锅中焯水。
6 将青椒丝、火腿丝、黄瓜丝、水发木耳丝、胡萝卜丝摆在面条上。
7 将盐、鸡精、辣椒油搅匀成味汁。
8 将味汁淋在表面上即可。

0失败巧招

煮挂面注意用慢火，使热量随着水分由外到内逐层进去，这样才能把挂面煮熟、煮透，面汤清，口感好。

特别提示

此面口感微辣，具有浓郁四川风味特色。

四季豆打卤面

原 料

挂面300克，四季豆250克，猪肉100克，水发木耳25克，鸡蛋1个，香葱末、盐、鸡精、酱油、蚝油、香油、色拉油各适量。

做 法

1 将四季豆洗净切丝。
2 将猪肉、木耳切丁。
3 将鸡蛋在碗中打散。
4 挂面煮熟，捞出过凉。
5 锅中注色拉油烧热，放香葱末、猪肉丁、四季豆丝煸炒。
6 添开水，加盐、鸡精、酱油、蚝油调味。
7 倒入鸡蛋液，淋入香油。
8 出锅盛盘，将做好的四季豆卤浇在面条上即可。

特别提示

家常做法，葱香味浓，饼松软可口。

0失败巧招

制作四季豆美食时，四季豆一定要煮熟，因四季豆籽粒中含有一种在高温下才能破坏的毒蛋白，必须熟透才能食用。

鸡汤面条

原料

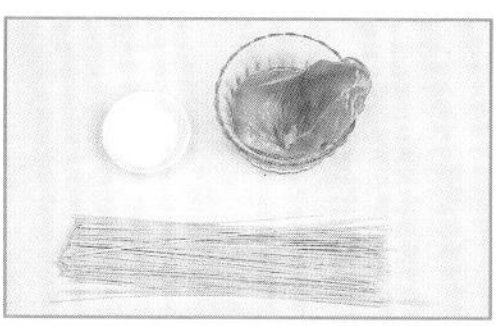

鸡肉500克，挂面250克，盐25克。

做法

1 将鸡肉洗净切块。
2 将鸡肉块放入锅中煮熟，捞出。
3 鸡汤撇清留用。
4 锅内注水烧滚。
5 放入挂面煮熟，捞出。
6 将鸡汤、适量盐调匀，放入面条。
7 在面条上放鸡肉块即可。

特别提示

面条易于消化吸收，鸡肉蛋白质含量较高，营养丰富。

0失败巧招

煮挂面时，水烧开后加少量盐，再下面条，面条不会烂掉还有嚼劲，开锅加冷水，开3次后基本就熟了。

担担面

原料

挂面200克，菠菜100克，绿豆芽、香油、酱油、葱花、辣椒油各适量。

做法

1 将绿豆芽洗净，用刀剁成细末，放入开水中烫熟。
2 将全部调料调匀放入碗中，制成调味汁。
3 锅中注水烧开。
4 下入挂面煮熟。
5 放入择洗净的菠菜稍烫一下。
6 将菠菜面条一同捞出放入碗中。
7 加入绿豆芽末、调味汁即可。

0失败巧招

菠菜一定要新鲜水嫩，否则会影响面的口感；调味汁的浓淡程度可以根据个人口味调整。

特别提示

此面口味鲜香，咸辣滑软，别具风味。

面饼 椒盐家常饼

原料

面粉500克，盐、白糖、花生油各适量。

做法

1 将面粉加盐、白糖搅匀。
2 加入适量温水和成面团，盖上湿布醒20分钟。
3 将醒好的面团搓成长条，切成大小均匀的面剂。
4 将面剂擀成厚薄均匀的圆皮。
5 刷上一些花生油。
6 将面皮卷起，抻搓成长条，盘成圆圈按扁，擀薄成饼坯。
7 锅内注花生油烧热，放入饼坯用小火烙，一面烙至金黄色时将饼翻个面。
8 烙至饼的两面都呈金黄色且饼皮酥松，出锅改切成小块即可。

0失败巧招

烙饼时一定注意要用小火烙制，直到饼两面的水分烘干，变至金黄色，这样烙出的饼才会酥松可口。

特别提示 和面时注意使用温水，不能太热。

萝卜丝酥饼

原料

白萝卜750克，面粉500克，虾米50克，盐、味精、花生油各适量。

做法

1 将白萝卜洗净、切丝，用盐腌片刻。
2 将虾米用清水浸泡，剁末。
3 碗中加入白萝卜丝、虾米末、味精拌匀成馅。
4 取300克面粉加水、花生油调成水油面。
5 取200克面粉加入花生油搓成油酥。
6 将水油面作皮，包入油酥面。
7 擀成方形，折叠三层。
8 再擀成长方形面皮，卷成圆筒状。
9 做成圆饼坯子，压平成剂，包入馅料，按成圆饼。
10 平底锅内注花生油烧热，将萝卜丝饼逐一煎至两面金黄色，装盘即可。

特别提示 煎饼的火候不宜太大，小火煎黄即可。

0失败巧招

白萝卜水分较大，所以白萝卜切丝后，加入适量盐腌一下，再挤干水制馅比较好；虾米用温水浸泡比较好。

椒盐饼

原 料

面粉500克，酵母、椒盐、温水、花生油各适量。

做 法

1 在面粉中加入酵母拌匀。
2 加入适量温水调匀。
3 将面粉和成面团。
4 将面团擀成长方形面皮。
5 表面刷花生油。
6 均匀撒上适量椒盐。
7 从一头卷起，卷成卷，切成段。
8 稍擀成形，醒好，放入烤箱烤熟，取出即可。

特别提示 椒盐的量根据个人口味调整。

烤箱使用前要先进行预热，椒盐饼排放入烤盘后还可以再刷一次花生油，烤完后略等一会儿再打开烤箱，避免饼塌形。

葱油饼

原 料

面粉500克，葱花l00克，盐、花椒粉、花生油各适量。

做 法

1 在面粉中加入适量水，拌和均匀。
2 揉成面团。
3 搓成长条。
4 揪成剂子。
5 擀成面片。
6 刷上花生油。
7 将葱花生花中加入盐、花生油、花椒粉拌匀。
8 均匀地撒在面片上。
9 从一头卷好，然后擀成圆饼。
10 放入平底锅烙至金黄色，出锅即成。

特别提示 家常做法，葱香味浓，饼松软可口。

将切好的葱花放入花生油中略炸一下，葱香味会更浓，然后放在面片上；撒葱花时要留出饼片四周，避免葱花擀后溢出。

山药鸡蓉粥

操作时间 45分钟
难度 ★★

0失败巧招

山药分为干山药和鲜山药两种。优质干山药淀粉含量很多，用手摸时，感觉比较细腻，会有较多的淀粉粘在手上。

原料

大米250克，鸡胸肉100克，山药75克，黑芝麻、芹菜、盐、淀粉、红枣、鸡蛋清各适量。

做法

1 将山药去皮，洗净切丁。
2 将红枣洗净。
3 将芹菜洗净切细粒。
4 将大米淘洗净。
5 将鸡胸肉洗净剁成泥。
6 加盐、鸡蛋清、淀粉搅匀，制成鸡肉泥。
7 锅中注入适量水烧开，放入大米熬煮至八成熟。
8 加入红枣、山药丁煮熟。
9 撒入盐调味。
10 加入鸡胸肉泥、黑芝麻、芹菜粒略煮即可。

由于是煮粥所用，山药和芹菜都要切得细碎些。

清汤鲈鱼粥

原 料

稀粥1碗，菠菜200克，鲈鱼肉150克，鸡胸肉25克，火腿、陈皮、葱段、胡椒粉、盐、味精、水淀粉、姜丝、清汤、鸡蛋清、料酒、色拉油各适量。

做 法

1 将鲈鱼肉洗净切丝；鸡胸肉、火腿、陈皮分别洗净，切丝。
2 鲈鱼丝加入鸡蛋清、盐、料酒、味精、水淀粉上浆。
3 将菠菜择净，焯水，沥干；姜丝制成汁。
4 炒锅注色拉油烧热，放入鲈鱼丝滑散呈白色，捞出沥油。
5 锅中注入清汤，放入葱段、盐煮沸。
6 拣出葱段，加味精、姜汁，用水淀粉勾芡。
7 放入鲈鱼丝、菠菜、鸡胸肉丝、火腿丝、陈皮丝、稀粥一起煮粥。
8 撒入胡椒粉煮开，装碗即可。

特别提示 椒盐的量根据个人口味调整。

鲈鱼肉质白嫩、清香，肉为蒜瓣形，最宜清蒸、红烧或炖汤；鲈鱼肉提前用料酒去腥，吃起来味道更鲜美。

香菇牛肉粥

原 料

生牛肉100克，大米、香菇各75克，盐、味精各适量。

做 法

1 将生牛肉切成细丁。
2 将香菇洗净，捞出切碎。
3 将大米淘洗净。
4 锅中放入清水、大米烧沸。
5 加入生牛肉丁。
6 加入香菇粒，小火熬煮成粥。
7 撒入盐调味。
8 撒入味精，出锅即可。

0失败巧招

旺火烧开后，揭开锅盖炖20分钟去除异味，然后盖上盖，改用微火煮，使汤面上浮油保持温度，起到焖的作用。

特别提示 新鲜牛肉外表微干或有风干膜，不粘手，弹性好。

皮蛋瘦肉粥

操作时间 40分钟
难度 ★★

为防止粥粘底，可在煮粥时，放一个较轻的调羹在锅底与粥同煮，水沸腾过程中，调羹也被带动，可以防止粥煮粘底。

原 料

大米500克，猪瘦肉150克，皮蛋1个，香菜、葱花、盐、淀粉、酱油各适量。

做 法

1 将大米淘洗净。
2 将大米放入锅内，添入适量水煮成粥。
3 将皮蛋去壳。
4 将皮蛋切丁。
5 将猪瘦肉洗净切粒，香菜洗净切末。
6 猪瘦肉粒中加入酱油。
7 加入淀粉拌匀，腌制片刻。
8 待粥煮沸时，加入皮蛋丁。
9 放入猪瘦肉粒煮匀。
10 撒入葱花、香菜末、盐，装碗即可。

若粥有点粘底，不要用勺子搅动锅底的粘皮，否则容易产生煳味。